www.tredition.de

Für meine Tochter Jenny

Fox Hardegger

F&%K THE CRISIS

Aufstehen – Staub aus den Kleidern klopfen - weitergehen

IMPRESSUM

Dieses Buch wurde geschrieben von Fox Hardegger in Zusammenarbeit mit Franziska K. Müller. Sie ist mehrfache Bestseller Autorin und schreibt Bücher zu spannenden Geschichten des Lebens. Mehr Info zu Franziska K. Müller unter: www.privatbiografie.ch

Verlag und Druck: tredition GmbH, Halenreie, 40-44, 22359 Hamburg

ISBN:
978-3-347-13869-8 (Paperback)
978-3-347-13870-4 (Hardcover)
978-3-347-13871-1 (e-Book)

Auflage 2020 als Roman in tredition.de

Neustart

Meine Firma Dragon Line Ltd., war hinter Holcim und Nestle die drittgrösste Schweizer Firma in Vietnam. Wir produzierten pro Jahr über dreitausend Schiffscontainer Blumentöpfe und Terrakotta-Ware, also unglasierte keramische Produkte und Erzeugnisse aus gebranntem Ton, die nach Europa und USA exportiert wurden. Ich beschäftigte über zweitausend Mitarbeiter in der Produktion und mehr als zweihundert Angestellte allein im Management und der Administration. Verschiedene Produktionsstätten und eine Logistik, die in der Hochsaison rund um die Uhr einen Sattelschlepper nach dem anderen abfertigte, gehörten zu diesem Business dazu, dass mein früh verstorbener Vater aufgebaut hatte. Fünf Jahre lang hatte ich diese grosse Firma erfolgreich geführt und sowohl Umsatz wie auch Ertrag signifikant gesteigert. Nach der Finanzkrise, die am 15. September 2008 mit dem Crash des amerikanischen Finanzinstituts, Lehmann Brothers, begann und auch meine Firma in den Abgrund riss, versuchte ich die Füsse wieder auf den Boden zu bringen, verbrachte sinnlose Zeit in Australien, wollte eigentlich in die Schweiz zurückkehren, blieb in Singapur hängen. Ein sicherer Ort, um mit einem Kind zu leben. Investorenfreundlich. Und vor allem würden die immer heissen Temperaturen dazu führen, dass meine Geschäftsidee, italienische Eiscreme unter das asiatische Volk zu bringen, bestens funktioniert.

Und nun stand ich in dieser Produktionsküche, allein und verzweifelt und denke kurz zurück, was mich den hierhergebracht hat. Die Masse läuft über den Tisch. Sie rinnt. Sie tropft. Sie klebt. Das süsse Gemisch landet auf dem Boden, hinterlässt dort eine unappetitlich aussehende Pfütze. Die Maschine gibt alarmierende Töne von sich – als wüsste sie, dass sie selbst und ich in Not sind. Verärgert versuche ich Marios Aufmerksamkeit auf mich zu ziehen. Er sitzt mit einem chinesischen Kunden telefonierend im Büro. Meist schlecht gelaunt und wild gestikulierend möchte man mit diesem

Italiener eigentlich nichts zu tun haben. Es geht leider nicht anders: italienische Gelato-Meister, die fliessend chinesisch sprechen, sind in Singapur Mangelware. Seit über fünf Jahren lebt er hier und bietet – sehr erfolgreich – professionelle Schulungen im Bereich der italienischen Eiscrème-Herstellung an. Die dazugehörige Infrastruktur, die er auch mir teuer verkauft hat, scheint allerdings nicht oder falsch zu funktionieren. Obwohl ihm das ohrenbetäubende Gepiepse der Anlage nicht entgangen sein konnte, ignoriert er mich weiterhin konsequent.

Damals – im Sommer 2011 – stand viel auf dem Spiel: In der nächsten halben Stunde erwartete ich das hochkarätige Team von *CapitalLand* zu einer Degustation jener Glacé-Sorten, die den Erfolg meiner neuen Existenz – «Gelateria Italia» – begründen sollten. *CapitalLand* ist in Singapur unter anderem im Besitz von hundert Einkaufszentren. Die Macht des Konsortiums ist allumfassend, denn diese Herren entscheiden, ob und wo genau Gastrobetriebe und der Detailhandel Verkaufsflächen erhalten. Zeigt der Daumen nach unten, stehen die Chancen für eine Geschäftsidee von Anfang an schlecht.

Dazu muss man wissen: Ohne gigantische *Malls* läuft in dieser Megacity nichts. In den klimatisierten Shopping-Welten spielt sich das ganze Leben ab. Angenehme Musik, Entertainment und viele Einkaufsmöglichkeiten sorgen jeden Tag für Heerscharen von Besuchern. Es sind sichere, vergnügliche und oft exklusive Orte. Taufen, Geburtstage und Pensionierungen werden in Singapur im Shopping-Zentrum gefeiert und natürlich führt auch der sonntägliche Ausflug nicht in die freie Natur hinaus. Sondern in eine *Mall*. Mit dem Künstlichen eher vertraut als mit der Natur, bevorzugen viele City-Bewohner die artifiziell angelegten Grünanlagen in den Einkaufszentren, denn dort sind keine Insekten zu befürchten und die Temperaturen bleiben beständig kühl.

Grosse Teile des Insel- und Stadtstaats südlich von Malaysia präsentieren sich wie ein grosses Disneyland und je länger ich dort gelebt habe, desto stärker erinnerte mich Singapur an den Film «Truman Show»: Ein Proband wird unwissentlich in eine künstliche Welt versetzt, worauf sein dortiges Leben ohne sein Wissen und über viele Jahre hinweg zu einer Reality-Show verfilmt wird. Doch dann fährt er mit einem Schiff über einen kleinen See, meint den Horizont zu sehen, fährt in die Weite des Meeres hinein und stösst unvermittelt an eine Wand. Sie ist aus bemaltem Papier, durch den Riss hindurch sind Filmrequisiten zu sehen. Die Zuschauer verfolgen diese Existenz, in der jeder manipulierte Schritt dem Filmskript folgt, mit Interesse und gemischten Gefühlen und während ich darauf wartete, dass mir Mario endlich zu Hilfe eilt, dachte ich weiter über diese Stadt, aber auch über das Schicksal nach, das mich und meine kleine Familie per Zufall hierhergeführt hat.

Nachdem ich in der Vergangenheit Millionen verdient hatte, hiess es nun kleine Brötchen backen und dementsprechend viel stand an diesem Tag in der Schulungsküche des Italieners auf dem Spiel. Um die Entscheidungsträger von CapitalLand zu diesem Besuch zu bewegen, hatte ich viel Zeit investiert. Die Konkurrenz war riesig, andere Bewerber standen Schlange vor ihren Büros. Die besten Standorte in den *Malls* sind heiss begehrt. Was ich auch wusste: Es ist fast unmöglich eine erstklassige Location anzumieten, wenn man nicht bereits ein erfolgreiches Ladengeschäft präsentieren kann. Aber es ist fast unmöglich ein erfolgreiches Ladengeschäft auf die Beine zu stellen, wenn dieses nicht optimal platziert ist.

In dieser ungemütlichen Position befand ich mich zu diesem Zeitpunkt und hatte somit kein «Proof of Concept», also keinen Beweis dafür, dass meine Geschäftsidee nicht mehr war als die kühne Fantasie eines Träumers. In dieser Zeit fühlte ich mich manchmal wie ein Bettler und am Tag, als das Team die Zusage zur Degustation meiner Produkte gab, natürlich wie ein König.

Wichtig, eigentlich überlebenswichtig also waren die bevorstehenden Stunden. Die Schulungsräume des Italieners sollten bei den Entscheidungsträgern den Eindruck erwecken, dass es sich um meine Produktion handelt. Eine solche wollte ich erst aufbauen, wenn ich die Zusage für ein Geschäft erhalten hatte. Ich rechnete mir eine 50-prozentige Chance aus, dass es funktionieren könnte, denn: Ich bin ein guter Verkäufer und war felsenfest von meiner Geschäftsidee überzeugt, die ich über Monate hinweg entwickelt hatte. Natürlich war ich an diesem Tag wie unter Strom und bald auch gereizt, dass Mario meine Hilflosigkeit auszunutzen schien.

Im Verlauf meines turbulenten Lebens hatte ich die verschiedensten Persönlichkeiten kenngelernt. Heute kann ich Menschen gut einschätzen und weiss mit ihnen umzugehen, sodass die Kontakte in den meisten Fällen gut und harmonisch verlaufen, die Ziele erreicht werden können, ohne dass man sich bis auf das Blut bekriegen und hassen muss. In diesem Vermögen, so glaube ich, liegt ein Erfolgsgeheimnis. Denn ohne andere Menschen können auch die pfiffigsten Köpfe nicht reüssieren und die Erkenntnis, dass der Umgang auch in turbulenten Zeiten respektvoll bleiben muss, halte ich heute für mehr als wichtig. Doch bei Mario hatte ich die Rechnung ohne den Wirt gemacht. Mehr als einmal hatte ich mich bereits gefragt, ob er ein Genie ist oder einfach nur ein Idiot? Meine zahlreichen Aufforderungen die komplexe Einführung zu einem frühen Zeitpunkt durchzuführen, waren in den vergangenen Wochen auf taube Ohren gestossen.

Nun steuerte Mario plötzlich auf mich zu und erteilte mir eine Schnellschulung, die normalerweise drei Tage dauert. Es galt das Beste aus der verkorksten Situation zu machen und seine zweifelhafte Persönlichkeit irgendwie bei Laune zu halten. Mein Tief versuchte ich auszugleichen und zu überwinden. Je übler sich mein Meister gebärdete, desto mehr bemühte ich mich, die hochkomplizierten Vorgänge schnell zu begreifen und die manuellen Fertigkeiten zu verinnerlichen. Irgendwann schien er meiner Drohung Glauben zu schenken, dass ein Misserfolg auch für ihn finanzielle Einbussen bedeuten wird. Von unflätigen Flüchen begleitet, die mit jedem anderen in einer Schlägerei geendet hätten, machte er sich nun selbst ans Werk.

Wenig später standen acht Sorten feinste *Gelato* auf dem Tisch. Die Konsistenz: cremig und glänzend. Die Aromen: betörend. Die Farben: von zartem Pfirsich bis pastellfarbenem Pistaziengrün war alles dabei. Die exklusive Speiseeis-Herstellung ist eine Kunst. Natürliche Ingredienzen, keine Zusatzstoffe: Sie in dieser Qualität konstant gewährleisten zu können, erfordert viel Wissen und handwerkliches Können. Im Stillen nannte ich Mario jetzt nicht mehr «Idiot», sondern «van Gogh».

Wenig später klingelte die Türglocke. Ausgestattet mit frischen weissen Schürzen und einem einvernehmlichen Lächeln auf den Lippen begrüssten wir die illustre Gästeschar und zogen eine perfekte Show ab. Mario war wie ausgewechselt, charmant, eloquent, gewinnend, kurz: das CapitalLand-Team zeigte sich begeistert von diesen fähigen und fröhlichen Gelato-Meistern, die sich so gut zu verstehen schienen und das beste Eis produzierten, das sie jemals gegessen hatten, wie sie uns wissen liessen. Nach einer Stunde war die Degustation beendet und ich komplett geschafft. Ich klemmte mir einen Karton mit Eiscrème für meine Tochter unter den Arm und verliess den Ort des Geschehens grusslos. Zuhause schilderte ich die Geschehnisse meiner Frau, die das Erlebte mit den Worten quittierte: «Welcome Singapur – endlich wir sind angekommen.»

Boom!

Nachdem wir in Singapur eine Zeit lang in einem *Service Apartment,* einer hotelartigen Wohnung gelebt hatten, mietete ich beim Neustart eine Vier-Zimmer Wohnung im *Tanglin Park* an. Möbel besassen wir keine mehr. Unser Hab und Gut hatten wir in Australien zurückgelassen. Wir waren teuer und sehr aufwendig eingerichtet gewesen. Vom schönen Korkenzieher bis zum vollen Weinregal, vom massangefertigten Sofa bis zum Bett samt passender Bettwäsche: Der Liquidator hat sicher ein gutes Geschäft gemacht. Nur weg aus *down under:* Zu diesem Zeitpunkt war ich unendlich müde, mochte nicht mehr, wollte Australien und die dortigen Erfahrungen so schnell als möglich hinter mir lassen. Eineinhalb Jahre lang hatten wir daraufhin praktisch aus dem Koffer gelebt. Gewohnt sehr viel Geld zu verdienen, war jetzt Sparkurs angesagt, da ich unsere Ersparnisse für die Firmengründung verwenden wollte. Also statteten wir dem schwedischen Einrichtungshaus einen Besuch ab und innert weniger Stunden war ein kompletter Haushalt zusammengestellt.

In Sachen Umzug bin ich ein Profi: In meinem Leben wechselte ich mehr als fünfzig Mal das Domizil. Es kostete mich keine Mühe und auch die Neuanfänge in neuen und bisweilen exotischen Ländern fielen mir stets leicht. Lange Zeit spürte ich beim Weiterziehen ein Gefühl der Befreiung oder um es in den Worten von Janis Joplin zu sagen: «freedom is just another word for nothing left to lose». Freiheit ist nur ein anderes Wort für den Umstand, dass man nichts mehr zu verlieren hat. Ebenfalls empfinde ich es als befreiend, Materielles – manchmal freiwillig, manchmal erzwungen – hinter mir zu lassen, um zu neuen Ufern aufzubrechen: In der Zwischenzeit zusammen mit meiner kleinen Familie, die ähnlich denkt und fühlt wie ich, was mich mit Stolz und Dankbarkeit erfüllt.

Reichtum bewegt mich nicht, war nie die Hauptmotivation für meine Aktivitäten. Viel Geld bringt nicht mehr Glück. Allerdings und das ist sicher ein nicht zu unterschätzender Aspekt, lässt sich mit Geld eine gewisse Unabhängigkeit erkaufen: Die Freiheit tun und lassen zu können, was man will. Viel zu verdienen, heisst auch, dass man sich Gedanken zum verantwortungsvollen Umgang mit Geld macht und sich nicht einzig und allein darüber definiert, wie viel man besitzt. Nur dumme Leute bilden sich etwas auf ihren Reichtum ein und Dummheit ist der Boden auf dem Arroganz und Leichtsinn wachsen. Am Geld hielt ich nie fest, aus diesem Grund kam es mir vielleicht auch immer wieder abhanden, waren viele Neuanfänge nötig und natürlich haben mich die damit gemachten Erfahrungen als Mensch und Unternehmer geprägt.

Ob ich gerade viel oder weniger Geld verdiente, änderte nichts an meiner Reiselust. Doch nun war ich froh in Singapur eine feste Bleibe gefunden zu haben, die auch meiner Frau und Jenny, meiner damals 2-jährigen Tochter, entsprach. Beim *Tanglin Park* handelte es sich um eine gemütliche Wohnanlage, zu der auch ein Swimmingpool und ein Tennisplatz gehörte. Diese von Ausländern bewohnten Gelände sind im Vergleich mit jenen Wohnungen, die die Einheimischen anmieten dürfen, teuer. Mit einer Miete von 6'500 Singapur-Dollar – knapp 6'000 Franken – hatten wir ein eigentliches Schnäppchen gemacht.

Am Abend sass ich auf der Veranda und dachte nach: Obwohl unser Auftritt vor der CapitalLand-Belegschaft Oscar-würdig ausgefallen war und die Produkte, die wir präsentierten als erstklassig beurteilt wurden, konnte ich nicht absolut sicher sein, wie sich die Herren entscheiden werden und in schwachen Minuten fragte ich mich, ob die hohen Kosten und meine ganze Kraft, die ich bereits in dieses Projekt investiert hatte, vielleicht doch vergeblich gewesen sind. Doch nach einiger Zeit lag eine Nachricht vor: Es handelte sich um ein Angebot für eine 16 m^2 grosse Lokalität, die im zweiten Untergeschoss neben der Rolltreppe lag: «Plaza Singapora» ist eine sehr gut frequentierte *Mall* mit einer eigenen U-Bahn-Station und mein zukünftiger Shop war mit 8'000 Singapur-Dollar Miete pro Monat auch noch bezahlbar. Endlich! Meine Freude war grenzenlos. Nach vielen Monaten harter Arbeit und vielen Kämpfen würde ich bald mein erstes Geschäft eröffnen.

Wochen später folgte der Umbau des Lokals nach meinen Plänen. In Singapur geht ein solches Unterfangen in Windeseile über die Bühne, da alles andere umsatzschädigende Auswirkungen hat. Die Arbeiter fielen wie ein Heuschreckenschwarm auf Kommando über die Baustelle her und innert weniger Tage war der Spuk vorüber, die Verschalung wurde entfernt und vor uns lag ein wunderschönes und perfekt eingerichtetes Ladengeschäft. Anfänglich produzierte ich mithilfe von Mario in seiner Schulungsküche und transportierte die verschiedenen Sorten in Styroporkisten verpackt mit meinem Privatauto. Diese Art der Lieferung war verboten, aber erst Jahre später realisierte ich, dass solche Aktionen mit drakonischen Strafen geahndet werden. Am Tag der Eröffnung türmten sich pastellfarbene Eisberge in den Auslagen. Traditionelle Sorten wechselten sich mit experimentellen Geschmackskombinationen ab. Zweiunddreissig verschiedene Aromen – also über zweihundert Kilogramm Eis – mussten im Vorfeld produziert werden. Mit Nüssen, kandierten Früchten und anderen kulinarischen Leckereien verziert, erinnerte meine Eisdiele an die Toskana, an Rimini, an Italien. An Leichtigkeit, Genuss und Glück.

Noch vor der offiziellen Öffnungszeit näherte sich die erste Kundin. Sie blieb vor der Vitrine stehen. Während sie telefonierte, zeigte sie mit dem Finger auf zwei Sorten. Als hätte ich in meinem Leben noch nie etwas anderes gemacht, griff ich zum Eiskugelmacher und Sekunden später lag die Köstlichkeit in einem Becher. Sie bezahlte mit einem 10-Dollar Schein. So gemächlich der erste Tag gestartet war, so schnell nahm er an Fahrt auf. Kurz nach der Lunch-Zeit gab es einen ersten Ansturm und gegen Abend – *Gelato* verkauft man übrigens am Abend und nicht am Nachmittag –

standen die Kundinnen und Kunden in drei Reihen auf der ganzen Breite des Ladens Schlange. Boooom! Das hat eingeschlagen. Am ersten Tag erwirtschafteten wir in unserem winzigen Kiosk zu dritt – mehr Angestellte fanden beim besten Willen keinen Platz hinter dem Tresen – einen Tagesumsatz von 2'580 Singapur-Dollar.

Spätnachts drehte und wendete ich den ersten 10-Dollarschein, den ich Stunden zuvor mit meiner Eisdiele erwirtschaftet hatte. Ich versah ihn mit Datum und dem Firmenstempel, würde ihn einrahmen lassen und als Erinnerung an die Anfänge auf meinen Schreibtisch stellen, der sich zu diesem Zeitpunkt in unserem Schlafzimmer befand.

An diesem Abend dachte an die Höhen und Tiefen der vergangenen Jahre und nahm – wie so oft – das wunderbare Buch der australischen Sterbebegleiterin Bronnie Ware zur Hand und gelangte schnell zu jenem Kapitel, das Auskunft gibt, was sterbende Menschen am meisten bereuen. Die grosse Mehrheit antwortete: Dinge nicht getan und Chancen nicht genutzt zu haben. Die Angst vor dem Risiko lässt Menschen zu wenig erleben. Sie erleben manches, aber zu vieles nicht, weil sie auf jene Sicherheiten nicht verzichten wollen, die der Existenz auch Halt bieten. Doch das Leben besteht in meinen Augen nicht aus dem Erreichten, sondern aus dem Erlebten.

Ich habe fast immer alles versucht und das beinhaltete natürlich auch die Kraft, um Krisen und Rückschläge zu bewältigen. Scheitern, untergehen, durch den Dreck robben und dabei Staub schlucken: Das habe ich erlebt. Tiefschläge sind die Essenz aller Erfahrungen, sie machen das Leben aus und schaffen eine Erkenntnis: Dass man fast alles überlebt, auf jeden Fall aber viel mehr als man denkt. Wer aufsteht, sich den Staub von den Kleidern klopft, die Krone richtet und weiterläuft, weiss auch: Der Unterschied zwischen einem Verlierer und einem Gewinner ist einfach, dass der Gewinner einmal mehr aufsteht.

Wer gut verliert, gewinnt auch gut und die schlechten Erfahrungen relativeren später riesige Erfolge, sorgen aber auch dafür, dass man den Bezug zur Realität nicht verliert. Zu viele unerfüllte Träume trüben die Seele. Die Zukurzgekommenen! Sie sind keine angenehmen Zeitgenossen. Wer viel wagt, steckt allerdings auch viel ein. Manche Fehlschläge, von denen einige erst noch kommen sollten, waren schmerzhaft, von anderen glaubte ich mich nicht mehr zu erholen und einige machten sogar das Weiterleben zu einer Qual. Doch im Nachhinein betrachtet, waren all diese Erfahrungen wichtig für mich. Sie trugen dazu bei, wer ich heute bin. Jenem Menschen, den ich so gut kenne, mit all seinen guten und schlechten Seiten, kann ich heute im Spiegel mit gutem Gewissen in die Augen blicken, denn Selbstrespekt findet man erst, wenn man die eigenen Fehler überlebt und dabei etwas lernt.

Was noch alles auf mich zukommen sollte, wusste ich nicht, als ich an den kommenden Tagen vor meinem Glacé-Laden mit Namen «Gelateria Italia» stand: Klein und bescheiden, wie ein Neuanfang nach dem totalen wirtschaftlichen Crash zu sein hat. Trotzdem war ich der glücklichste Gelato-Verkäufer der Welt. Nach allen Dramen und Anstrengungen der zurückliegenden Zeit war ich endlich wieder im Geschäft! Viele andere hatten dieses Projekt für eine Spinnerei gehalten. Ich antwortete: «Wenn man versucht, seine Träume in die Realität umzusetzen, spielt es keine Rolle, ob man scheitert. Hauptsache, man hat es versucht.» Der Versuch hatte sich offensichtlich gelohnt. Noch ahnte ich nicht, dass sich unsere Produktion bald auf 15 Tonnen pro Monat belaufen würde und jeden Tag Zehntausende von Eiskugeln über die Ladentheken unzähliger Lokale gehen würden, die ich in Singapur betreiben würde.

Voll motiviert stürzte ich mich in die neuen Aufgaben. Van Gogh schien ebenfalls Spass zu entwickeln und natürlich waren seine Produkte in jeder Hinsicht erstklassig. Obwohl ich über seine schwierige Persönlichkeit im Bild war, bot ich ihm bald eine Beteiligung an meiner Firma an. Als Gegenleistung wollte ich die

16

Rechte an seinen Rezepten. Er betrieb weiterhin seine Firma, die im Vertrieb und in der Schulung im Bereich der Eisherstellung tätig war, in den anderen Bereichen waren wir nun als Business-Partner aufeinander angewiesen.

Meine Frau und ich arbeiteten bis zum Umfallen. Produzieren, verpacken, laden, fahren, liefern, auffüllen, verkaufen, abrechnen, die Belegschaft schulen: Am Nachmittag fuhr Anh jeweils mit unserer Tochter nach Hause, um mit ihr Zeit auf dem Spielplatz zu verbringen und sie am Abend ins Bett bringen zu können, während ich bis spät in die Nacht weiterarbeitete. Gegen Mitternacht fiel ich ins Bett, um sechs Stunden später wieder aufzustehen. Dieses Programm zog ich an sieben Tagen die Woche viele Monate lang durch. In Australien hatte ich mir geschworen, dass ich mich nie mehr über zu viel Arbeit beschweren werde. Viel Arbeit ist kein Stress, keine Arbeit zu haben, macht Stress. Für Stress sorgte in dieser Situation höchstens Mario «van Gogh». Die Unstimmigkeiten dauerten an und immer häufiger schnitt ich ihm jetzt in Gedanken ein Ohr ab. Doch noch brauchte ich ihn, noch musste ich mich mit ihm arrangieren.

Seine Beleidigungen und Versuche mich zu erniedrigen, rissen nicht ab. Ich versuchte meine Reaktionen zu mässigen und betrachtete es als Schulung meines Charakters, damit klarzukommen. Manchmal erschien mir diese Situation dennoch unerträglich. Zum Glück verfügten wir über finanzielle Reserven und das Business lief gut. Wir konnten einander aus dem Weg gehen, sonst hätte es wohl Mord und Todschlag gegeben. Ich versuchte mich in dieser Zeit auf das Positive in meinem Leben zu konzentrieren, mein Kind, meine geliebte Frau, die guten Erträge, die ich erwirtschaftete. Es herrschte Aufbruchsstimmung! Rückblickend war es eine fast sorglose Zeit. Hart aber gut.

Der grosse Erfolg unserer winzigen *Gelateria* blieb auch *CapitalLand* nicht verborgen. Bald lag ein Angebot für eine zweite

Lokalität vor. Die «*JCube-Mall*» existierte zwar erst auf dem Reissbrett, schien aber das Mass aller Dinge zu sein. Als Highlight sollte im zweiten Stock eine Weltklasse-Eishockey-Arena mit Eisfeld und Sitzplätzen für ein paar tausend Zuschauer entstehen, die bei ständigen Aussentemperaturen von 35 °C in Scharen in die *Mall* strömen würden. Uns wurde ein Ladengeschäft bei der Rolltreppe angeboten. Rolltreppen sind verkaufstechnisch gesehen immer gut, denn sie bedeuten stetige Frequenz. Dieses Objekt würde erst nach der einjährigen Bauzeit zur Verfügung stehen. Wir unterschrieben den Vertrag und leisteten, wie immer in dieser Stadt, auch ein Mietzinsdepot, das in diesem Fall mit rund 80 000 Singapur-Dollar zu Buche schlug.

Auch anderswo hatte sich unser Erfolg herumgesprochen: Die renommierte Takashimaya-Mall – sie gilt als besonders elegante und exklusive Adresse – meldete sich bei uns. Mister Yap, der *Leasing Manager* bot mir eine Fläche an. Ab diesem Zeitpunkt landeten in schöner Regelmässigkeit Top-Angebote auf meinem Tisch, denn jetzt wollten auch andere Vermieter das erfolgreiche Gelato-Italia-Konzept in ihren Einkaufszentren wissen. Ich konnte auswählen und wählte das Beste: die Takashimaya-Mall. Die Gegend ist mit dem Zürcher Paradeplatz vergleichbar. Wenn einem Gastronomen dort eine Eck-Lokalität mit Aussensitzplätzen angeboten wird, sagt er auch nicht «Nein». Später sollten wir allein an der *Orchard Road* vier Shops betreiben, doch bereits zu diesem frühen Zeitpunkt bedeutete das prestigeträchtige Angebot eine grosse Anerkennung unserer Arbeit.

Hut und Pfirsich

Ich hatte immer noch genügend Geld auf der hohen Kante, verdiente sehr gut und leistete mir eine kleine «Food Factory Unit», in der ich eine Eis-Produktion mit einem riesigen Kühlraum einrichtete, da Nahrungsmittel in Singapur nur in lizenzierten Gebäuden hergestellt werden dürfen. Wir planten für die Zukunft. Gross und grosszügig, wie es meiner Art entspricht. Jedoch auch verantwortungsbewusst und so, dass die finanziellen Belastungen den Rahmen nicht sprengen. Natürlich hatte ich als Unternehmer im Verlauf meiner bisherigen Karriere viel gelernt, verfügte über das Wissen und die Erfahrung, wie man ein Geschäft lanciert, führt und expandiert. Trotzdem blieb ich vielen meiner anfänglichen Überzeugungen treu, die andere als unorthodox bezeichnen, weil sie den gängigen Schulbüchern der Wirtschafts-Hochschulen in einigen Punkten widersprechen.

Ein Freund von mir bezeichnete mein Vorgehen einmal folgendermassen: Zuerst werfe ich den Hut über die Mauer und dann unternehme ich alles, um über die Mauer zu gelangen und den Hut an mich zu bringen. Seine Worte, so fand ich, treffen den Nagel ziemlich auf den Kopf. Ich bin kein Freund von Plänen und festgelegten Strategien. Sie können blockieren, den natürlichen Werdegang einer Geschäftsidee verhindern, denn, so entspricht es meiner Erfahrung: Es kommt sowieso anders als man denkt oder anders ausgedrückt: Will man den lieben Gott zum Lachen bringen, macht man Pläne.

Pläne finde ich massiv überbewertet. Jene, die man für sein eigenes Leben macht, aber auch jene, die über Erfolg oder Misserfolg im Geschäftsleben entscheiden sollen. Wer von seinem Tun überzeugt ist und im Grossen und Ganzen weiss, wohin die Reise gehen soll, wird einen Weg finden, der zum Ziel oder zumindest in die Nähe des Ziels führt. Immer. Der Glaube an sich selbst, die

Fähigkeit, den Blickwinkel zu verändern, aber auch die Akzeptanz eines möglichen Scheiterns, sind wichtiger als ein ausgefeilter Geschäftsplan. Das heisst nicht, dass ich keine Businesspläne erstelle, meine Ideen und Konzepte genauestens prüfe und Vorgaben ausformuliere.

Beweglichkeit ist wichtig, wenn man auf spontane Veränderungen eingehen will und ohne Brett vor dem Kopf agiert. Wie bereits erwähnt: Leben wird erlebt und deshalb zählt jeder Tag, an dem wir unterwegs sind, spontane Entscheidungen treffen und fast alles zulassen, mehr als ein Tag, der nach festgelegten Ideen verläuft. Planen schränkt ein, zwingt zur Einhaltung von Regeln und Vorgaben, die sich vielleicht als falsch erweisen. Wenn kein Plan existiert, hinterfragt man eher, was man tut, und gleichzeitig bleibt alles im Fluss. Ich lebe schon immer nach dieser Philosophie und weiss in der Zwischenzeit, dass ich mir vertrauen kann. Weniger Fehler als derjenige, der akribisch plant, mache ich nicht, doch ich kann vermutlich besser mit diesen Fehlern umgehen. Wichtig ist es, ein Ziel vor Augen zu haben. Und der Weg dahin? Loslaufen, man kann unterwegs überlegen, wohin es genau geht und manchmal sollte man die Richtung auch mittendrin einfach wechseln.

So oder zumindest ähnlich verfuhr ich auch in Singapur. Die Produktionsabläufe professionalisierten sich, wir verfügten bald über einen Maschinenpark und kauften einen brandneuen Kühl-Lieferwagen, der die anwachsende Zahl neuer Shops mit den Produkten versorgte. Mein bisheriges «Office» im Schlafzimmer gehörte ebenfalls der Vergangenheit an. Bald arbeitete ich in einem eigenen Büro und beschäftigte in der Administration einige Mitarbeiter. Innerhalb von drei Jahren war es mir gelungen, aus einem winzigen Business eine ordentliche Firma zu machen.

Die Expansion wollten wir weiter vorantreiben und wie es der glückliche Zufall wollte, sass ich eines Nachts nach einem anstrengenden Arbeitstag in der Sauna, die zu unserer Überbauung

20

gehörte. Bei 30 °Celsius Außentemperatur war ich bisher stets allein gewesen und auch an diesem Tag freute ich mich bereits auf den anschliessenden Sprung in den Swimmingpool. Bläulich erleuchtet mutete die Anlage zur nächtlichen Stunde beinahe mystisch an. Über mir der Sternenhimmel, das ferne Rauschen der Mega-City in den Ohren und allein mit meinen Gedanken, genoss ich die einzigen ruhigen Stunden des Tages sehr. An diesem Abend ging allerdings die Türe auf: Ein Mann in meinem Alter fragte mich, ob er die Sauna mitbenützen dürfe. Natürlich, es handelte sich um die öffentliche Sauna der Überbauung. Wir kamen ins Gespräch. Alex stammte aus Deutschland, hatte an der HSG St. Gallen (School of Humanities and Social Sciences) studiert und war seit einiger Zeit mit einem Telefonbusiness erfolgreich in Singapur unterwegs. Allein die Tatsachen, dass wir beide aus der gleichen Ecke Europas stammten und bei tropischen Temperaturen gerne eine Sauna besuchen, erwiesen sich als spezielle Gemeinsamkeiten. Sein Geschäft, Zusatzdienstleistungen für mobile Telefone, schien ein grosser Erfolg zu sein. Später fragte ich ihn, was er im Monat verdiene. Er antwortete ruhig: «Einen Pfirsich». Ein Pfirsich bedeutet, gemäss Alex: 40'000 US-Dollar im Monat!

Davon war ich noch ein Stück entfernt, aber mir gefiel die Selbstverständlichkeit, mit der er diesen enormen Betrag als Standard betrachtete. Wir unterhielten uns über das Business und meinen Plan, die erste globale Ladenkette realisieren zu wollen, die italienisches Speiseeis verkauft. Wir trafen uns nun öfter auf ein Bier und eines Tages eröffnete er mir, dass er eine Möglichkeit suche, um Geld zu verdienen und er gerne in mein Projekt investieren möchte, kurz und gut: Aus der Sauna-Bekanntschaft wurde eine Business-Partnerschaft. Als Pragmatiker fackelten wir nicht lang: Zwei Wochen später steckte Alex eine halbe Million Dollar in meine Firma.

Nun hatten wir noch mehr *Cash* in der Kasse. Alex war in rasantem Tempo unterwegs, wollte schnell, am liebsten global und vor allem per *Franchising* expandieren. In der Zwischenzeit hatten wir unser zweites Geschäft an der Orchard Road eröffnet. Und wieder bahnte sich ein grosser Erfolg an. Das eine ergab das andere: Bald lag ein Angebot für das hipste Einkaufszentrum der Stadt auf dem Tisch. *Bugis* zählte pro Monat vier Millionen Besucher. Die Lage war erstklassig. Die Miete, rund 22'000 Singapur-Dollar pro Monat, bereitete mir allerdings Bauchschmerzen und nach reiflichen Überlegungen sagte ich ab, das Risiko erschien mir zu hoch. Alex war ausser sich. Obwohl allein die erste Miete und die Kaution rund 150'000 Singapur-Dollar verschlingen würden, war er anderer Meinung als ich. Seline, die Managerin der *Mall*, rief mich wenig später an. Sie hatte von meiner Absage gehört und wollte mich sehen. Selbstverständlich schlug ich diese Bitte nicht aus. Aufmerksam lauschte ich ihren eindringlichen Worten, die Sinn ergaben, und: unterschrieb den Vertrag. In der Zwischenzeit hatten wir Verträge für vier neue Lokalitäten, wovon sich zwei noch im Bau oder Umbau befanden.

Auch die neue Food-Produktion war nun fertig gebaut und ich war um eine Erfahrung reicher: In Singapur treiben einen die Behörden in den Wahnsinn. Unzählige Auflagen und Hunderte von Dokumenten mussten erstellt sowie diverse Tests bestanden werden, bevor die Inbetriebnahme stattfinden konnte. Alle Mitarbeiter waren verpflichtet, an einer Schulung für die Nahrungsmittel-verarbeitende Industrie teilzunehmen und als die Produktion hätte starten können, waren wir noch immer nicht im Besitz der nötigen Lizenzen. Van Gogh störte dieses Detail nicht. Ich erfuhr von diversen Vergehen, die mir meine Mitarbeiter

mitteilten. Sie fragten mich, ob sie verhaftet würden, wenn die Behörden von diesen Verfehlungen Wind bekämen. Ich war entsetzt und stellte den Italiener zur Rede. Obwohl mit ihm vereinbart worden war, dass die Produktion erst startet, wenn alle Genehmigungen vorliegen, fand er meine Aufregung hysterisch.

Mittlerweile waren wir drei Partner: Alex, der Deutsche für die Finanzen, van Gogh, der Italiener für die Produktion und ich der Schweizer für das Konzept und die Entwicklung. Obwohl ich im Besitz der Aktienmehrheit war, hatte ich Rücksicht auf meine Partner zu nehmen. Was bei Alex und mir problemlos klappte, andere Meinungen einzubeziehen und sich an Abmachungen zu halten, schien Mario vor unvorstellbare Probleme zu stellen. Der Streit um die Aufnahme der Produktion ohne gültige Produktionslizenz war nur eines von vielen Ärgernissen, die sein egozentrisches Naturell offenbarten: Ihm konnte alles egal sein – als Direktor der Firma und Hauptaktionär würde ich in den Knast wandern, wenn die Behörden seinen Verstössen auf die Schliche kämen.

Ich war ausser mir, sprach ein Machtwort und konnte meine Wut nur zügeln, weil ich seit langem auf seine Zulieferfirma schielte. Diese lief gut, auch weil er einen Großkunden hatte, der ihm so viel Einkommen garantierte, dass er mit dem Rest nur noch Gewinn machte. Ich hoffte darauf, seine Firma eines Tages übernehmen zu können. Dass sein unsäglicher Charakter mir sehr bald zu einem Vorteil verhelfen sollte, ahnte ich noch nicht. Aufgrund eines Streites titulierte er sein bestes Pferd im Stall Wochen später in derart unflätiger Weise, dass dieser seinen Direktor in Italien benachrichtigte. Dessen Reaktion, van Gogh solle zur Hölle fahren, besiegelte auch die Beendigung der goldenen und äusserst lukrativen Geschäftsverbindung, wie mir van Gogh unter Tränen berichtete.

Ich fragte mich, wie unbeherrscht und einfältig man sein muss, um sich auf einen solchen Konflikt einzulassen, hielt mich mit Kommentaren aber zurück. Ich wusste: Ohne diesen riesigen Dauerauftrag riskierte er, dass seine kleine, aber feine Firma sehr bald in die roten Zahlen abrutschen wird. Ich witterte meine Chance und machte ihm ein Übernahmeangebot. Wir würden seine Firma kaufen und diese unter einer Holding-Gesellschaft weiterführen. Mit diesem Streich erhielten wir direkten Zugang und Einsicht in seine Geschäfte, inklusive des Verkaufs von Infrastruktur für die Eis-Herstellung und konnten den gesamten Gewinn aus diesem Bereich künftig selbst einstreichen. Alex fand den Handel auch *cool* und van Gogh blieb nicht viel anderes übrig als einzuschlagen. Die beste Revanche ist der Erfolg: Künftig musste er unter meiner Kontrolle arbeiten. Meine Beharrlichkeit und das monatelange Erdulden seiner cholerischen Ausfälligkeiten zahlte sich nun aus.

Diese Übernahme stellte sich als Quantensprung heraus. Wir wandelten die *Gelateria Italia* in eine Holding-Struktur um. Wir wollten noch mehr Ladengeschäfte betreiben und Speiseeis produzieren, aber auch entsprechende Maschinen und Zubehör, Schulungen und Zutaten anbieten – nicht nur in Singapur, sondern in ganz Südostasien. Gleichzeitig expandierten wir weiter mit unseren eigenen Läden und bereiteten uns auf die Expansion via Franchising-System vor. Wir arbeiteten jeden Tag wie die Irren und bald sollte *Bugis* eröffnet werden. Die Baustelle brummte. Neue Rolltreppen wurden eingezogen, Decken entfernt und anderes erweitert oder ästhetisch verändert. Hunderte von Millionen Dollar fliessen in solche Bauprojekte, bis ein mehrstöckiges Einkaufsparadies aus Glas, Licht und Chromstahl dasteht, ein Bauwerk, das modernste Architektur atmet, und an Exklusivität und Eleganz nicht zu überbieten ist.

Es liegt auch in der Natur der Sache: Hat man die Chance sein eigenes Ladengeschäft in einem solchen Neubau oder Erweiterungsbau zu realisieren, reissen kleinste Versäumnisse und Verspätungen an den Nerven. Mit der Inbetriebnahme sind zudem unzählige Auflagen verbunden und gastronomische Betriebe müssen Dutzende von zusätzlichen Vorgaben erfüllen. Ich regte mich manchmal tödlich auf, denn jede noch so kleine Unachtsamkeit konnte Bussen in astronomischen Höhen nach sich ziehen. Beim Grossprojekt *Bugis* agierte der Bauleiter zudem derart überfordert, dass er nicht einmal mehr telefonisch zu erreichen war und auch physisch durch Abwesenheit glänzte. Ich übernahm vorübergehend seinen Job und lernte viel. Zuvor galt es die Betriebsbewilligung der NEA (National Environment Agency) zu erhalten. Ohne deren Stempel eröffnet in Singapur kein Restaurant. Diese Agentur prüft,

24

ob alle Vorschriften beim Umbau eingehalten wurden. Ein falsch verlegtes Kabel oder ein Kühlgerät ohne zweites Thermometer genügten, um durchzufallen. Wer nicht bestand, musste zwei Tage vor Eröffnung nochmals ein Untersuchungsverfahren über sich ergehen lassen und wer erneut durchrasselte, konnte selbst zusehen, wie er weiterkommt. Ich war mächtig stolz, denn meine *Gelateria Italia* war die erste und einzige Location auf dieser Grossbaustelle, die den Stempel auf Anhieb erhielt!

Eine Woche später fand die grosse Eröffnungsfeier statt. Die Angestellten, in properen T-Shirts, auf den Köpfen kleine weisse Strohhüte, die an Borsalino erinnerten, hätte man für Mitarbeiter einer Eisdiele in Neapel halten können. Wir wurden einmal mehr überrannt und die Leute standen bis tief in die Nacht hinein Schlange. Bald verbuchte die *Mall* pro Monat tatsächlich vier Millionen Besucher. Eine gigantische Zahl. Ich dachte: Was für eine Chance, was für ein Verlust, hätte ich diese Location nicht übernommen. Mit unserer prominent platzierten Eck-Lokalität an bester Lage erlangten wir Berühmtheit in der ganzen Stadt und entsprechend viel Aufmerksamkeit: Soziale Medien berichteten über uns, aber auch Zeitungen und lokale Fernsehstationen. Aus der Mini-Marke, mit der ich startete, war ein wertvoller und hipper Brand geworden Am Ende des Eröffnungstags hatten wir für rund 8'000 Singapur-Dollar Eiskugeln gedreht und verkauft. Ich war endgültig zurück im Rennen: Als «King of Gelato» aus Singapur!

Eine rebellische Jugend

Wer hätte gedacht, dass aus mir ein erfolgreicher Unternehmer wird, jedoch auch ein glücklicher Ehemann und Familienvater? Mein Grossvater! Er traute mir alles zu und in diesem Zusammenhang erinnerte ich mich an das Weihnachtsfest im Jahr 1987. Ich war siebzehn Jahre alt und verkörperte nicht gerade das, was man von einem wohlerzogenen Jungen aus gutem Haus erwartet hätte. Als Jugendlicher wollte ich die Welt verändern, wollte anders sein und machte jede Menge Ärger. Das Gefühl nicht in ein bürgerliches Dasein zu passen, entsprach meinem umtriebigen Charakter, war aber auch dem Wunsch nach Aufmerksamkeit geschuldet, wie ich heute weiss. Sicherheit und Geborgenheit: Beides fehlte mir in meiner Kindheit mit Eltern, die sich scheiden liessen, mit einem Vater, der als Unternehmer vielbeschäftigt war, und einer Mutter, die zwar ihr Bestes gab, bisweilen aber doch arg gefordert, zeitweise auch überfordert war.

Bereits als 12-Jähriger war ich oft emotional komplett auf mich allein gestellt. Ich lebte in einem separaten Mansardenzimmer, das Bestandteil des Appartements meiner Mutter war. Da meine Behausung über einen separaten Schlüssel und Eingang verfügte, agierte ich allerdings autonom. Während meine Mutter und meine Schwester zusammen eine Frauen-WG bildeten, trug meine vermeintliche Freiheit nicht zu meinem Glück bei.

Ich konnte tun und lassen, was immer ich wollte. Meine Mutter kam mit ihrer Arbeit und der Situation als alleinerziehende Mutter oft an ihre Grenzen während ich Halt suchte und einen Vater vermisste, der mir auch einmal die Grenzen aufzeigen konnte. Obwohl ich tun uns lassen konnte was ich wollte, oder gerade deswegen, fühlte ich mich oft einsam, versuchte die Aufmerksamkeit auf mich zu lenken in dem ich einen Lebenswandel führte, der nicht meinem Alter entsprach und oft auch die Grenzen des Erlaubten sprengte. Je älter ich wurde, desto abenteuerlicher wurden meine diesbezüglichen

Aktionen. Mein rebellisches und bisweilen anstrengendes Verhalten wurde vordergründig zwar beklagt, es wurde Besserung verlangt, was mich aber in meiner rebellischen Phase der Jugend wenig beindruckte. Meine Mutter war zu stark mit sich selbst beschäftigt als das sie mir ernsthaft hätte Einhalt gebieten können.

Bereits als Jugendlicher ahnte ich, dass man die wirklich wichtigen Dinge nicht im Klassenzimmer oder im Hörsaal lernt. Ich wollte meine intellektuelle Energie und Neugierde anders ausleben, Erfolg haben und mir alle Facetten der Existenz einverleiben, kurz: Ich wollte Vollgas geben. Ein kleines Detail stand meinem Träumen im Weg; konkret wusste ich nicht, wie ich meine Ideen umsetzen sollte. In der Folge machte ich erst mal gar nichts. «Chill your life», wie meine Tochter heute ab und an sagt, entsprach mir dieser Satz als allumfassendes Lebensgefühl. Als 13-Jähriger rauchte ich Cannabis, in späteren Jahren glaubte ich, dass mir Drogenerfahrungen psychedelischer Art zu jenen Einsichten und jener Ruhe verhelfen, die mir so schmerzlich fehlten. Heute denke ich über dieses Thema ganz anders und bin sicher, dass auch weiche Drogen in diesem jungen Alter verheerende geistige Zerwürfnisse mit sich bringen können.

Hin und wieder griff mich die Polizei auf und chauffierte mich nach Hause. Je einsamer ich wurde, desto wilder wurde mein Benehmen und je öfter mich die Polizei nach Hause brachte, desto grösser wurden die Distanz und das Unverständnis in der Familie. «Diesem Jungen ist einfach nicht zu helfen», lautete nun der Tenor. Ich war ratlos und wusste nicht, dass ich eigentlich nur auf der Suche war: nach Liebe, Anerkennung und wohl auch der Fürsorge meines Vaters.

Die Schule blieb eine einzige Tortur: für alle Beteiligten. Aufsässig, umtriebig und unruhig, darf man mich mit Fug und Recht als Horror jedes Lehrers bezeichnen. Ich hatte es zwar irgendwie bis in die achte Klasse geschafft, meine Schulzeit allerdings in zwölf verschiedenen Schulhäusern verbracht, was dazu führte, dass ich keine Freundschaften mit anderen aufbauen konnte, allein blieb, mich auch so fühlte. Bald trieb ich mich tagsüber und am Abend in der Stadt herum, fand falsche Kollegen, wiederholte verschiedene Klassen und verabschiedete mich schliesslich, knapp 15-jährig, vom Schulbetrieb.

Meine Kindheit löste eine grosse Orientierungslosigkeit aus. Während andere mit einer guten Ausbildung in der Tasche in ein stabiles Berufsleben starteten, lebte ich ziellos in den Tag hinein und als ich endlich realisierte, dass es so nicht weitergehen kann und umzusetzen begann, was zu meinem Motto wurde – «Übernimm Verantwortung für Dein Leben!» – musste ich mir alles sehr hart erkämpfen. Ein Kämpfer bin ich geblieben, ein Mensch, der das, was er tut, mit ganzer Kraft macht, sich von Rückschlägen und Misserfolgen nicht unterkriegen lässt und vorwärtsstrebt.

Ein Schlüsselerlebnis war die Weihnachtsfeier 1987. An diesem Abend hatte ich es wenigstens pünktlich zur Weihnachtsfeier geschafft. Die Freude über mein Erscheinen war trotz widriger Umstände gross. Dass sein Enkel im Polizeiauto vorfuhr und vor der Villa abgeladen worden war, nahm das Familienoberhaupt – mein Grossvater – wortlos zur Kenntnis. Der grosse schwere Eichentisch, den ich später als eines der wenigen Stücke von meinem Grossvater erbte, war festlich gedeckt. Iwan Rebroffs sonore Stimme erklang aus dem Radio. Meine Grossmutter musste seit Tagen in der Küche gestanden haben, Köstlichkeiten jeglicher Art wurden aufgetischt. Über einen Adelstitel verfügten die Grosseltern nicht, das Haus, das sie bewohnten, glich aber einem prachtvollen Herrenhaus. Mein Grossvater hatte es im Verlauf seines Lebens zu ansehnlichem Vermögen gebracht und galt in seinen Kreisen als angesehene Figur. Erhaben thronte der Beweis, dass man viel erreicht und in der feinen Berner Gesellschaft seinen Platz gefunden hatte, über der Stadt. Eingerichtet mit antiken Möbeln und Kunst, verströmte das Interieur eine elegante und doch behagliche Atmosphäre. Wie immer sass Grossvater am Kopfende des Tischs. Der kostbare Rotwein floss in Strömen, die Stimmung wurde immer besser. Er war das

28

unumstrittene Oberhaupt der Familie und mit seiner Bassstimme verschaffte er sich, auch ohne laut zu werden, jederzeit Respekt. Gleichzeitig war er unglaublich charismatisch, klug, witzig. Ein schöner alter Mann, stolz und würdevoll, zwei Eigenschaften, die er mit einer Prise Egozentrik zu würzen wusste.

An den Fingern trug er Siegelringe mit grossen Edelsteinen. Um den Hals baumelte stets eine schwere goldene Kette. Mode und Eleganz waren ihm wichtig. Sein weiss-schwarzer Bart war stets getrimmt. Zwei weisse Einfärbung liefen senkrecht am Ende der Mundwinkel in die Tiefe, während sich der Rest pechschwarz präsentierte. Fast wie bei einem Dachs. Sein Bart war sein grosser Stolz, denn – «Alles Natur!» – wie Grossvater zu sagen pflegte. Daran zweifelte ich, denn Schnitt und Zeichnung erschienen mir zu perfekt.

Am besagten Abend bat er mich zur späten Stunde in einen abgeschlossenen Bereich des Wohnzimmers, der neben dem Salon lag. Mir schwante Böses. Er nahm meine Hand und fragte, was letzte Woche passiert sei. Ihn anzulügen, war keine Option, also erzählte ich ihm, was ich ausgefressen hatte. Gefasst auf eine unangenehme Standpauke, schaute ich, wie sich sein Gesicht und seine Augen veränderten, während ich sprach. Als ich mit meiner Räubergeschichte fertig war, blickte er mich lange an. Es war totenstill, ich fühlte mich ziemlich unwohl. Doch dann atmete er tief durch und liess mich wissen: «Du wirst Deinen Weg machen, mein Sohn.» Er schwieg abermals, blickte mir tief in die Augen, sprach weiter. «Bleib Dir treu und trage Dir Sorge. Geh nicht zu weit und sei schlau genug, um zu wissen, wann Grenzen eingehalten werden müssen.» Zu meiner Zukunft äusserte er sich rundweg positiv, das hatte bisher noch nie jemand getan und seine Meinung zählte natürlich viel für mich viel. Er schloss mit den Worten: «Du wirst etwas aus Dir machen. Ich glaube an Dich.» Dann umarmte er mich lange.

Seine Worte veränderten mein noch junges Leben. Wahrscheinlich war es jener Moment, der den Unterschied machte und dazu beitrug, dass ich mein Leben später in den Griff bekommen habe. Es war das erste Mal, dass ich das Gefühl hatte, vollständig und bedingungslos akzeptiert zu werden. Mein Grossvater sprach mir sein bedingungsloses Vertrauen aus. Er glaubte an mich. Er war sicher, dass aus mir etwas wird. Er sprach keine Warnungen aus und drohte keine Konsequenzen an. Ich spürte Vertrauen und Respekt. Wie könnte ich ihm je wieder in die Augen blicken, wenn ich dieses Vertrauen nicht würdige? Ich liebe und bewundere ihn, bis zum heutigen Tag. Was für ein Mann. Spektakulär anders und klug genug, um zu wissen, wo die Prioritäten gesetzt werden müssen.

Seinem unerschütterlichen Glauben an mich verdanke ich viel. Er hat verhindert, dass ich in den folgenden Jahren abgestürzt bin. Viele meiner damaligen Freunde erlebten ihren fünfundzwanzigsten Geburtstag nicht. Ich lebte auch exzessiv und manchmal balancierte ich noch immer am Abgrund, doch im Unterschied zu jenen Kollegen, die nicht überlebten, respektierte ich von nun an auch die Gefährlichkeit von Situationen und Entscheidungen. Risiken nahm ich noch immer auf mich, Grenzen überschritt ich ebenfalls. Doch Fatalismus war für mich nach diesem Abend kein Thema mehr. Ich wollte meine Jugendjahre lebendig überstehen, wusste nun, dass mir das gelingen wird und: noch viel mehr.

Himmlisch gute Unterhaltung

Als 20-Jähriger stand ich vor der Frage, was ich beruflich machen will. Mein Grossvater war mittlerweile verstorben. Während seiner schweren Krankheit war ich zu unreif gewesen, um ihn zu begleiten. Ich erinnere mich an einen Besuch im Spital. Es ging dem Ende entgegen, das wusste ich und wollte ihn unbedingt noch einmal sehen. Er war ein Schatten seiner selbst. Ich versuchte ihm zu erklären, wer ich bin und dass ich nicht Matthias heisse. Er war vollgepumpt mit Opiaten, erkannte mich nicht.

Ich besuchte ihn nicht mehr, weil ich seine Hilflosigkeit und seine Verzweiflung nicht ertrug. Ich wollte ihn so in Erinnerung behalten, wie er gewesen war. Monate später lag er aufgebahrt in seinem Haus. Wir waren allein und ich erinnere mich an eine tiefgehende Begegnung, die mit dem intensiven Gefühl verbunden war, dass von uns allen wenig bleibt. Und: Irgendwann gibt es nichts mehr nachzuholen. Später realisierte ich, dass ich etwas verpasst hatte, als ich ihn nicht mehr besuchte. Dass wir uns verpasst haben. Eine schmerzhafte Erkenntnis. Eine andere Gewissheit vermittelte mir jedoch ein wenig Trost: Mein Grossvater war ein Lebemann gewesen, er konnte seine Neigungen, seine Extravaganz ausleben, hatte selbst wohl nichts verpasst, war auf seine Art glücklich gewesen.

Heute lasse ich mich bewusst im romantischen Glauben, dass mein Grossvater da oben auf einer Wolke sitzt, zusammen mit meinem Vater. Im Glauben an mich werden sie sich kolossal amüsieren, wenn ich wieder einmal scheitere, und gross ist ihre Freude, wenn ich erfolgreich bin, eine glückliche und gute Phase folgt. Es muss eine himmlisch gute Unterhaltung sein. In der Gewissheit, dass auch ich das Leben voll auszuschöpfen weiss, Niederlagen keine allzu grosse Wichtigkeit beimesse und den buddhistischen Rat verinnerlicht habe, dass man das Leben mit einem

Lächeln meistert oder dann gar nicht, sind sie vermutlich zufrieden mit mir.

Die Erfahrungen mit meinem Grossvater, seine Krankheit und sein Tod, sollten meinen weiteren Lebensweg beeinflussen. Zum ersten Mal tat ich, was ich in den folgenden Jahrzehnten so oft tat. Interessierte mich eine Thematik übermässig, machte ich einen Beruf aus ihr. Nun wollte ich mich vertieft mit dem Alter und der Endlichkeit auseinandersetzen und hochbetagte Menschen in der letzten Lebensphase begleiten. Mit anderen Worten: Ich absolvierte ein Praktikum als Altenpfleger. Trotz vieler positiver Aussagen aus meinem beruflichen Umfeld gab es in den folgenden Jahren immer neue Ausreden, warum ich die Ausbildung an einer Schule für Krankenpflege nicht absolvieren darf. In der Hoffnung, dass es doch noch klappen wird, absolvierte ich ein zweites und ein drittes Praktikum.

Nun war ich also Hilfspfleger, trug einen weissen Kittel und die Menschen, die ich betreute, waren meine Patienten. Ich liebte meine Schützlinge, die mich an ihren Lebenserfahrungen teilnehmen liessen. Nicht nur klug, sondern auch abgeklärt und sogar ein wenig kaltschnäuzig, rechneten viele in fast amüsanter Weise mit ihrem Dasein ab. Ich lernte von ihnen Langmut, Tapferkeit und Toleranz. Probleme wussten sie oft zu relativieren. Sich selbst nahmen sie nicht wahnsinnig wichtig oder ernst und vieles beurteilten sie weniger engstirnig als meine jugendliche *Peergroup*.

Mit der Zeit ergaben sich persönliche Beziehungen. Zum Beispiel mit Berta. Stark übergewichtig setzte sie das Motto «chill your life» sehr konsequent um. Die Tage verbrachte sie, die Decke bis zum Kinn hochgezogen, am liebsten im Bett. Wenn wir sie zu einer Aktivität animieren wollten, stellte sie sich schlafend. Oder gab vor, von einem anderen Pfleger bereits bettfertig gemacht worden zu sein, was quasi als Absolution galt, sich ungestört dem Faulenzertum widmen zu dürfen. Da die Decke zu kurz war, mussten wir nur einen Blick in Richtung Bettende werfen, um den Schwindel zu entlarven:

Ihre Füsse steckten in Schuhen! Sie genoss die provozierte Aufmerksamkeit, wie ihr diebisches Lächeln verriet. Gemäss Pflegeverordnung sollen Patienten nicht den ganzen Tag im Bett liegen und so kam es, wie es kommen musste. An Bertas Bett wurde tagsüber ein Gitter angebracht.

Nun war es vorbei mit den spontanen Nickerchen. Doch nach einige Tagen zeigte ich ihr heimlich, wie das Gitter entfernt werden kann. Vor allem am Stationsrapport gab es nun lange Diskussionen und unterschwellig war Bewunderung zu spüren: Wie hatte es Berta bloss geschafft, das Hindernis zu demontieren?

Fortan war ich Bertas Liebling und auch die übrigen alten Menschen brachten mir viel Wertschätzung und Zuneigung entgegen. Ein anderer positiver Aspekt meiner Tätigkeit war, dass ich einer der wenigen heterosexuellen Pfleger auf der Station war.

Nach der Arbeit ging ich selten allein nach Hause. Dieser Vorteil setzte sich fort, als ich doch noch eine Chance erhielt, um die reguläre Ausbildung zu absolvieren. Als einziger Mann der Klasse war sogar die Lehrerin in mich vernarrt. In vielen Fächern war ich unter den Klassenbesten und den Zwischenabschluss schaffte ich mit Bravour. Dies verhinderte nicht, dass ich bald glaubte, alles erlebt und ausgeschöpft zu haben, was mit diesem interessanten Beruf zusammenhängt und die Einsicht festigte sich, dass ich bald zu neuen Ufern aufbrechen will.

Ohne genauen Plan, was ich machen will, stand ich vor der Frage, wie es weitergehen soll. Taxifahren kann jeder und spült als Tätigkeit sofort Bares in die Tasche. Leider wusste ich nicht, dass man als Taxifahrer eine Ausbildung machen muss. So landete ich als Kurierfahrer beim Paket- und Brief-Express-Dienst, DHL. Die junge Firma befand sich damals in amerikanischen Händen. Ich liebte meinen Job sofort, denn die Anforderungen waren hoch, dass Tempo schnell und: Bis in die Chefetagen hinauf waren alle miteinander per «Du».

Je mehr die anderen stöhnten, desto grösser war mein Elan. Egal, wie viele Pakete an einem Tag auf mich warteten, ich würde sie alle zustellen. DHL war damals noch ein *Start-up,* sehr chaotisch, undiszipliniert, jedoch auch offen, dynamisch und unbürokratisch. Heute ist DHL Teil der deutschen Post. Einige Menschen, die damals an mich glaubten, sind noch heute in der Firma beschäftigt.

Der Kurierdienst machte Spass, doch ich wusste, dass es keine Aufgabe ist, die mich bis ans Ende meiner Tage herausfordern wird. Ich wollte an die Front, dorthin wo die Post wirklich abgeht.

Ich sah meine Kollegen, die als Verkaufsmanager teure Anzüge trugen und spannende Aufgaben zu bewältigen hatten. Das wollte ich auch. Doch es gab keine offenen Stellen in diesem Bereich. Für einmal kam nun meine Mutter ins Spiel. Sie kannte ein Generalagent bei der ältesten, grössten und wohl auch konservativsten Lebensversicherungs-gesellschaft der Schweiz und vermittelte mir den Kontakt.

Beim ersten Vorstellungsgespräch liess man mich wissen, es gäbe keinen objektiven Grund, um mich einzustellen. Ich solle selbst einen Grund nennen, der für eine Anstellung spreche. Ich war jung, wild und hatte, aus welchen Gründen auch immer, sehr viel Selbstvertrauen. Meine Antwort lautete: «Weil ich mehr Umsatz machen werde als der Rest des Verkaufsteams.» Dieses umfasste immerhin 75 Kollegen. Ich versprach: Sollte es mir nicht gelingen dauerhaft unter den Top-10 zu bleiben, werde ich wieder kündigen. So viel Kaltschnäuzigkeit beeindruckte sogar den Direktor der Region. Ich verliess das Gebäude beschwingt, denn bald würde ich in Anzug und Krawatte durch die Gegend spazieren und mit dem Verkauf von Lebensversicherungen viel Geld verdienen.

Die Anstellung war der einfachere Teil gewesen. Nun musste ich liefern und zuvor vor allem sehr viel lernen: Das Sozialversicherungswesen mit all seinen Feinheiten in kurzer Zeit zu begreifen und anzuwenden, hatte seinen Preis. Drei Monate lang sass ich Tag und Nacht über den Büchern. Ich bestand alle Prüfungen und erhielt grünes Licht, um auf die Piste zu gehen und Kunden zu besuchen. Vor einer fremden Haustüre zu stehen, zu klingeln und die Leute von meinem Angebot zu überzeugen, erwies sich als harte, aber lehrreiche Schule. Ich verkaufte sehr gut und innerhalb von neun Monaten hatte ich mein Versprechen eingelöst, den Grossteil des Verkaufsteams hinter mir zu lassen. Ich konzentrierte mich – anders als jene Kollegen, die stets diverse kleinere Eisen im Feuer hatten – auf die grossen Fische und veränderte meine riskante Strategie auch nicht, als mir alle davon abrieten. Meine Devise, ich will lieber die Taube auf dem Dach als den Spatz in der Hand, machte sich bezahlt. So kam es, dass ich als ehemaliger Schulabbrecher und schwer erziehbarer Jugendlicher Anfang Zwanzig bereits sechsstellig verdiente. Dass mein Gehalt mit denjenigen meiner studierten Kollegen mithalten konnte, vermittelte mir noch mehr Selbstvertrauen und einen Kick. Um meinen Erfolg auch nach aussen sichtbar zu machen, lebte ich bald in einer tollen Attikawohnung, kaufte mir einen schönen Kaschmir-Mantel von Boss und legte mir ein standesgemässes Fahrzeug zu. Ich war erfolgreich und sehr hungrig und im Wissen um meine Talente wollte ich viel erleben, viel erfahren und viel Geld verdienen.

Natürlich wurde in diesem Business mit harten Bandagen gekämpft, was ich als spannende Herausforderung erlebte. Vor allem lernte ich, mich zu verkaufen. Es bedeutet, dass man sich präsentieren kann, die Sachen auf den Punkt bringt, die Ziele in einem Gespräch so formuliert, dass man sie erreicht. Ob man selbst verstanden wird, so lernte ich bald, ist kein Zufallstreffer. Man muss dafür sorgen, dass man sich verständlich machen kann, was auch bedeutete, dass man anderen zuhört, sie verstehen will. Als weitere Meilenstein in diesem Prozess erwies sich das Vermögen nicht aufzugeben, wenn man brutal zurückgewiesen wird. Rückblickend kann ich sagen: Bei all diesen Erfahrungen handelte es sich um eine wertvolle Lebensschule.

In den folgenden Jahren genoss ich das Geld und viel Freiraum. Ich erkannte meine Begabung mit Menschen umgehen zu können, gleichzeitig verfügte ich über einen untrüglichen Jagdinstinkt. Zwei

Jahre kostete ich dieses Leben in vollen Zügen aus, doch mit der Zeit verstärkte sich mein Bedürfnis, mich mit anderen Themen als nur dem materiellen Erfolg zu befassen. Ich wollte eine Aufgabe finden, die mich auf einer kreativen und geistigen Ebene erfüllt und so beschloss ich eine ziemlich radikale Kehrtwende. Ich machte – mein seit Jahren gepflegtes Hobby – zum Beruf und fristete künftig des Daseins eines Künstlers.

Meine dritte berufliche Tätigkeit ging ich mit ähnlichem Elan an, wie alles was ich bisher getan hatte. Mein Atelier befand sich in einer ehemaligen Brauerei und lag direkt am Wasser, an der Aare. Es verfügte über eine eigene Dachterrasse, die zum Fluss hin ausgerichtet war: Ein regelrechtes Paradies, das ich dem Besitzer abgeschwatzt hatte. Mein neues Leben besiegelte eine ausschweifende Einweihungsparty. Aufgrund der Lage mit vielen Badenden, die von meinem Boden aus direkt in die Aare springen konnten, machte ich viele spannende und unkonventionelle Bekanntschaften. Es folgte ein perfekter Sommer: Ich besass Ersparnisse, an den Wochenenden verdiente ich als Barkeeper zusätzlich etwas Geld und meine künstlerischen Ambitionen hätte ich gemächlich angehen können. Doch bereits nach einigen Monaten fanden die ersten Vernissagen statt. Die bunten und grossflächigen Werke sprühten vor Energie und Lebensfreude und verkauften sich – sogar zu meinem Erstaunen – wie frische Semmeln.

In dieser wunderbaren Phase trat ein Engel in mein Leben: Eines Nachts, ich arbeitete in der angesagten Bar der Stadt, der Laden brummte, stand sie plötzlich vor mir: Tina. Das faszinierendste Geschöpf, das ich jemals gesehen hatte. Zwei winzige aufgeklebte Diamanten liessen ihre Augen strahlen, über Schulter und Armen baumelte eine Federboa und eine wilde Haarmähne. Ein Fabelwesen von einem anderen Stern. Geheimnisvoll. Und wunderschön. Bei ihrem Anblick fühlte ich, was ich bisher noch nie gefühlt hatte. Wir schauten uns an, wechselten einige Worte und ich war sofort unsterblich verliebt. Heute glaube ich nicht mehr an Liebe auf den ersten Blick. Vielleicht ist sie der Jugend vorbehalten, wenn man

36

noch echte Romantik und wenig Erfahrung in sich trägt. Aber damals war alles möglich und ich wusste: Es ist eine magische Begegnung.

Sie war erst 17 Jahre alt, stammte aus Glarus und durfte nur im Ausgang sein, weil ihre ältere Schwester auf sie aufpasste. Was diese auch tat. Ich wusste, dass ich Tina auf keinen Fall gehen lassen durfte. Bevor die Gruppe übereilt aufbrach, verabredete ich mich mit ihr: Obwohl sie keine Ahnung hatte, wie sie ihre Eltern davon überzeugen sollte, dass sie sich in Bern mit einen wildfremden Typen treffen wollte, um das Wochenende mit ihm zu verbringen, versprach sie mir, die dreistündige Zugfahrt auf sich zu nehmen und in genau zwei Wochen, zur genannten Zeit, am Bahnhof, auf mich zu warten.

Die Situation war verzwickt, denn drei Tage später flog ich nach Vietnam. Ich wollte das Land, in dem sich mein Vater während meiner ganzen Kindheit und Jugend, sechs Monate pro Jahr, aufgehalten hatte, kennenlernen. Ohne Vorbereitung und ohne ihn zuvor kontaktiert zu haben, bestieg ich den Flieger Richtung Asien und landete in Saigon.

Vietnam traf mich mit voller Wucht. Nicht nur weil ich Tina vermisste, empfand ich das Land als frustrierend und bedrückend.

Unsinnige Regeln und Restriktionen sowie eine desolate Infrastruktur erschweren den Menschen das Leben. Der Vietnamkrieg war schon lange zu Ende, aber die extreme Armut war allgegenwärtig. Das Elend von kriegsversehrten Menschen, darunter viele ohne Beine, die auf selbstgebastelten Rollbrettern, die sie auf Bodenhöhe mit den Händen antrieben, durch die dreckigen Gassen bewegten, schockierte mich. Dass viele Bettler Jagd auf mich machten, verstand ich und andererseits schränkten sie meine Bewegungsfreiheit zusätzlich ein. Ausser den Denkmälern von Ho Chi Minh und anderen Kriegsdenkmälern gab es – anders als heute, wo prächtige Hotelanlagen, kilometerlange Strände, ein ausuferndes Freizeitangebot und eine fantastische Infrastruktur viele Touristen anlocken – nicht viel zu sehen und jene Zustände, die sich bei meinen kleinen Reisen über das Land präsentierten, vermochten meine

Stimmung auch nicht zu heben. Die Amerikaner warfen in Vietnam mehr Bomben ab als die Alliierten im zweiten Weltkrieg über Hitler-Deutschland. Von dieser Zerstörung und den traumatischen Folgen des Kriegs hatte sich das ländliche Vietnam in den 1990er-Jahren nicht erholt. Der Aufenthalt war demoralisierend: Mir war es schleierhaft, wie mein Vater hier ein Imperium hatte aufbauen können und ebenso rätselhaft fand ich es, dass er sich in Vietnam offenbar wohlfühlte. Getroffen haben wir uns übrigens nicht. Ausgerechnet zu diesem Zeitpunkt hielt er sich in der Schweiz auf und zeigte sich ein wenig enttäuscht, dass ich meine Reise nicht mit ihm abgesprochen hatte.

Ich fieberte der Rückreise und vor allem dem Wiedersehen mit meiner Traumfrau entgegen und spielte, etwas unsicher geworden, verschiedene Szenarien durch: Würde Tina die Vereinbarung einhalten, war es ihr ähnlich ergangen wie mir? Hatte sie mich vermisst oder vielleicht bereits wieder vergessen? Möglich war auch, dass die Eltern ein Veto eingelegt hatten, sie nicht gehen liessen. Nach der Landung in Zürich reichte die Zeit knapp, um nach Bern zu fahren, eine Dusche zu nehmen, mich in frische Kleider zu stürzen. Dann stand ich am vereinbarten Treffpunkt, sah sie bereits von Weitem auf mich zulaufen und wusste augenblicklich: Alles ist gut. Wir schwebten durch die Stadt, liessen uns treiben, hielten immer wieder inne, küssten uns, umarmten uns. Sehr verliebt und unglaublich glücklich war uns beiden klar; wir würden unzertrennlich bleiben. Zu Hause angelangt, war es kurz und diskret zusammengefasst so: Wir verliessen die Wohnung bis am Sonntagabend nicht mehr.

Nur wenige Tage später besuchte ich Tina – und vor allem ihre Eltern – in Glarus. Ich wollte einen guten Eindruck hinterlassen, war etwas nervös. Doch sie nahmen mich mit offenen Armen auf. Ich fühlte mich wohl bei ihnen. Die Mitglieder dieser Familie begegneten einander mit Interesse und Wohlwollen. So ein Zuhause hatte ich mir auch gewünscht. Und: Sie schienen mich zu mögen, vertrauten mir.

Tina und ich. Ich und Tina. Eine wundervolle Zeit brach an. Ich liebte dieses Mädchen vom ersten Tag an und die gemeinsamen Erfahrungen schweissten uns eng zusammen. Wenn ich die Woche über in Bern sein musste, vermisste ich sie extrem. Als sie sich entschloss, in Zürich eine Lehre zu absolvieren, hängte ich meine Karriere als Kunstmaler an den Nagel, beschloss den Wegzug von Bern. Von dieser Entscheidung erhoffte ich mir ein gemeinsames Leben unter einem Dach. Ich erinnerte mich an meine Zeit beim Kurierdienst und den grosszügigen Lebensstil, den sich die Verkäufer bei DHL leisten konnten.

Kurz entschlossen, meldete ich mich bei der Firma zurück und wurde tatsächlich zu einem Bewerbungsgespräch eingeladen, das bereits einen Tag später stattfinden sollte. Ich kramte aus meinen Künstlerklamotten ein zerknittertes Hemd hervor. Ein Bügeleisen besass ich nicht mehr. Also setzte ich Wasser auf, wartete, bis es sprudelte, goss es ab und fuhr mit dem heissen Boden der Pfanne über das vor mir liegende Kleidungsstück. Zum Gespräch erschien ich in einem fast perfekt gebügelten weissen Hemd und zwei Stunden später verliess ich das Gebäude als «Field Sales Repräsentative /DHL Schweiz». Zum rasanten Aufstieg als Aussendienstmitarbeiter gehörten ein Firmenwagen und ein sehr gutes Gehalt.

Nun stand dem Zusammenleben mit Tina in Zürich nichts mehr im Weg. Ich mietete eine exklusive Dachwohnung, die über drei Terrassen und ein Cheminée verfügte. Beim gemeinsamen Zuhause handelte sich um einen Neubau, sehr edel mit hohem Giebeldach und einer Raumhöhe von fast vier Metern. Wir verbrachten wunderbare Jahre. Doch dumm und arrogant wie ich damals war, glaubte ich es mit der Treue nicht so genau nehmen zu müssen. Ich setzte mein Glück aufs Spiel und fügte jenem Menschen, den ich liebte, Schmerz zu. Tina verzieh mir jahrelang, immer wieder, doch heftige Auseinandersetzungen gingen der Vergebung jeweils voraus. Einmal eskalierte ein Streit, ich warf meinen Schlüsselbund nach ihr, der sie nur knapp verfehlte und krachend zu Boden fiel. Wir erstarrten förmlich, blickten uns erschrocken an. Schlagartig wurde mir bewusst. Es ist vorbei. Das gemeinsame Strahlen war erloschen.

Die Trennung war schlimm. Wir liebten uns noch immer, aber es ging nicht mehr. Ich war am Boden zerstört, sicherte Tina zu, die Miete für die nächsten Monate zu übernehmen und zog Hals über Kopf aus. Wohin? Keine Ahnung! So landete ich auf einem Zeltplatz in Wollishofen am Zürichsee. Ich mietete einen zwölf Meter langen Wohnwagen. Meine Nachbarn waren jetzt Pensionisten und abgebrannte Touristen. Mein Parkplatz fürs Auto lag zuhinterst auf dem Areal. Ich war jetzt 27 Jahre alt und stürzte mich ehrgeiziger denn je in die Arbeit. Mehrere Male wurde ich bei DHL befördert und durfte mich nun «Account Manager ABB» nennen. Zuständig für unseren grössten Schweizer Kunden, leitete ich in dieser Zeit einige der spannendsten und wichtigsten Logistik-Projekte für die Firma und hatte weitreichende Entscheidungsgewalt.

Am Morgen überquerte ich den Campingplatz, frisch geduscht, voll gestylt mit Krawatte und im Anzug. Die Anhänger der Badehosen-Adiletten-Front, die zu diesem Zeitpunkt verschlafen, rauchend und Kaffee schlürfend auf den Vorplätzen sassen, staunten nicht schlecht. Bald war ich auf dem Campingplatz bekannt wie ein bunter Hund und die Abende verbrachte ich mit meinen neuen Kollegen. Tina fehlte mir wahnsinnig, ich litt unter heftigem Liebeskummer.

Der Schock

Als wäre es gestern gewesen, höre ich das schrille Klingeln, das mich sechs Jahre später, am 18. Januar 2004, hochschrecken liess. Das Display meines Handys zeigte den Sonntagmorgen an. 06:40 Uhr. Ich war sofort alarmiert. Torill, meine neue Partnerin blickte mich verschlafen an. Sekunden später stand ich im Wohnzimmer. Auf dem Display erschien die Nummer meines Onkels, dem jüngsten Bruder meines Vaters. Die Begrüssung fiel knapp aus, dann sprach er den Satz: «Dein Vater ist letzte Nacht gestorben.» Mir wurde schwarz vor Augen. Als ich mich wieder gefangen hatte, erfuhr ich, dass Vater in Saigon verstorben war, offenbar aufgrund eines Herzinfarkts. Mehr wusste Stefan nicht, er werde sich melden, sobald nähere Informationen bekannt seien. Für mich war diese Nachricht ein Schock und fast sofort breitete sich eine riesige Leere in mir aus. Ohne meinen Vater war das Leben nur schwer vorstellbar. Ich brauchte ihn. Er kannte mich besser als ich mich selbst, war der Einzige, der mich jederzeit knallhart auf Kurs brachte, besonders wenn ich nicht danach fragte. Gestorben. Er ruft nie mehr an und wenn ich seine Nummer wähle, dann hört er nichts, nimmt nicht ab, ist nie mehr erreichbar.

Die folgenden Stunden verschwanden in einem Nebel. Ich erinnere mich, wie ich von Zürich nach Bern fuhr. Die Familie oder was von ihr übrig geblieben war, wollte sich am Nachmittag treffen. Mein Onkel hatte mich gebeten, meiner 16-jährigen Halbschwester, mit der ich mich damals sehr gut verstand, die traurige Nachricht zu überbringen. Ich rief Sabrina* an. Sie war mit einer Freundin unterwegs. Ich bestand darauf, sie zu treffen. Jetzt. Sofort. Sie willigte ein, bereits besorgt, doch ich wollte ihr diese Nachricht nicht am Telefon übermitteln. Zur gleichen Zeit erschienen wir am vereinbarten Treffpunkt. Ich umarmte sie. 34-jährig hatte ich meinen besten Freund verloren. Sie mit sechzehn Jahren ihren ganzen Halt. Mit ihr hatte er vieles besser gemacht, war ihr ein guter Vater gewesen. Sie war noch so jung. Wir heulten gemeinsam: Am

Sonntagmorgen an irgendeiner beschissenen Tramhaltestelle in Bern liessen wir unserer Verzweiflung freien Lauf.

Später erfuhren wir mehr über die letzten Stunden im Leben meines Vaters. In derselben Nacht hatte er seinen neuen Firmensitz in Vietnam eingeweiht. Ein Areal mit sechs riesigen Lagerhallen und einer über 22 000 Quadratmeter grossen Fläche für den logistischen Umschlag. Mit einem vierstöckigen Bürogebäude für die hundertzwanzig Angestellten der Administration und dreihundert Mitarbeitende, die in der Verpackung beschäftigt waren. Mit einem Vorplatz, so gross wie der Exerzierplatz einer Kaserne. Mit riesigen Gates für die Sattelschlepper mit den Schiffscontainern und mehreren Gebäuden für das Sicherheitspersonal. Dabei handelte es sich nur um das Hauptquartier. In den Fabriken ausserhalb Saigons arbeiteten Tausende von Mitarbeitern in den Produktionen. In der Hochsaison wurde in Saigon im Schichtbetrieb rund um die Uhr produziert, verpackt und in Schiffscontainer verladen, was in den ländlichen Hochöfen hergestellt worden war: Millionen von Blumentöpfen und andere Terrakotta-Ware, die nach USA, Frankreich, Deutschland und die Schweiz verschifft wurden.

Nur wenige Stunden vor seinem Tod wurde sein Lebenswerk eingeweiht. Mit einer gigantischen Zeremonie und ausufernden Festivitäten. Der Schweizer Botschafter und ranghohe Vertreter der vietnamesischen Lokalregierung waren mit von der Partie, Leute aus Politik und Wirtschaft und alle seine Freunde. 2004 galt diese Anlage als Meilenstein im Land, das den Aufbau so dringend benötigte. Dementsprechend ausgiebig wurden die Verdienste meines Vaters an diesem Abend gewürdigt. Seine damalige Freundin klagte über Kopfschmerzen. Eine andere Partnerin hätte am grossen Tag ihres Mannes vielleicht ein Aspirin geschluckt. Nicht so Huyen*. Sie verliess den Ort des Geschehens gegen 21.00 Uhr wütend. Mein Vater musste und wollte bleiben, alles andere wäre einem Affront gegenüber den Gästen gleichgekommen. Es wurde getrunken und gelacht, so wurde später erzählt. Er muss glücklich gewesen sein, ahnte nicht, dass böse Kräfte bereits wirkten, sein Tod beschlossene Sache war.

Die offizielle Version besagt, dass er den Anlass gegen 01.00 Uhr verliess. Gemäss den Aussagen seiner Freundin brach er eine halbe Stunde nach seiner Rückkehr in der Küche zusammen. Sie behauptete, ihn sofort reanimiert zu haben. Sie verständigte die Ambulanz, rief im Spital an, so behauptete Huyen und schlussendlich half ihr der Sicherheitsdienst des Wohnhauses dabei, meinen Vater in das beste Spital der Stadt zu transportieren. Dort konnte nur noch sein Tod festgestellt werden.

Mit dem Bestatter, der die Beerdigung in der Schweiz begleitete, führte ich ein Gespräch betreffend der Todesursache meines Vaters. Er eröffnete mir, dass eine rund sieben Zentimeter lange Schädelfraktur am Hinterkopf zu sehen gewesen sei. Diese Verletzung war halbwegs versorgt, als der Leichnam in die Schweiz gebracht worden war. Ich wurde hellhörig, befragte Huyen. Sie liess mich wissen, er habe sich diese Fraktur beim Sturz in der Küche zugezogen, da er mit dem Kopf auf den scharfen Kanten der Küchenabdeckung aufgeschlagen sei.

Eine Schädelfraktur am Hinterkopf sei bei einem Sturz aufgrund eines Herzinfarkts praktisch unmöglich, erläuterte hingegen ein Arzt, den ich daraufhin kontaktierte. Wenn jemand einen Herzinfarkt erleidet, klappt er normalerweise nach vorne, in sich zusammen, fällt dabei mit grösser Wahrscheinlichkeit auf die Knie und dann zu Boden. Wenn überhaupt, dann müsste die Verletzung im Stirnbereich sichtbar sein, wurde mir anhand einer komplexen Sturzberechnung mitgeteilt.

Nicht erst nach diesen Informationen überdachte ich einiges: Huyens Reaktionen und vieles, was sich zwischen dem Tod meines Vaters und der Kremation zugetragen hatte, erschien mir bereits vor der Einäscherung seltsam. Ihre komplett überzogene Trauer, die in einer hysterischen Aufführung endete, weil sie nicht von seinem Sarg weichen wollte, hatten wir mit kulturellen Unterschieden zu erklären versucht, doch nun erschien die Show-Einlage und weitere Verhaltensweisen in einem anderen Licht. Sie hatte ihn nach seinem Tod nicht aus den Augen gelassen, sass sogar im gleichen Flugzeug, das ihn in die Schweiz überführte, überwachte die Ankunft in Kloten akribisch und wich bis zur Einäscherung nicht von der Seite des Sargs. Mittlerweile machte alles Sinn. Sollte sie für seinen Tod verantwortlich oder mitverantwortlich sein, konnte sie nach der Kremation nie mehr zur Rechenschaft gezogen werden.

Meine Zweifel an ihrer Geschichte äusserte ich bereits früh. Ich war zu diesem Zeitpunkt verunsichert, durcheinander und der Gedanke mit der – in meinen Augen – Schuldigen am Tod meines Vaters an seinem Grab zu stehen, gab mir den Rest. Als ich einigen Verwandten gegenüber meine Zweifel äusserte, reagierten diese empört, glaubten mir nicht, hielten mich für einen Hobby-Kommissar, der sich wichtigmachen will. Die Diskussion endete mit bösen Worten, also schwieg ich. Kaum war Vater unter der Erde, bestieg Huyen den nächsten Flieger Richtung Vietnam. Sie war jetzt im Besitz von zwei Apartments im Wert von mehreren Millionen Dollar und viel Bargeld, die ihr mein Vater «hinterlassen» hatte.

Als ich ein halbes Jahr später in Vietnam ansässig wurde, um die Firma zu übernehmen, vergrösserte sich mein dortiger Bekanntenkreis schnell. Und: Immer mehr Hinweise und Informationen deuteten darauf hin, dass keine kranken Fantasien für mein Misstrauen verantwortlich gewesen sind. Von Menschen, denen ich vertraute und von denen ich wusste, dass sie meinen Vater sehr geschätzt und gut gekannt hatten, erfuhr ich: Bereits auf der Party bei der Einweihung des neuen Firmensitzes war es zu einer heftigen Auseinandersetzung zwischen Huyen und meinem Vater gekommen.

Ich erfuhr, dass sie zu diesem Zeitpunkt kurz vor der Trennung standen, die Beziehung mehr als zerrüttet gewesen sei. An diesem Abend muss sie gespürt haben, dass sie bald ohne seine finanzielle

Unterstützung über die Runden kommen musste. Sie verabschiedete sich frühzeitig.

Beat Wäfler, der ehemalige Schweizer Konsul in Vietnam, war ein guter Freund meines Vaters und wurde in Vietnam zu einem guten Freund von mir. Dank seiner Unterstützung und seiner unglaublichen Kontakte gelang es uns, die Geschehnisse jener Nacht zu rekonstruieren: Gemäss den Auswertungen der Handydaten meines Vaters kehrte er um 01.30 nach Hause zurück. Seine Freundin erwartete ihn und führte das heftige Eifersuchtsdrama, das in den frühen Abendstunden in Anwesenheit von Zeugen seinen Anfang genommen hatte, mit ziemlicher Sicherheit weiter.

Huyen liess uns und die Behörden wissen, sie habe nach seinem Zusammenbruch über eine Stunde lang versucht, einen Krankenwagen herbeizurufen. Allerdings: Weder von den verschiedenen Handys noch vom Festnetzanschluss im Penthouse wurde in einem Zeitraum von dreieinhalb Stunden ein Anruf getätigt. Erst um 04.30 Uhr morgens wurde gemäss den ausgewerteten Telefonaten versucht, einen Krankenwagen zu verständigen. Was war in dieser Zeit geschehen?

Wir kontaktierten das Krankenhaus. Tatsächlich war ein Obduktionsbericht erstellt worden. Doch dieser war nicht mehr auffindbar, als ich im Spital vorstellig wurde, um ihn einzusehen. Also stellten wir jenen Arzt, der die Obduktion durchgeführt hatte zur Rede. Zuerst verweigerte er die Auskunft, danach wollte er sich nicht mehr an meinen Vater erinnern. Wenn eine Vietnamesin zusammen mit einem Sicherheitsbeamten im Morgengrauen einen blutüberströmten, weissen Mann in die Notaufnahme einliefert, dürfte es sich um eine sehr seltene Situation handeln, die den anwesenden Ärzten im Gedächtnis bleibt.

Je dringlicher die Fragen wurden, desto stärker schien der verantwortliche Arzt unter einer Amnesie zu leiden. Heute weiss ich: In Vietnam hat alles ein Preisschild. Man kann alles, wirklich alles kaufen. Irgendwann gab uns die Klinikleitung zu verstehen, dass unangenehme Fragen unerwünscht seien und fortan wurde uns der Zutritt zum Krankenhaus verwehrt. Doch im Leben begegnet man sich immer zweimal: Als ich neu in der Stadt war, lud mich Huyen zum Essen ein. In jenes Penthouse, das sie nach dem Tod meines Vaters erhalten hatte. Er besass zwei Appartements in Saigon. Da es Ausländern verboten ist, in Vietnam Wohneigentum zu erwerben, geschieht dies normalerweise über einen Strohmann, respektive im Falle meines Vaters über eine Strohfrau, nämlich Huyen.

Sie hielt die beiden Wohnungen auf ihren Namen, auch wenn beide durch meinen Vater finanziert wurden. Beim Tod meines Vaters präsentierte sie Notizen, die belegen sollten, dass er ihr beide Wohnungen im Fall seines Ablebens schenken wollte. Heute sind diese beiden Immobilien rund drei Millionen Dollar wert. Der Tod meines Vaters hatte aus Huyen eine reiche Frau gemacht.

Ihrer Einladung folgte ich misstrauisch. In jene Wohnung zu treten, in der mein Vater starb, er seine letzten Minuten verbracht hatte, bereitete mir Herzschmerz. Aus irgendeiner für mich nicht nachvollziehbaren Motivation wollte mir Huyen an diesem Abend jenen Wachmann vorstellen, der ihr in der besagten Nacht half, den Schwerverletzten oder bereits Toten in das Krankenhaus zu transportieren. Mir gegenüber stand ein junger Kerl, der offensichtlich aus ärmsten bäuerlichen Verhältnissen stammte und am ganzen Körper zitterte. Seine hingestreckte Hand war nassgeschwitzt. Ich wurde das schreckliche Gefühl nicht los, soeben dem Mörder oder dem Komplizen des Mörders meines Vaters die Hand geschüttelt zu haben.

Sie hatte gekocht und bald sass ich mit jener Person am Tisch, für die trotz allem die Unschuldsvermutung gilt, und mehr wusste als sie uns erzählte. Die hohen Fenster des Penthouses zierten opulente Vorhänge. Ich konnte mich nicht gegen die Vorstellung erwehren, dass ihr Komplize in der besagten Nacht hinter diesem Lichtschutz versteckt auf die Ankunft meines Vaters wartete – um ihn von hinten brutal niederzuschlagen. So hart, dass er an den Verletzungen

46

gestorben ist. Ich fühlte mich unwohl, schlang Nudeln, Gemüse und Hühnchen in mich hinein, konnte den Blick von diesen Vorhängen nicht abwenden und plötzlich fiel mein Blick auf die Küchenabdeckung: Die Kanten und Ecken waren abgerundet. Mein Verdacht, dass die offizielle Todesursache «Herzinfarkt» eine Lüge war, wurde beinahe zu einer Gewissheit.

Nach diesem Besuch schaltete ich die Polizei ein. Ich konnte und wollte den Mord an meinem Vater nicht ungesühnt lassen, alles andere empfand ich als mutlos und gleichgültig. Wir strebten ein Verfahren gegen Unbekannt an. Als die Polizei den Wachmann verhören wollte, war dieser vom Erdboden verschwunden. So ist es in Vietnam: Für Verbrecher und andere Menschen, die gravierende Fehler begehen, jedoch über das nötige Kleingeld verfügen, gibt es immer Schlupflöcher und sie entkommen ungestraft. Ich zweifelte keinen Augenblick daran, dass Huyen ihrem Komplizen das Abtauchen ermöglicht hat. Sie wusste: Im ländlichen Vietnam einen Bauernsohn zu suchen, ist ein Anliegen, das von Anfang an zum Scheitern verurteilt ist.

Wir recherchierten weiter und sammelten solange Indizien, bis sogar der Offizier des Sonderermittlungs-dezernats von Saigon auf unserer Seite stand. Ohne Obduktionsbericht und ohne Leichnam, der nach der Kremation logischerweise nicht mehr existierte, waren die Chancen allerdings gering zu beweisen, wer für den Tod meines Vaters verantwortlich ist. Ein Jahr nach meinem Besuch bei Huyen erschien sie unangemeldet bei mir zuhause. Unter dem Arm klemmte ein Geburtstagsgeschenk. Sie wolle nur kurz gratulieren, das Taxi warte mit laufendem Motor auf der Strasse. Ich sprach nur einen Satz: «Wenn Du mir ein Geschenk machen will, dann erzähl endlich die Wahrheit über diese Nacht.» Sie schwieg und verschwand samt Paket auf Nimmerwiedersehen. Meine Trauer darüber, dass der Mord an meinem Vater wohl für immer unaufgeklärt bleiben wird, ist grenzenlos.

Doch jene Person, die vermutlich verantwortlich ist, wird durch andere Mächte als die Staatsgewalt zur Räson gezogen werden. In Vietnam gehen die Menschen davon aus, dass der Geist eines Verstorbenen immer unter uns ist. Jene, denen er nicht gut und freundlich gesinnt ist, kann er pro Tag hundert Mal daran erinnern, was sie verbrochen haben. Ich weiss nicht, ob ein Zusammenhang besteht, aber viel später vernahm ich, dass Huyen unter Verfolgungsängsten und einer schweren Depression litt. Trotz des vielen Geldes, das ihr der Tod meines Vaters brachte, fand sie keine Ruhe und erst recht kein Glück – Menschen die ihr in späteren Jahren begegneten, schilderten sie als alte und gebrochene Frau.

Mein Vater

Ich lernte mit dem Verlust zu leben. Mein Vater wurde nur 57 Jahre alt, also sieben Jahre älter, als ich es heute bin. Er befand sich auf dem Zenit seines Erfolgs. Die letzte Fotografie von ihm, sie stammt vom Abend der Einweihung, zeigt ihn, wie er war: Ein strahlender Lebemann. Ein Mensch, der Höhen und Tiefen durchlebt hat, hohe Ansprüche an sich und andere stellte, das Leben in vollen Zügen genoss. Sein kurzes Leben entsprach in seiner Fülle demjenigen eines sehr alten Manns: Auch dieser Gedanke war mir in der schweren Zeit ein Trost.

Ich dachte an ihn, an mich, an uns zurück und wie sich unsere Beziehung festigte und vertiefte, bis wir füreinander zu ziemlich besten Freunden wurden. Das war nicht selbstverständlich, entdeckten wir Ähnlichkeiten und Zuneigungen doch erst, als ich etwas älter wurde. Seine Beweggründe, warum er in meiner Kindheit oft abwesend war, keine Zeit hatte, andere Prioritäten gesetzt hat, konnte ich erst nachvollziehen, als ich ähnlich intensiv im Leben stand wie er.

Als Sohn wird man seinem Vater selten gerecht, lebt ständig im Bann seiner Aura, seiner Leistung, seinen unausgesprochenen Erwartungen und verfolgt von seinen Träumen und ausgestattet mit seinen Genen gerät man sich in die Haare, fühlt sich unverstanden und will am liebsten nichts mehr mit ihm zu tun haben. Doch wir bleiben die Kinder unserer Eltern und je älter man wird, desto mehr Ähnlichkeit wird manchmal sichtbar.

Wenn Kinder und Eltern einander im Erwachsenenalter eine Chance geben, wachsen silberne Fäden, die für immer verbinden.

So war es bei meinem Vater und mir gewesen: Fast immer, wenn er aus Vietnam zurückkehrte, rief er mich an, sprach eine Einladung zum Abendessen aus. Manchmal hatte er auch tausend Dinge um die Ohren und ich musste ihn zu unserem Treffen auffordern. Ich wusste, er mochte es, wenn ich mich selbst einlud. Die Pendelei zwischen Vietnam und der Schweiz hatte Spuren hinterlassen. In Bern konnte er jeweils auftanken, sich ausruhen. Er bewohnte ein modern und luxuriös ausgebautes Appartement in einem alten Kutscherhaus in der Altstadt.

Kurz bevor er ermordet wurde, verbrachten wir einen Abend zusammen. Er hatte eingekauft. Gemeinsam bereiteten wir erlesene und aufwendige Speisen zu. Er liebte es Geschichten zu erzählen, lauschte aber auch interessiert den Räubergeschichten seines Sohnes. Wir konnten über alles reden. Auch über Liebe, Sex, Einsamkeit, Sucht und andere schwierige Themen. Wir sparten nichts aus, verstanden uns blind. Edle Tropfen flossen in Strömen und gegenseitig hielten wir uns vor, der andere trinke zu viel. Wir waren ein lustiges Gespann mit viel Gefühl für die schrägen Töne des Lebens.

Bereits seit vielen Jahren sprachen wir über die Meilensteine im Leben und über die gegenseitige Akzeptanz, konnten Lücken schliessen oder Missverständnis beheben. An einen dieser Abende erinnere ich mich besonders gut. Ich war noch jung und beklagte mich, dass er noch nie eines meiner Bilder gekauft habe. Er besuchte zwar meine Ausstellungen und betrachtete die Werke ausgiebig, hatte sich auch bei Atelierbesuchen begeistert geäussert, doch offenbar wollte er keines der Kunstwerke in seine bestehende Sammlung integrieren.

Logisch wäre ich stolz gewesen, wenn eines meiner Werke zwischen den anderen Gemälden namhafter Künstler, die in seiner Wohnung hingen, einen Platz gefunden hätte. In meiner Wahrnehmung liess er mir diese Anerkennung nicht zukommen und dies teilte ich ihm auch mit. Er gönnte sich einen Schluck Rotwein, bevor er mich seine Sicht der Dinge wissen liess: Auch er sei enttäuscht gewesen. Obwohl er sich stets positiv zu meiner Kunst äusserte und alle meine Ausstellungen besucht habe, sei es mir nie in den Sinn gekommen, ihm eines meiner Bilder zu schenken. Wir mussten lächeln. Beide waren wir in unserer Sichtweise gefangen gewesen und beide gingen wir, ohne an den anderen zu denken, davon aus, dass die eigene Meinung richtig ist. An diesem Abend kamen wir zum Schluss, dass wir beide stur sein können und diese närrische Eigenschaft uns niemals entzweien darf.

Die folgende Werkserie nannte ich «Marylin»: Es handelte sich um grossformatige Ölgemälde, die ich mit einem Siebdruck der Hollywoodgöttin versah und auf der gesamten Fläche mit handgeschriebenen Geschichten ergänzte. Ich nannte sie «Schriftbilder». Ich liebte die achtteilige Serie. In meinen Augen, handelte es sich dabei auch um meine bisher besten Arbeiten. Als ich meinen Vater das nächste Mal zum Abendessen traf, fuhr ich mit einem grossen Lieferwagen vor.

Nach einer wunderbaren Mahlzeit und der ersten geleerten Flasche Wein bat ich ihn, seine Zigarre im Garten zu rauchen. Erstaunt, aber brav, tat er, wie ihm geheissen wurde. Die Bilder waren sperrig und mussten ausgepackt werden. Ich verteilte sie: Auf dem Sofa an die Wand gelehnt, über der Küche auf dem Herd, auf dem Tisch. Am Schluss sah die Wohnung beinahe wie eine eigenständige Kunstinstallation aus. Als Vater die Bescherung erblickte, war er begeistert. Wir umarmten uns und ich erklärte ihm Arbeitsweise und Sinn der Bilder.

Er war glücklich und in den folgenden Stunden erzählte ich ihm auch jene acht Geschichten und Hintergründe, die dazu geführt hatten, dass ich sie für immer verewigt haben wollte. Meine Erläuterungen schloss ich mit der Bitte, er möge sich eines als Geschenk aussuchen. Er wählte drei Werke aus und bestand darauf zwei Kunstwerke zu bezahlen, und zwar sofort. Über das geschenkte Bild freute er sich sehr, wir hängten es an einem prominenten Platz in seiner Wohnung auf. Und die Moral von der Geschichte? An diesem Abend konnten wir eine gegenseitige Enttäuschung aus dem Weg räumen, weil wir den Mut gefunden hatten, darüber zu sprechen, bereit waren die Gefühle des anderen zu respektieren und eine Lösung zu suchen. Für mich war es ein wunderbarer Moment. Plötzlich war die Balance hergestellt und alles war gleichwertig. Dies konnte nur geschehen, weil wir einander vertrauten.

Danach geht die Reise als Freunde weiter und je länger diese andauert, desto mehr wird aus der Freundschaft des Sohns gegenüber dem Vater – so stelle ich mir zumindest vor – auch Fürsorge. Nach all den Jahren des Strebens nach Anerkennung, nach Liebe und Respekt für das Geleistete, ist es sicher wunderschön, wenn dieser Tag im Wissen kommt, dass man sich abermals auf Augenhöhe begegnet. Es ist die sich anbahnende Wachablösung von einer Generation zur anderen. Wenn man merkt, dass die jugendliche Dynamik grösser ist als die körperliche Kraft des erfahrenen Vaters, der fast erleichtert scheint, dass er nicht mehr so lange weiterkämpfen muss. Im Nachhinein ist es, als hätte mein Vater Gewissheit erlangt, dass ich immer und in jeder Situation an seiner Seite stehen werde, er mir als Persönlichkeit, aber auch als Mensch, der im Leben etwas erreichen wird, vertrauen kann.

Als enge Freunde wurden wir getrennt. So vieles konnten wir nicht mehr machen. Vor seinem Tod planten wir eine Tour mit meiner «*Fat Boy Harley*». Wie zwei alte Rocker wollten wir durch den nächsten Sommer fahren, die Freiheit geniessen und die gemeinsame Zeit. Auch dazu kam es leider nicht mehr. Damit, dass ich so schnell allein weitermachen musste, hatten wir beide nicht gerechnet. Heute empfinde ich tiefe Dankbarkeit dafür, dass wir unsere Beziehung in dieser Art und Weise weiterentwickeln konnten. Und nichtsdestotrotz sitzt mein Vater heute auf dem Sozius jenes imaginären Gefährts, mit dem ich durch das Leben fahre. Manchmal wünschte ich mir, er würde wieder in den Lenker greifen würde, so wie er es oft getan hat. Ich gebe mein Bestes, um die Kurven, die Höhen und Tiefen zu bewältigen und das Tempo nicht zu verlieren. Über Langeweile konnte er sich auf dem Rücksitz auf jeden Fall auch in den folgenden Jahren nicht beschweren.

Konkurrenz belebt das Geschäft

Bevor mein Vater starb, arbeitete ich, wie bereits erwähnt, bei DHL und war als «Account Manager» für den damaligen Grosskonzern ABB zuständig. Meine Stelle war direkt rapportierend an die Schweizer Geschäftsleitung. In meiner Funktion managte ich über fünfhundert verschiedene Kostenstellen und unzählige Sub-Unternehmen mit den unterschiedlichsten logistischen Anforderungen. Dazu leitete ich ein Projekt im Bereich «Health Care», damit künstliche Herzklappen aus Schweizer Produktion direkt und auf schnellstem Weg in europäischen Spitäler geliefert werden konnten. Eine anspruchsvolle Aufgabe, da jede Verzögerung fatale Konsequenzen nach sich ziehen konnte.

Mein direkter Vorgesetzter bestrafte meinen Elan und meine Bereitschaft, wahnsinnig viel zu arbeiten, aber auch meine Fähigkeit wichtige Projekte erfolgreich umzusetzen, indem er mich bei den Gehaltserhöhungen regelmässig ignorierte. Dass er dies aus Gründen der Missgunst tat, war in der Firma ein offenes Geheimnis. Obwohl der Lohn nicht die grösste Motivation für mich war, kränkte es mich, dass meine Kollegen, die auf einer ähnlicher Stufe arbeiteten, dauernd mit Boni und mehr Gehalt belohnt wurden und manche Untergebenen gleich viel verdienten wie ich. Irgendwann und nach zahlreichen anderen Vorstössen, die nichts gebracht hatten, stellte ich ein Ultimatum: Sollte mein Lohn nicht bis Ende des Monats angepasst werden, reiche ich die Kündigung ein. Mein Vorgesetzter nahm die Drohung nicht ernst, vertröstete mich und abermals geschah nichts. Tage später legte ich ihm meine Kündigung auf den Tisch und bat ihn, zu unterschreiben.

Danach ging ich in die Tiefgarage, nahm mein Auto und gab mir den Rest des Tages frei. Keine zwei Stunden später klingelte das Telefon. Der Schweizer CEO bat mich, die Kündigung zu überdenken und bot mir eine massive Lohnerhöhung an: Weit mehr als ich gefordert hatte. Mit dem angepassten Gehalt würde ich nun definitiv in die Spitzenliga innerhalb unserer Organisation aufsteigen. Ich wusste nicht, was ich antworten sollte. Ich bat um Bedenkzeit. Ich wollte nicht kündigen, liebte die Firma, die mir so sehr entsprach und in der Zwischenzeit beinah ein Zuhause für mich war. Allerdings: Lange hatte ich um die Gehaltserhöhung gebeten, meine Worte wurden nicht gehört und nun, da ich ihnen das Messer an den Hals gesetzt hatte, funktionierte es plötzlich. Es war nicht die Form der Anerkennung, die ich mir gewünscht hatte. Ich rief zurück, lehnte ab und stand per sofort ohne Job da.

Ich zog zurück nach Bern. Wegen der Liebe! Torill war Krankenschwester. Rotes Haar, stahlblaue Augen, gertenschlank und ausgesprochen attraktiv – wir waren frisch verliebt und da ich immer in ihrer Nähe sein wollte, zog ich in meine Heimatstadt zurück. Bei *Yellow World* handelte es sich um den E-Commerce-Ableger der Schweizer Post. Ich machte meine Aufwartung und wurde sofort verpflichtet. Mein Anfangsgehalt betrug vor zwanzig Jahren mehr als 15'000 Franken pro Monat. Kaum dreissig Jahre alt glaubte ich mit dem Erreichten vorerst zufrieden sein zu können. Doch meine Tätigkeit als E-Commerce Manager machte mich nicht glücklich. Wenn man von DHL kommt, dieser amerikanisch dynamischen Firma und bei der Schweizer Post landet, ist es, wie wenn man von einem Tesla auf eine Kutsche umsteigt. Tödlich langsam, unendlich kompliziert und getrieben von der stetigen Angst etwas falsch zu machen, tritt man vor Ort: Das Silicon Valley liegt definitiv nicht in Ostermundigen. Das musste ich leider einsehen. Ich kündigte die Stelle, stand ab sofort erneut ohne Job da. Beschäftigung weg, Kollegen, Status und Geld weg.

Eine solche Situation ängstigte mich überhaupt nicht, doch mein Unterbewusstsein sah das offenbar ganz anders. Mein Zusammenbruch traf mich aus hellheiterem Himmel: Ich unterzog mein Auto gerade der wöchentlichen Hygieneaktion als mir ein unerträglicher Druck auf der Brust das Atem beinahe unmöglich machte. Panisch schnappte ich nach Luft, blickte um mich, erwartete, dass es den anderen Menschen auf dem Platz gleich ergeht. Doch diese verhielten sich normal, wischten seelenruhig Scheiben, prüften den Luftdruck der Pneus, polierten die Felgen. Ich fing an zu schwitzen, bekam nun gar keine Luft mehr und verspürte Todesangst. Sollte ich um Hilfe schreien? Oder mich sofort ins Auto setzen und in das nächste Krankenhaus fahren? Ich atmete tief durch, versuchte nicht zu ersticken und öffnete das Fenster, als ich in rasantem Tempo Richtung Stadt fuhr.

In meiner Verzweiflung wählte ich die Nummer meiner Mutter, die sofort alarmiert war und wenig später lag ich in der Notaufnahme des Krankenhauses. Die Ärzte untersuchten mich genau, vermuteten einen Herzinfarkt. Dann die Diagnose: «Brachiale Panikattacke». Mein ganzes Selbstverständnis, das auf der Gelassenheit, dem Selbstvertrauen und der Stärke basierte, war mit einem Schlag dahin. Ich fühlte mich hilflos und wusste bereits, dass diese Episode, die mich in den Grundmauern erschüttern sollte, mit meiner Entlassung aus dem Krankenhaus nicht erledigt sein würde.

Als wäre eine Trennwand durchstossen worden, wiederholten sich die extremen Angstzustände ab diesem Zeitpunkt, rissen mich in einen gewaltigen Strudel, in dem ich zu ertrinken und zu verbrennen drohte. Ich kämpfte jeweils um das Überleben, ein Zustand, aus dem ich nur schwer wieder herausfand. Ich fühlte mich schrecklich. Wehrlos. Ohne Möglichkeiten zu tun, was ich bisher immer getan hatte: Mich dem Schicksal entgegenstellen, Kontrolle zu erlangen. Sobald ich allein war, ereignete sich ein fulminanter Anfall. Bald unfähig, irgendetwas allein zu machen, war an Arbeit nicht mehr zu denken und die Angst in diesen alles verschlingenden Zustand zu geraten, wurde omnipräsent. Sie trieb die nun täglich stattfindenden Erstickungsanfälle wie ein perpetuum mobile an. Die Angst vor der Angst frisst einen auf und prägt schlussendlich das ganze verdammte Leben. Ich suchte früh Hilfe bei einem Spezialisten. Dieser konnte mir wenigstens erklären, was bei einer Panikattacke vor sich geht und wie diese mit Tricks und Therapien und vor allem mit den richtigen Medikamenten behandelt werden können. Mit der vollen Dröhnung fielen die Attacken milder aus, allerdings setzten mich die starken Medikamente komplett schachmatt.

ch lebte bei meiner Freundin, in einer Unterkunft für das Pflegefachpersonal des Krankenhauses, in dem Torill arbeitete. Das Zimmer war winzig. Ich erinnere mich an eine kleine Lampe, mit einem sich drehendem Band, das bunte Muster, Figuren und einen Sternenhimmel an Wände und die Decke projizierte. Stundenlang beobachtete ich dieses kindliche Schauspiel und blieb nur am Leben, weil ich wusste, dass Torill irgendwann nach Hause kommt. Wir machten einige Schritte an der frischen Luft, danach schlief ich abermals oder sass stumm in einer Ecke des Zimmers, beschäftigt mit meinen Gedanken und meiner übermächtigen Angst vor der Angst. Innert kürzester Zeit war ich nur noch ein Schatten meiner Selbst und in drei Monaten verlor ich zehn Kilogramm Gewicht. Als mich ein alter Freund besuchte, fragte er mich allen Ernstes, ob ich an der Nadel hängen würde. Er meinte, ich sehe aus wie ein Drogensüchtiger im letzten Stadium. Wenn ich in den Spiegel sah, verstand ich was er meinte. Jede Panikattacke schien mich mehr zu schwächen, physisch, aber auch psychisch.

Gleichzeitig vermisste ich mein altes Leben. Es war weg. Es hatte sich in Luft aufgelöst. Ich erinnerte mich, wie selbstsicher und gelassen, gerade schon fast *cool*, ich mein Dasein bisher gemeistert hatte. Nun war ich unfähig, einen Liter Milch einzukaufen. Sediert vegetierte ich auf unserem schmalen Bett dahin. Tage, Wochen und Monate verstrichen. Ich fragte mich, ob ich jemals wieder ein Leben führen kann, das diesen Namen verdient. Ich spürte intuitiv: Gelingt es mir nicht bald, mich aus diesem unglaublichen Tief zu befreien, würde etwas Schreckliches geschehen. Der Gedanke mich umzubringen, war mir nun nicht mehr fremd. Zumindest gab es einen Ausweg aus der Angst. Zu wissen, dass ich diesem Leiden aus eigener Kraft jederzeit ein Ende setzen kann, gab mir paradoxerweise wieder etwas Lebensmut.

Hand in Hand liefen Torill und ich eines Tages unter einem Regenschirm durch den kleinen Park, der zur Wohnanlage gehörte,, und sprachen über eine neue Form des Angstzustands, den ich erlebt hatte. Das Schreckliche war, dass sich die auslösenden Gründe laufend veränderten, es häufig aber überhaupt keinen nachvollziehbaren Grund gab für eine Attacke. Wäre neben mir ein Haus explodiert, hätte die Sache Sinn gemacht. Dass mich die Angst ohne ersichtlichen Anlass attackierte, war umso verstörender. Ich las alles, um mehr über diese Krankheit zu erfahren, wozu auch viele Berichte von Betroffenen gehörten. Ich realisierte lange Zeit nicht, dass mein Inneres die durch Dritte erwähnten Ängste kopierte, die mich in der Folge noch mehr drangsalierten und quälten. Unter dem Regenschirm erzählte ich meiner Partnerin von diesen Mechanismen.

Sie reagierte – zum ersten Mal – ungehalten. Nach Monaten der grossen Fürsorge und Aufopferung musste sie zusehen, wie mich diese Krankheit mehr und mehr zerstörte. Jetzt hatte sie genug. Sie forderte mich auf mich zu entscheiden, wie es weitergehen soll. Lebenslang krank zu sein, sei eine Option. Endlich aus diesem unseligen Hamsterrad ausbrechen, einen Neustart zu wagen und weiterzumachen, die zweite Möglichkeit, liess sie mich wissen. Und: Ich allein könne meine Psyche wieder auf Kurs bringen. Medikamente beruhigen, ebenso wie eine Therapie, aber die Kraft zur Selbstheilung liege in mir selbst. Das war ein etwas ungewöhnliche Ansatz, der vermutlich nicht für alle Angstpatienten gilt. Doch sie kannte mich gut und tatsächlich verfehlten die klaren Worte und die harte Kritik ihre Wirkung nicht. Mir wurde klar, dass die Panikattacken nicht einfach vorüberziehen werden. Ich musste Verantwortung übernehmen. In den Tagen nach Torills Standpauke reifte mein Entschluss, dass ich die nötige Veränderung angehen will.

Ich mobilisierte meine Kraft und überwand mich zu Aktivitäten im Freien. Torill wartete jeweils zuhause auf mich. Zuerst waren es Fahrradstrecken von wenigen Metern, die ich zurücklegte, dann doppelt so viel und so weiter. Bald wagte ich mich an kleine Alltagsaktivitäten. Als sinnvolle Strategie auf diesem Weg erwiesen sich Erkenntnisse aus der kognitiven Verhaltenstherapie. Vereinfacht gesagt, stellt man sich den Problemen – in meinem Fall der Angst – in kleinen Schritten entgegen und schliesst die provozierte Situation jeweils mit einem positiven Erlebnis ab, indem man in ein sicheres *Setting* zurückkehrt. Dieses Provokationstranig ist intensiv, man muss es wollen und es ist nur durchführbar, wenn man sich geistig, aber auch seelisch zumindest in einem halbwegs guten Zustand befindet. Extrem stolz war ich, als es mir gelang, im nächstgelegenen Geschäft, allein ein Getränk zu kaufen. Innerhalb von vielen Wochen verbesserte sich mein Zustand. Stück für Stück kämpfte ich mich zurück ins Leben. Die Angst sollte mich weiterhin beschäftigen, der Heilungsprozess war nicht abgeschlossen und prägte, ebenso wie die Suche nach den tieferen Gründen für meine Angst, auch die folgenden Jahrzehnte.

Nachdem das Schlimmste überstanden war, wusste ich, dass eine Rückkehr in den gewohnten Berufsalltag ein gesundheitliches Risiko darstellt. Die Gewissheit, dass mir körperliche Betätigungen guttun, meine Angstattacken so offenbar in Schach gehalten werden können, brachte mich auf die Idee, bei einem Velokurierdienst anzuheuern. Sie luden mich zum Vorstellungsgespräch ein. Ich war mir sicher, den Job zu erhalten, denn ich verfügte über mehr Logistik- und Management-Wissen als die gesamte Crew zusammen. Ich las in ihren Gesichtern, dass ich nicht in das alternativ-genossenschaftliche Bild passte: Vor ihnen stand ein Typ mit Bauchansatz, der im Management grosser Konzerne gearbeitet hatte und nun Velokurier werden wollte. Mit veganer Küche und *Dreadlocks* hatte ich ebenso wenig am Hut, wie mit einem allgemeinen Hass auf Autofahrer oder all jene die mehr als das Existenzminimum verdienen. Natürlich erstaunte es mich trotzdem, dass sie für eine Perle wie mich keine Verwendung hatten, wie schnell klar wurde. Bereits auf dem Heimweg stieg die Wut in mir hoch. Meine Gedanken und vor allem der Entschluss, den ich nun fasste, zeigten mir, dass ich definitiv wieder auf dem aufsteigenden Ast war.

Heisst es nicht, Konkurrenz belebt das Geschäft? Bis dato existierte in Bern ein einziger Velokurierdient. Bald sollte es einen zweiten geben! Mein Ehrgeiz, meine Begeisterung, mich in neuen Bereichen zu beweisen, war erneut entfacht und die herbe Zurückweisung katapultierte mich endgültig ins Leben zurück.

Anstatt dauernd um meine Krankheit zu kreisen, gab es nun ein neues Ziel, das ich erreichen wollte und bereits zwei Monate später sass ich beim Notar und gründete mit wenig Kapital den Kurierdienst BIKE4ME. Zum ersten Mal in meinem Leben agierte ich als Unternehmer, sass wieder fest im Sattel und radelte Richtung Zukunft. Die Anfänge waren sehr bescheiden. Einen lokalen Fahrradhändler konnte ich davon überzeugen, meine Velos zu sponsern und so startete ich mit zwei richtig coolen *Bikes,* heuerte bald einen zweiten Fahrer an, designte zusammen mit einer Freundin das Logo, liess Hosen, Jacken und Taschen bedrucken, löste eine 0800-er Nummer und kreierte eine Homepage.

Ich putze erfolgreich Klinken: Von der Allgemeinen Plakat Gesellschaft (APG) erhielten wir gratis einige Dutzend Plakatwerbungen. Bald war die halbe Stadt mit unserer 0800-er Nummer zugepflastert. Wir waren einfach überall und der glückliche Zufall wollte es, dass wir an einem Radioprogramm teilnehmen durften, das die positive Wirkung von Radiowerbung testete. So kamen wir in den Genuss einer dreimonatigen Dauerwerbeschleife auf dem beliebtesten Berner Privatradio. Einige Studenten betrieben Telefonmarketing für mich und weitere Aktionen, bei denen wir *Gipfeli* und frische Äpfel in den Büros der ganzen Stadt verteilten, sorgten dafür, dass unsere Dienstleistung einfach überall bekannt wurde.

Das Telefon klingelte bald pausenlos. Mit der Zeit erkannte ich, dass wir auch Aufträge für grössere Gegenstände oder weitere Strecken fahren könnten, wenn wir entsprechend ausgerüstet wären und bald stand uns der Markt nicht nur im städtischen Velokurier-Bereich offen, sondern auch im Bereich «Expressfahrten»

60

schweizweit. Unsere Werbung von damals zeigt, wie wir Pakete auf dem Rollfeld des Flughafen Bern direkt an den Piloten übergeben. Nebst der internationalen Tätigkeit erhielte wir bald Spezialaufträge von der Schweizer Post. Ich baute eine Flotte an Transportern auf und beschäftigte innerhalb eines Jahres zehn Festangestellte und eine eigene Disposition. Der Laden brummte und wir wurden in Bern zum Marktführer für Kurierdienste. Nach zwei Jahren waren wir so gross, dass wir eine zweite Filiale in Zürich eröffneten. Nach knapp drei Jahren erhöhte sich mein Team auf dreissig Festangestellte, unzählige Aushilfen und ebenfalls besassen wir nun mehr als zwanzig Transporter.

Insbesondere die Post hatte grosse Mühe mit unserer Dynamik mitzuhalten. Das hatte zur Folge, dass sie einen unserer Service-Bereiche in ihr Angebot aufnahmen: So wurden wir auch zu einem Subunternehmen der Schweizer Post und die Schweizer Post zu unserem grössten Kunden. Wir gingen dort ein und aus und integrierten teilweise sogar deren Fahrzeuge in unsere Flotte. Wir waren bereits mehrfach umgezogen, weil die bestehenden Flächen immer wieder zu klein wurden und auch die Fahrzeuge benötigten immer mehr Parkplätze. Es ging rasant voran. Ich schmiedete Pläne, um weitere Standorte zu erschliessen, fühlte mich grossartig und lebte in der Zwischenzeit mit Torill in Zürich, um von hier aus die Expansion der Filialen voranzutreiben.

Blumentöpfe in Vietnam

Doch dann klingelte das Telefon und mit der verhängnisvollen Nachricht vom Tod meines Vaters nahm mein Leben im Jahr 2004 eine radikale Wende. Nach den ersten Wochen, in denen die grosse Trauer über diesen Verlust, aber auch das Misstrauen gegenüber Huyen meine Gefühlswelt dominiert hatten, ging es bald um die Frage, wie es mit der riesigen und sehr erfolgreichen Firma in Vietnam weitergehen soll. Meine Halbschwester war noch sehr jung, meine andere Schwester zeigte kein Interesse am Geschäft und so reiste ich zusammen mit Torill zum zweiten Mal in ein Land, das mir verhasst war, weil ich es nicht verstand.

Wenig später stand ich auf der Dachterrasse eines Hotels in Saigon. Tropischer Dunst und extreme Feinstaub-Belastung verwandelten die Sonne in einen pinkfarbenen Feuerball. Hypnotisiert blickte ich sechzehn Stockwerke in die Tiefe. Auf den Strassen tobte das Leben. Der Lärm von zehntausend Motorrädern mit Menschen, Tieren und Waren beladen, drang wie fernes Donnerrollen in die Höhe. Nicht endend wollende Menschenmengen bahnten sich ihren Weg durch die überfüllten Gassen und Plätze. Ich blickte auf urbane Bauten, die unvermittelt in ein flaches Häusermeer überging, in Hütten und Verschläge, die sich bis zum Horizont ausdehnten. Es handelte sich um den Wohnraum der hiesigen Bevölkerung, die um ihre Existenz und das Überleben kämpfte, während ich mit einem farbigen Drink in der Hand den Kulturschock überwinden wollte. Ich wusste auch:

Knapp dreissig Jahre zuvor hob der letzte Hubschrauber der Amerikaner vom gegenüberliegenden Dach ab, während die Panzer der nordvietnamesischen Armee in die Stadt einrollten. Im Hubschrauber sassen – damals im Jahr 1975 – die letzten im Land verbliebenen Botschaftsmitarbeiter und das Personal des Roten Kreuzes. Anton war unter ihnen, ein Freund meines Vaters. Zusammen würden sie Jahrzehnte später nach Vietnam zurückkehren und aufbauen, was ich nun übernehmen sollte. Dem roten Kreuz und Anton verdankte ich also, dass ich wieder hier war, doch davon später.

Vor Jahren hatte ich mir geschworen, nie mehr in dieses Land zurückzukehren. Jetzt hatte mich das Schicksal erneut hierhergeführt und es wollte viel von mir – dass ich mich hier niederlasse, die geschäftliche Tätigkeit meines Vaters mit tausenden von Angestellten weiterführe. Der Zugang zu diesem ostasiatischen Land war mir bei meinem ersten Besuch verschlossen geblieben. Den Trip hatte ich gemacht, ohne mich mit meinem Vater abzusprechen. Eine dumme Idee. Er war nicht im Land, konnte mir die positiven Seiten nicht vermitteln und ich besuchte auch seinen Geschäftssitz nicht, es erschien mir damals sinnlos. Jetzt war ich wieder hier und er war abermals nicht da.

Es fühlte sich falsch an, dass er nicht neben mir stand, mir den Arm um die Schulter legte, einen Spass machte, der zeigte, wie er dachte: «Alles halb so wild». Ich wusste, dass auch er auf dieser Terrasse gestanden hatte, den gleichen Sonnenuntergang beobachtet haben muss. Und sicher rechnete er niemals damit, dass wir dieses Erlebnis kein einziges Mal miteinander teilen werden. Getrennt bis zu meinem Tod, ein unerträglicher Gedanke.

Die Feuerkugel verschwand, die Dunkelheit verschluckte die Stadt nur einen Augenblick lang, bevor Millionen von winzigen Lichtern die Kontrolle über die Nacht übernahmen. Ich hatte Angst und ich fühlte mich einsam. Plötzlich umarmte mich Torill von hinten und riss mich aus meinen Gedanken. Wir waren seit vielen Jahren zusammen, ich liebte sie sehr. Sie hatte sehr viel für mich getan, ich vertraute ihr blind. Sie war so schön. Nicht nur äusserlich, auch ihr Wesen strahlte. Sie hat mir gezeigt was Genügsamkeit bedeutet. Sie ist im Reinen mit sich selbst. Was ihr widerfährt, kann sie bewältigen, eben – mit einem Lächeln. Wir blickten einander an. Wir dachten beide das Gleiche: Sollen wir hierherziehen? Sollen wir hier leben?

Bald sassen wir in einem französischen Restaurant, spielten verschiedene Varianten durch, stellten uns die Zukunft vor. Ich wusste: Die Auswanderung wird nicht sanft und langsam vonstattengehen. Von einem Tag auf den anderen bin ich für eine Firma mit sehr vielen Mitarbeitern verantwortlich. Schulden in Millionenhöhe würden den Erfolgsdruck riesig machen. Der Neustart in einem Land, in dem wir nicht einmal die Strassenschilder lesen konnten und die ländliche Bevölkerung uns anstarrte, weil sie in ihrem Leben noch nie Weisse gesehen hatten, waren Details, die wir an diesem Abend besprachen. Gleichzeitig spürte ich den Geist meines Vaters, der das Potenzial dieses Landes früh erkannt hatte und die Herausforderung selbst dynamisch angenommen – und vor allem das Allerbeste aus ihr gemacht hatte. Ich erhielt gerade die Möglichkeit eine der grössten ausländischen Firmen in Vietnam zu kaufen und ahnte bereits, dass ich diese Chance nicht vorbeiziehen lassen werde.

Hinzu kam, dass ich mit meinem Vater noch nicht abgeschlossen hatte. Seit seinem Tod litt ich erneut unter heftigen Panikattacken, meinte zu ersticken, meinte zu sterben und konnte diese mich immer noch verstörenden Zustände nur mit Strategien, die die Atmung betrafen, unter Kontrolle bringen. Die Angst, so weiss ich heute, braucht keine äusseren Auslöser, denn die Gründe liegen im Unterbewusstsein. Die Angst vor dem Alleinsein, die Angst keine Hilfe zu erhalten, nistete sich in meiner Kindheit und Jugend in mir ein. Nun hatte mich mein Vater verlassen, unfreiwillig, aber dennoch: Ich fühlte mich einsam wie noch nie in meinem Leben.

Ich wollte ihm nahe sein, erfahren, wie er seine letzten Jahre in Saigon verbracht hatte. Ich wollte den Geschichten Bilder beifügen, Gerüche, Geräusche, wollte erfahren und spüren, wie sich das Leben in Saigon anfühlt. Ich wollte auf seinen Pfaden wandern, in seinem Auto sitzen, mich auf seinem Stuhl im Büro um 360 Grad drehen und einfach alles aufnehmen, was seine Existenz geprägt hatte. Vor zwölf Jahren hatten wir uns verpasst. Jetzt besuchte ich ihn nicht. Ich suchte ihn. In den folgenden Tagen und Wochen folgte ich seinen Spuren,

64

ich traf seine Freunde, ich ass in Lokalen, die er mochte und betrank mich in seiner Lieblingsbar. Ich war in seiner Welt angekommen. Vietnam war ein wichtiger Teil seines Lebens gewesen. Daran wollte ich anzuknüpfen. Spätnachts stand ich abermals auf der Terrasse des Hotels und blickte in die ruhiger werdenden Strassen von Saigon. Ich vermisste meinen Vater wahnsinnig und wie so oft in den folgenden Jahren.

Zurück in der Schweiz verkaufte ich meine Kurier-Firma unter ihrem Marktwert an einen Konkurrenzbetrieb in Zürich. Meine Mitarbeiter spürten nach meiner Rückkehr sofort, dass es kein Halten gibt, grosse Veränderungen bevorstehen. Immerhin verlor niemand die Arbeit und einige Angestellten verstanden meine Entscheidung, realisierten, dass ich sie fällen musste.

Schwieriger gestalteten sich die Verhandlungen mit meiner jüngeren Halbschwester, die durch ihre Mutter, der zweiten geschiedenen Frau meines Vaters vertreten wurde. Ich wusste, diese wird keine rationale Entscheidung fällen und das Maximum für den Erbanteil ihrer Tochter herausholen wollen.

Nach endlosen Verhandlungen und vielen unrealistischen Forderungen schien ein Ende der Diskussionen in greifbarer Nähe. Ich stand bereits unter enormem Zeitdruck, denn jeder Tag, an dem die Firma meines Vaters führungslos dastand, barg grosse Risiken, wie ich wusste. Irgendwann setzte ich der guten Frau ein Ultimatum. Falls sie am besagten Tag nicht bis zu genannter Uhrzeit unterschreibe, betrachte ich das grosszügige Angebot für ungültig und die Verhandlungen als endgültig gescheitert. Am besagten Tag warteten mein Anwalt und ich. Die Stunden verstrichen, sie erschien nicht.

Ich war verzweifelt, hing von dieser Unterschrift doch die Zukunft der väterlichen Firma ab. Die genannte Summe hätte meiner 16-jährigen Halbschwester bald ein Leben als Millionärin beschert. Ich verstand die Welt nicht mehr, es herrschte Katerstimmung. Doch dann stürmte diese Frau plötzlich in die Kanzlei, unterschrieb wortlos und verschwand grusslos. Meine Erleichterung war riesig, denn nun konnte ich meine Schwestern auszahlen. Es handelte sich um eine schwindelerregende Summe, ermöglicht durch eine Schweizer Grossbank, die mir einem siebenstelligen Kredit gewährte, der mich auf Jahre hinaus binden würde. Ich rief Torill an, überbrachte ihr die Neuigkeiten und Stunden später packten wir unsere sieben Sachen – die in Tat und Wahrheit einen ganzen Schiffscontainer füllten – und buchten unsere Flüge.

Und was hat die amerikanische Botschaft und das Rote Kreuz mit all dem zu tun? Wie bereits erwähnt, arbeitete Anton vor dreissig Jahren als Delegierter bei dieser Non-Profit-Organisation. Er hatte den Vietnamkrieg miterlebt und sich in eine junge Vietnamesin verliebt, blieb bis zum Kriegsende in Saigon, harrte in der Botschaft aus, zu einem Zeitpunkt als die Nordvietnamesen bereits eindrangen. Am Tag der Evakuierung durch die Amerikaner entschied sich seine Geliebte, Gamy, zum Verbleib in ihrer Heimat und so wurden die beiden getrennt, blieben aber über viele Jahre und tausende von Kilometern hinweg, weiterhin in Kontakt.

Einmal besuchte er meinen Vater bei sich zuhause in Bern und berichtete ihm von dieser Vergangenheit. Kochen, essen, trinken: Anton erzählte ihm auch, dass sein eigenes Geschäftsmodell, günstig in Südeuropa, damals vor allem in Portugal, Keramikware zu produzieren und teuer in Nordeuropa zu verkaufen, keine Perspektiven mehr bot. Die EU war noch weit weg, aber der EWR, ein Vorläufer der EU, war in aller Munde und bald sollten die Handelsschranken in Europa aufgelöst werden. Die Geschäfte würden schwierig werden, doch Anton hatte bereits eine Idee, in welchem Land die Produktion künftig stattfinden sollte: in Vietnam!

Vater schüttelte anfänglich nur den Kopf, hielt es für einen irrsinnigen Plan in ein komplett abgeschottetes, kommunistisches und bitterarmes Land zu investieren. Ein kleines Detail war Anton zudem entgangen: Arbeitsgenehmigung für Ausländer existierten in den 1990er-Jahren nicht. Er beharrte jedoch auf perfekten

66

Bedingungen, was den Rohstoff anbelangte, denn mit eigenen Augen habe er im Krieg jene Gebiete besichtigt, die über Lehm in Hülle und Fülle verfügten.

Dass sich das Land auch fünfzehn Jahre nach Beendigung des schrecklichen Krieges nicht oder nur sehr schlecht erholt hatte, war für Anton ein weiterer Grund, um zu investieren, denn er sah sein Engagement auch als «diskrete Entwicklungshilfe», wie er meinen Vater wissen liess. Nach langen Abklärungen und Überlegungen zeigte sich Vater tatsächlich bereit, in dortige Familienunternehmen zu investieren und dank Antons Kontakten erhielt er ein Visum, um das erste Mal einzureisen. Mein Vater hatte 20 000 Dollar in seiner Unterwäsche versteckt und Anton freute sich wie ein Schulkind, seine Jugendliebe nach Jahrzehnten wieder in die Arme schliessen zu können.

Die vietnamesisches Keramikproduktion bot tatsächlich beste Voraussetzungen, um diesen Industriezweig aufleben zu lassen. Die Besichtigung jener Gegenden im Mekong-Delta, in denen das wertvolle Rohmaterial abgebaut wird, überzeugte meinen Vater, der die hohe Qualität von Lehm und Tonerde und damit auch das weitere Potenzial erkannte. Manche Familien hatten die zerbombten Hochöfen notdürftig repariert, doch die meisten Bauten präsentierten sich als Ruinen oder lagen in Schutt und Asche. Hilfsarbeiter produzierten zu diesem Zeitpunkt fast ausschliesslich einfache Ziegelsteine, da die meisten Facharbeiter im Krieg gefallen waren. Gamy half Anton und meinem Vater Fabriken zu finden, die als Produktionsstätten dienen könnten. Ausländern war es zwar strikt verboten, in diesem Land tätig zu werden, doch mein Vater brachte in den folgenden Jahren – mit der Hilfe von Gamy – einen Hochofen nach dem anderen auf Vordermann.

Mit jenen Familien, die Zugang zu Lehm und den Öfen hatten, schloss er Vereinbarungen ab und wies sie in jene Fertigkeiten ein, die ihn zum grössten Hersteller von gebrannten Blumentöpfen in Europa machen sollte. Manche Fotografien zeigen meinen Vater in diesen Jahren: Wie er zusammen mit den Familien den Vorplatz einer Produktion wischt. Wie er an einer Form sitzt und Zeichnungen macht. Wie sie sie ihm erklären, wie neue Gefässe richtig geformt werden müssen, damit sie beim Brennen nicht zerspringen. Wie die Lagerung beim Trocknungsprozess funktioniert, damit der später stattfindende Brennvorgang jenen hohen Ansprüchen entspricht, die der europäische Markt verlangt. Ich glaube, das war seine glücklichste Zeit in Vietnam.

Es dauerte Jahre, bis eine stabile und funktionierende Produktion aufgebaut werden konnte. Dem ersten Ausbau einer kleinen Fabrik folgten weitere Inbetriebnahmen und bei der Vergrösserung der Betriebe ging er Schritt für Schritt und immer schön der Reihe nach vor. Irgendwann besass er Hunderte solcher Keramikbrennereien und galt in Vietnam in der Zwischenzeit als westlicher Pionier beim wirtschaftlichen Wiederaufbau des Landes. Nicht nur hat mein Vater Tausenden von Vietnamesen und Vietnamesinnen ermöglicht, einer qualifizierten Arbeit nachzugehen, die gut bezahlt ist. Sein Engagement und sein Investment brachten ihm auch eine einzigartige Marktmacht. Als ich die Firma überstürzt, aber überzeugt davon, dass ich sein Lebenswerk weiterführen will, übernahm, galt «Dragon Line» nicht nur in Europa, sondern auch in Vietnam als grösster Produzent von unglasierten Keramikwaren.

Die Rakete besteigen

Ich wusste, er wäre stolz auf mich. Entweder macht man Dinge, oder man macht sie nicht. Auch in diesem Punkt waren wir uns immer einig gewesen. Ich hatte in der Schweiz reinen Tisch gemacht und mich 34-jährig hoch verschuldet, um das Erbe meines Vaters antreten zu können. Ich übernahm Verantwortung und ging ein grosses Risiko ein, da ich von diesem Geschäft anfänglich so gut wie nichts verstand. Damals manövrierte mich das Schicksal in eine abenteuerliche Situation, von der die meisten ihre Finger gelassen hätten.

Die gemachten Erfahrungen und Erkenntnisse sollten sich als wegweisend herausstellen. Fortan wusste ich, dass ich mit solchen und ähnlichen Situationen umgehen kann und auch in späteren Jahren ging ich in meiner Rolle als Unternehmer stets grosse Risiken ein. Ich gelangte zu einer Überzeugung, die mich bis heute begleitet: Man muss sich den Risiken bewusst sein, man sollte sie sorgfältig abwägen, aber scheuen darf man sie nicht. Man kann zur Einsicht gelangen, dass eine Entscheidung riskant ist – und sich darauf einlassen. Mit Leichtsinn hat es nichts zu tun.

Meiner Meinung nach muss ein Unternehmer die Bereitschaft zum Risiko mitbringen. Grundsätzlich zeigt meine Erfahrung auch, dass die Einschätzung des Wagnisses nur von jenen gemacht werden kann, die schlussendlich die Konsequenzen zu tragen haben. Risikoempfinden ist zudem auch ein subjektives Gefühl. Die einen finden es riskant, wenn sie einen Pullover kaufen, der hundert Franken über ihrem Budget liegt und es ist völlig in Ordnung, wenn sie auf den Kauf verzichten. Andere – und dazu gehört der Unternehmer – müssen das kalkulierte Risiko suchen, es gehört zu ihrem Job. Für Aussenstehende ist das vielleicht nicht immer nachvollziehbar und auch mich wollte man in späteren Jahren bisweilen als leichtsinnig und verantwortungslos darstellen. Das ist eine komplette Fehleinschätzung. Bei meinen Entscheidungen ging ich fast immer davon aus, ob ich die Konsequenzen eines Misserfolges selbst tragen kann. Die Antwort muss auch in Relation zu jenen Menschen beantwortet werden, die in einem solchen Fall unvermutete und unschuldig in die negativen Konsequenzen involviert sein können. Dort fängt für mich die Verantwortung des Unternehmers an und diese stand für mich immer an vorderster Stelle.

Sicher ist aber auch: Je erfolgreicher man ist, desto weniger Kritik gibt es, auch wenn man diese wünscht und darauf angewiesen wäre. Niemand bremst, alles wird gutgeheissen. Viele Manöver gehen gut, haarscharf hat man die Kurve gekratzt. Oft beteiligen sich andere Menschen am Risiko, sie glauben an eine Idee, möchten vom möglichen Erfolg profitieren. Sie wissen sehr genau, dass ihre Investition ein Risiko birgt, doch sobald sich das Blatt wendet, steht man allein da, als Verlierer, als Mensch, der leichtsinnige Entscheidungen getroffen hat und im schlimmsten Fall bekämpft werden muss.

Zum kalkulierten Risiko gehört das Scheitern und vor dem Scheitern darf man keine Angst haben. Ich wollte es immer wissen, feierte riesige Erfolge und manche Niederlagen. Die damit verbundenen finanziellen Einbussen trug ich mit, übernahm Verantwortung, schnürte meinen eigenen Gürtel wieder enger, fing von vorne an. Wie bereits erwähnt: Vorsichtiger wurde ich durch diese Erfahrungen nicht und noch heute arbeite ich am liebsten mit Menschen, die in einem ähnlichen Tempo unterwegs sind, wie ich. Die bildhaft gesprochen, einer gemütlichen Kaffeefahrt nichts abgewinnen können, sondern lieber eine Rakete besteigen, den Husarenritt wagen, aus der Umlaufbahn katapultiert werden, den Orbit erreichen. Vielleicht stürzen sie ab, schlagen hart auf dem Boden auf. Doch wer einmal aus dieser Höhe auf die Erde geblickt hat, der will immer wieder dorthin. Mit Leichtsinn hat es nichts zu tun, sondern mit einem Lebensgefühl.

Im Jahr 2005 stand ich am Fenster meines Büros im dritten Stock unseres Neubaus in Saigon. Das Tattoo auf meinem Oberarm mit dem Firmenlogo – einem Drachen – war noch nicht ganz verheilt. Ich blicke auf das riesige Areal mit sechs grossen Lagerhallen, Containern, Lastwagen und Hunderte von Arbeitern, die am Hauptsitz Waren verpacken. Die Stirnseite zur Hauptstrasse, gesichert mit einer fast drei Meter hohen Mauer, ist dreihundert Meter lang. Bewacht wurde die gigantisch grosse Anlage an beiden Enden von vier bis sechs uniformierten Männern, die jeden Lastwagen und jeden Besucher peinlich genau kontrollierten und protokollierten. Zwischen den beiden Einfahrten mit Wachhäusern und Schlagbäumen befand sich ein Vorplatz, derart riesig, dass auch Sattelschlepper mit geladenen Schiffscontainern gut wenden konnten. Was ich sah, war nur ein kleiner Teil der Firma, zu der auch etliche Fabriken mit Heerscharen von Arbeitern gehörten, die dafür sorgen, dass wir pro Monat eine halbe Million Blumentöpfe produzierten und verschifften und zweistellige Millionenumsätze erwirtschafteten.

Als neuer Chef von «Dragon Line Ltd.» war ich ab sofort für Tausende von Angestellten verantwortlich. Gleich würde ich auf den Vorplatz treten und vor vierhundert Mitarbeitern der Administrati n meine Antrittsrede halten. Zusammen mit dem Personalchef ma ich mich auf den Weg, dachte an meinen Vater, spürte plötzl Kraft, um über die Zukunft der Firma und die Arbeitsplätze z sprechen und mich als neuen Eigentümer vorzustellen. Als ich den Platz überquerte und auf den Rand einer Abschrankung stieg, damit mich alle sehen können und nach dem Mikrophon griff, verstummte die riesige Menschenmenge. Flankiert von einem Übersetzter, dankte ich den Anwesenden, dass sie mit meinem Vater den bisherigen Weg gegangen sind. Ich blickte in die Augen von Hunderten von Familienvätern, die sich wohl fragten, ob ich es schaffen würde, ihnen den Lohn auch in drei Monaten oder in einem Jahr noch zu bezahlen. Ich gab ihnen zu verstehen, dass ich zwar noch jung bin, aber nicht zu jung, um den Erfolg meines Vaters und seine Umsicht in Zusammenhang mit ehrlichen und arbeitssamen Mitarbeitern weiterzuführen.

Bald machte ich Dampf, skizzierte die Zukunft, die Erwartungen. Ich wollte, dass sie mein Engagement und meine Entschiedenheit spüren und wissen, dass ich keinen Abgang machen werde, wenn der erste Sturm aufzieht. Dass ein Drittel der Anwesenden darauf hoffte, dass ich die Augen geschlossen halte, Korruption und andere Missstände toleriere und zu schwach sein werde, um mit dem eisernen Besen auszumisten, wusste ich damals noch nicht. Nach meiner Rede hissten wir die Firmenflagge. Rechts und links flatterten fröhlich die schweizerische und die vietnamesische Fahne im Wind. Die ersten zwei Stunden meines ersten Arbeitstags in Vietnam hatte ich gut überstanden. Gut gelaunt dachte ich: «Jetzt kann es nur noch besser kommen.» Eine eklatante Fehleinschätzung, wie sich sehr bald herausstellen sollte oder um es in anderen Worten zu formulieren: Die ersten Monate waren die Hölle. Während meiner Abwesenheit, in der ich Erbangelegenheiten und alles andere regeln musste, versickerte bereits viel Geld in den brüchigen Böden eines Landes, in dem zumindest in diesen Jahren, die Korruption regierte.

Bekommt man dieses Problem nicht in den Griff, wird das Unternehmen ausgehöhlt und bricht irgendwann in sich zusammen. Ohne Kapitän an Bord, also ohne meinen Vater, der die Zusammenhänge bestens kannte, manches wohl tolerierte und anderes korrigierte, hielt man die Dragon Line offenbar für eine Art Selbstbedienungsladen. Von kleinen Diebstählen bis hin zu Aktionen, die mit hoher krimineller Energie organisiert worden waren: Bei meinem Amtsantritt fehlten bereits mehrere Hunderttausende Dollar in der Kasse. Es wäre eine Illusion zu glauben, man könne diesen Sumpf trockenlegen. Aber: Man kann ihn mit eigenen Mitteln bekämpfen.

Ich baute sofort ein gut organisiertes Netz an Informanten auf und bezahlte für jene Hinweise, die sie mir lieferten, sehr gut. Vor

72

allem Mitarbeiter, die wir im Verdacht hatten, selbst die hohle Hand zu machen, wurden dafür angeworben. In den ersten Wochen herrschte das blanke Chaos und natürlich sorgten diese Aktionen für böses Blut untereinander. Erste Drohungen gegen meine Person blieben nicht aus. Ich wurde als Störfaktor wahrgenommen, der die bis anhin so sprudelnden Geldflüsse zum Erliegen bringt. Ich liess mich nicht beirren, kündigte jenen Mitarbeitern, bei denen sich der Verdacht konkretisierte und wusste nun mit Sicherheit: Bei meiner Antrittsrede ruhten nicht nur die besorgten Augen aufrechter Familienväter auf mir, sondern auch jene, die mich für unerfahren und biegsam hielten.

Kleine, aber auch grosse Betrugsfälle konnten aufgedeckt werden, darunter auch Vereinbarungen mit der Polizei, der Hafenbehörde, der Feuerwehr, den Zulieferern – die den Dieben jeweils tausend bis zehntausend Dollar pro Monat und über die Jahre hinweg Hunderttausende von Dollar in die eigenen Taschen spülten. Bei einem durchschnittlichen vietnamesischen Monatsgehalt von hundert Dollar handelte es sich um riesige Beträge.

Ich lernte viel: In die meisten Betrugsfällen waren zahlreiche Menschen involviert und oft fielen mir genau jene, denen ich vertraute, die gute Leistung erbrachten und sich vordergründig loyal und vertrauensvoll verhielten, in den Rücken. Das Schwierige an dieser Situation war, dass sie viel Fingerspitzengefühl erforderte. Es ging darum, manches zuzulassen und anderes konsequent zu bekämpfen.

Während ich beruflich furchtlos agierte, begleitete mich Torill auf Schritt und Tritt durch den Alltag. Sie arbeitete bei mir in der Firma, doch ihre für mich wichtigste Aufgabe bestand darin, ständig in meiner Nähe zu sein. Alles andere versetzte mich noch immer in Unruhe und das Risiko von Panikattacken war gross. Ich machte weiter und darf sagen, dass wir der Korruption, und zwar nicht nur im Kleinen, sondern auch im Grossen die Stirn boten. Probleme mit den beteiligten Behörden und der Polizei waren bald an der

Tagesordnung. Meine Aktionen zogen weite Kreise, gleichzeitig geschah, was ich beabsichtigte: Ich galt als hart in der Sache. Lässt man der Korruption freien Lauf, weil man Angst hat, bedeutet es nach aussen hin auch, dass andere die Kontrolle über die Firma übernehmen können. Ich wollte Respekt und ich wollte das Erbe meines Vaters in die Zukunft führen. Diesen beiden Zielen ordnete ich mein Verhalten unter.

In den ersten drei Monaten musste ich fast ein Drittel der ganzen Belegschaft entlassen. Es handelte sich um ein eigentliches Debakel, denn diese Aktion bedeutete auch den Verlust von unglaublich viel Fachwissen. Ob die Firma diese stürmische Zeit überleben würde, hing auch davon ab, ob es mir gelingen würde, die ehrlichen Mitarbeiter zu halten. Als ich die langjährige, rechte Hand meines Vaters, die stellvertretende und allseits beliebte Geschäftsführerin von *Dragon Line* fristlos entlassen musste, trieb der Konflikt dem Höhepunkt entgegen.

Nachdem ihr Plan, die Firma selbst für wenig Geld zu übernehmen, gescheitert war, begann sie hinter den Kulissen heftig gegen mich zu intrigieren, ein Umstand, der das Team zusätzlich verunsicherte. Nach einem Eklat kündigte ich ihr fristlos. Sie musste unter der Aufsicht der Sicherheitsleute ihr Büro räumen, was beinahe zu einer Meuterei in der Firma führte. Heulende Mitarbeiter. Aufruhr. Chaos. Ich verabschiedete die Personalleiterin auf offenen Platz im Freien, erhobenen Haupts und mit festem Händedruck und kehrte an meinen Arbeitsplatz zurück. Nun war es totenstill im sonst so belebten Gebäude. War ich zu weit gegangen? Ich war mir nicht sicher, ob am nächsten Morgen noch irgendjemand zur Arbeit erscheinen würde. Tatsächlich gab es am selben Abend, aber auch am nächsten Tag eine Reihe von Kündigungen im administrativen Bereich. Die restlichen Mitarbeiter im Bürokomplex schienen nun plötzlich wahnsinnig beschäftigt zu sein, sobald ich mich näherte. Einem Gesichtsverlust, der in der asiatischen Kultur mit dem

Ausdruck von blanker Wut oder Aggression einhergeht, setzte sich niemand aus. Doch ich wusste: Innert kürzester Zeit hatte ich es vom wohlgefälligen Chef zum meist gehassten Boss von ganz Saigon gebracht.

Alles oder nichts

Alle Kredite für die Übernahme der Firma hatte ich mit dem letzten Rappen meines Vermögens bezahlt und mit einer persönlichen Haftung abgesichert. Einen Misserfolg konnte ich mir schlicht nicht erlauben. Die erste Zeit war hart. Es gab keine Schonfrist, ich musste mich in einer wildfremden Kultur zurechtfinden, schnell lernen und sofort handeln. In den vergangenen Monaten hatten wir bereits viel Geld verloren, nun fragte ich mich, wie lange diese Zustände bereits andauerten? Wer wusste davon? Mein Vater? Hatte er manches dem Frieden zuliebe toleriert und war ihm anderes entgangen?

Ich wusste es nicht, liess mich aber nicht beirren und hatte einen grossen Vorteil: Ich flog nie in meine alte Heimat zurück, war immer an Ort und Stelle. Anders als Vater, der zwischen der Schweiz und Vietnam hin- und hergependelt ist, gab es keinen Tag, an dem ich nicht über das riesige Areal lief, Fragen stellte, Tabellen verglich, Mitarbeiter beobachtete, befragte und intensiv zu verstehen versuchte, was hinter den vielen Abläufen steckt und wie wir diese optimieren könnten. Die Belegschaft sah und erlebte, dass ich omnipräsent bin und mich durch Probleme nicht abhalten liess. Und: Auch für jene, die gegen mich arbeiteten, gab es keine Verschnaufpausen.

In der Zwischenzeit wusste mein Umfeld, dass meine Kompromissbereitschaft gering ist, wenn es um Verrat und Diebstahl geht. Ich spürte, dass ein hoher Kommunikationsbedarf in der Firma bestand und so machte ich es zur täglichen Routine, nach der Mittagspause jeweils eine Ansprache zu halten. Fortan versammelte ich die gesamte Büro-Belegschaft aus drei Stockwerken, rund hundertzwanzig Personen in der Eingangshalle. So konnte ich aktuell und sehr direkt über meine Arbeit informieren und sprach über Pläne, Probleme und Tagesziele. Ich spürte intuitiv, dass eine direkte und schnelle Kommunikation über Erfolg oder Niederlagen entscheiden wird. Was in einer vietnamesischen Firma nie geschieht, tat ich: ich legte Zahlen und Fakten offen auf den Tisch, zeigte auf, wie viel wir mit unserer Arbeit verdienen und welchen Verpflichtungen ich nachzukommen habe. Die Leute verloren die Angst und die Scheu vor mir, traten in Kontakt und begriffen mit der Zeit, dass ich ebenso wie sie selbst, Teil des Ganzen bin. Dem Teamgeist tat diese Strategie gut. Wir zogen mehr und mehr an einem Strick und intern verstärkte sich der Rückhalt ebenfalls.

Langsam, aber sicher drehte sich der Wind und mit der Zeit zeigten immer mehr Menschen Respekt und Vertrauen. Das war mein schönstes Geschenk. Der kleinste Zuspruch, die kleinste Anerkennung nahm ich als Zeichen und Aufforderung, um genauso weiterzumachen, wie bisher. Meine Entscheidungen führten auch dazu, dass sich die Abläufe, die Produktion, die Einhaltung der Vereinbarungen verbesserten und die externen Feedbacks positiv ausfielen. Ich rechnete damit, dass sich diese Veränderungen auf das Geschäftsergebnis auswirken werden und arbeitete noch härter.

Meine Präsenzzeit im Hauptsitz belief sich auf zwölf Stunden pro Tag. Nebst den vielfältigen Aufgaben im Geschäftsalltag besichtigte ich auch regelmässig unsere Fabriken in ländlichen Gefilden, schüttelte Hunderte von Händen, nahm mir Zeit für die Arbeiter, half beim Einpacken und Einladen vor Ort. In Vietnam ist es beinahe unvorstellbar, dass sich ein Chef mit den Untergebenen befasst, sie nach ihrem Befinden befragt und sich dafür interessiert, ob sie zufrieden sind.

Nach erster grosser Irritation meines jeweiligen vietnamesischen Gefolges – darunter auch Produkte-Verantwortliche und Angestellte aus dem Management der jeweiligen Fabriken – begriffen sie, dass ich auch in diesem Bereich einen Neustart will. Jene, die in den Fabriken jeden Tag und in teilweise tropischer Hitze an den Hochöfen arbeiteten, ehrliche und fleissige Leute, die man nie klagen hörte, waren meine Helden und ich wollte, dass sie dies auch spüren. Je weiter unten die Leute in der Hierarchie arbeiteten, desto respektvoller behandelte ich sie. Anfänglich verhielten sich diese Menschen schüchtern. Mit der Zeit akzeptierten sie mich als Vorgesetzten, der zwar hohe Ansprüche stellt, ihnen aber mit Wertschätzung begegnet und auch versucht, Verbesserungen für sie herbeizuführen.

Manche meiner Aktionen waren eigenwillig und wohl auch gewöhnungsbedürftig: So liess ich im Hauptsitz eine neue Kantine bauen und verdoppelte das Budget für die Küchenmannschaft. Es gab nun richtig gutes Essen bei uns, besser als in manchem Restaurant der Stadt. Weil viele der einfachen Arbeiter das bisherige Essensgeld in Zigaretten und das Glücksspiel investierten, bei der Arbeit aber öfters in Ohnmacht fielen, weil es für die Nahrung nicht mehr gereicht hatte, strich ich diese Barauszahlung. Bald ging es ihnen gesundheitlich besser. Es blieb ihnen nichts anderes übrig, als sich nun regelmässig in unserer Kantine zu verpflegen. Diese gestalteten wir so, dass sie auch zu einem geselligen Treffpunkt für die Belegschaft wurde. Leute, die zuvor noch nie ein Wort miteinander gewechselt hatten, sassen nun am selben Tisch und tauschten sich aus.

Eine andere Intervention betraf die Pflicht, auf dem Firmenareal Schuhe zu tragen. Drei Viertel aller Arbeiter erschienen entweder barfuss oder in Flip-Flops zur Arbeit. Nach vietnamesischem Verständnis eignen sich die biegsamen und leichten Flip-Flops hervorragend, um LKWs zu beladen oder Gerüste zu erklimmen. Schlimme Verletzungen waren das häufige Resultat. Nur um Arbeitszeit einzusparen, wollte ich meine Leute diesen Risiken nicht länger aussetzen. Also kaufte ich viele hundert Paar Schuhe und liess diese durch die jeweiligen Vorarbeiter verteilen. Rund die Hälfte der Treter wurden umgehend weiterverkauft und die Männer erschienen weiterhin barfuss zur Arbeit. Also kauften wir nochmals hundert Paar Schuhe. Aber erst Wochen später, ich musste sogar mit Kündigen drohen, konnte die Anordnung durchgesetzt werden.

Die schlimmen Arbeitsunfälle verringerten sich sofort und wieder ein paar Wochen später trugen die Arbeiter die Schuhe nicht mehr widerwillig, sondern stolz: Weil sie als Schuhträger in der vietnamesischen Gesellschaft mehr Ansehen genossen, wie ich erfuhr. Manche Veränderungen mussten zäh erarbeitet werden, andere Verbesserungen ergaben sich aus dem Alltag heraus: Die neuen Belüftungssysteme der Fabrikhallen gehörten dazu und andere Rahmenbedingungen, die die Arbeitsverhältnisse zusätzlich verbesserten, obwohl mein Vater in diesem Bereich bereits hohe Ansprüche verfolgt hatte.

Die Korruption blieb ein grosses Thema. Ich musste achtsam bleiben, damit sich die einstigen Zustände nicht erneut ausbreiten konnten. An einen Vorfall erinnere ich mich besonders gut: Bei dreitausend Schiffscontainern Blumentöpfen pro Jahr benötigten wir Tonnen von Verpackungsmaterial. Meist wurde die Ware direkt bei uns ausgezeichnet. Das heisst, wir brachten die durch die Kunden verlangten Preisetiketten an und verpackten die Produkte nach ihren Wünschen. So konnten die Töpfe in den USA, der Schweiz, Frankreich und Deutschland direkt auf den Paletten in die Verkaufsgeschäfte gerollt werden.

Täglich lieferten die LKWs die gleiche Menge Kartonmaterial für die Verpackungen an, doch aus nicht nachvollziehbaren Gründen fielen unsere Rechnungen plötzlich immer höher aus. Wir führten unzählige Kontrollen durch, liessen sogar die Waage neu eichen, konnten aber keine Fehlerquelle eruieren. Der massive Anstieg der Ausgaben blieb rätselhaft und auch meine unangemeldeten persönlichen Kontrollen, die ich mit meinem Team durchführte, brachten kein Licht ins Dunkel. Alles wurde scheinbar richtig gemacht. Mein Misstrauen blieb bestehen und nach Wochen, in denen ich weiter forschte, wusste ich endlich, wie der Betrug vonstattenging. Ein Einkaufsteam hatte in Absprache mit dem Lieferanten eine raffinierte Lösung ausgeheckt: Das Verpackungsmaterial wurde über Nacht mit einem Sprühnebel behandelt.

Die Dosierung der Bewässerung wurde so eingestellt, dass die Feuchtigkeit weder von Hands, noch von Auge zu erkennen war. Die aufgequollene Ware ergab vorübergehend viele Tonnen zusätzliches Gewicht, die mir in Rechnung gestellt wurden und Stunden später hatte das Material in trockenem Zustand wieder das Normalgewicht erreicht. Den finanziellen Überschuss aus diesem Gaunerstück, teilten sich die diebischen Elstern – meine Leute und die Lieferanten – untereinander auf. Ich war empört und entliess die betrügerischen Mitarbeiter auf der Stelle. Es ist nur ein Beispiel und zeigt wie viel Ideenreichtum und kriminelle Energie mit solchen Aktionen verbunden waren.

Nebst dem anspruchsvollen Tagesgeschäft, widmete ich mich dem Aufdecken solcher Machenschaften und bewegte mich zunehmend auf gefährlichem Terrain. Die versteckten und offenen Drohungen gegen mich nahmen zu. Dass es unehrliche Mitarbeiter gibt, die sich – nachdem ich sie überführt hatte – für den Verlust ihres Jobs an mir rächen wollten, wurde mir ins Gesicht gesagt. Ich besprach die Lage mit meinem Freund, dem Schweizer Konsul in Vietnam. Er warnte mich eindringlich davor, zu vielen Menschen gleichzeitig auf die Füsse zu treten. Wenn sich die Verschmähten zu einem Rachefeldzug zusammenrauften, könne es in diesem Land durchaus tödliche Folgen haben.

Natürlich war meine Firma auch ein Exempel dafür, dass die Zusammenarbeit zwischen Vietnam und der Schweiz gut funktionieren kann. Im entsprechenden Jahrbuch, das über ein Vorwort der damaligen Bundespräsidentin Micheline Calmy-Rey verfügt, wurden die Aktivitäten von Dragon Line nebst Holcim und Nestlé auf einer ganzen Doppelseite ausführlich beschrieben. Auch von offizieller Seite wollte man in meiner Firma keinen zweiten mysteriösen Todesfall riskieren und entsprechend dringlich wurden die angeregten Sicherheitsvorschriften formuliert. Von nun an fuhr ich über verschiedene Wege und zu unterschiedlichen Zeiten zur Arbeit oder nach Hause.

Die Bedrohungslage führte zu Unsicherheiten im Alltag. Wenn wir in einen Stau fuhren, der wie konstruiert wirkte und sich wie aus dem Nichts heraus plötzlich junge Männer auf Motorrädern näherten, laut schreiend und offensichtlich angetrunken, konnte ich beim besten Willen nicht wissen, ob es sich um einen Zufall handelte oder der Tag der Abrechnung bereits da war. Froh war ich jeweils, wenn ich die Zufahrt zu unserem Haus passierte, denn dieses Anwesen liess ich in der Zwischenzeit rund um die Uhr bewachen.

Mitten in einem Prozess der langsam Früchte zu tragen begann, deckten wir auf, dass unsere Exportmanagerin, die seit über fünf Jahren in vertraulicher Stellung arbeitete, mit den Hafenbehörden eine unredliche Vereinbarung ausgehandelt hatte, bei der überhöhte Abfertigungs- und Exportgebühren erhoben wurden.

Anfänglich war der Betrug schwer zu beweisen. Alle Papiere waren mit offiziellen Stempeln und Siegeln der Hafenpolizei versehen und als lückenlose Dokumentation einsehbar. Der Deal lief wohl seit Jahren. Die grosse Enttäuschung bei diesem Schurkenstück: Bei der Drahtzieherin handelte es sich um die ehemals engste Vertraute meines Vaters, um eine ausserordentlich geschätzte Mitarbeiterin. Ein Telefonmitschnitt zerstreute meine Ungläubigkeit. Ihre Stimme war klar erkennbar, das Vorgehen wurde ausführlich diskutiert und die Aufteilung der Gewinne im Detail besprochen. Anhand einer Transaktion analysierten wir die Systematik der Diebstähle und konnten bald kalkulieren, dass die Firma im Verlauf von Jahren um einen sechsstelligen Betrag betrogen worden war, den sich die Involvierten teilten: Mitarbeiter aus der Firma, aber auch hochrangige Mitglieder der Polizei und der – für uns sehr wichtigen – Hafenbehörde.

Die genannte Mitarbeiterin spielte eine Schlüsselrolle. Wie sehr kann man sich in Menschen täuschen? Zurückhaltend und hart arbeitend hatte uns diese unscheinbare Frau im Verlauf von Jahren um ein Vermögen betrogen. Mein Vater hatte ihr vertraut. Er hat sie gefördert. Ich wurde immer wütender. Nicht nur wegen des Betrugs, sondern weil sie eine Verräterin war. Der Mittschnitt der Telefongespräche liess keine Zweifel offen und war für mich ein wichtiges Beweismittel, als ich sie zu mir ins Büro bestellte. Ich war gut vorbereitet, alles war perfekt übersetzt worden. Die Leute vom Sicherheitsdienst, Kenny meine rechte Hand und der Finanzchef waren ebenfalls anwesend. Wir konfrontierten sie direkt mit unserem Wissen.

Maria* blieb gelassen. Ich wusste: Vietnamesen aus der Reserve zu locken, ist ein sehr schwieriges Unterfangen. Wir legten alle Beweise auf den Tisch. Sie hingegen tischte uns eine Geschichte auf, wonach sie gemobbt werde. Sie sei nicht erstaunt, dass jemand versuche, eine Intrige gegen sie anzuzetteln. Sie stehe zu hundert Prozent hinter der Firma, habe nie etwas Unrechtes getan. Sie widerlegte alle unsere Argumente und wirkte derart ruhig und glaubhaft, dass ich zu zweifeln begann. Wie kann sich jemand so gelassen und dezidiert verteidigen, wenn die Vorwürfe – für die man auch in Vietnam einige Jahre hinter Gitter geht – zutreffen? Nach einer Stunde liess ich sie gehen. Wir blickten einander ratlos an. Waren wir tatsächlich jemandem auf den Leim gekrochen, der es geschafft hatte, eine unserer engsten Vertrauenspersonen zu diskreditieren? Oder war Maria die kaltblütigste Betrügerin, die es auf dem Planeten Erde gab?

Bald stand jener Mitarbeiter im Büro, der uns die Mitschnitte des Telefonats geliefert hatte. Wir befragten ihn intensiv. Er zückte sein Handy und spielte uns eine zweite, eindeutige Aufnahme ab. Ich liess ihn gehen und rief die Ex-Vertraute meines Vaters abermals ins Büro, legte das Handy auf den Tisch und liess das Gespräch in voller Länge, während vier Minuten, laufen. Am Ende blickte ich ihr in die Augen. Sie brach in Tränen aus. Aber nicht, weil sie jetzt zugeben musste, dass sie gelogen hatte. Schluchzend behauptete sie, andere hätten ihre Stimme technisch verfälscht. Ich sagte ihr auf den Kopf zu, dass ich sie für eine Lügnerin halte. Nun kam sie in Bedrängnis. Das Gehörte habe sie nie gesagt habe, sollte es anders sein, müsse ihre Tochter tot umfallen.

82

Keine Mutter der Welt würde solche Sätze sprechen, wenn sie lügen würde. Was lief hier schief? Ich hatte langsam genug für heute, doch die Geschichte trieb bald ihrem Höhepunkt entgegen, denn eine Stunde später stand ein *Security Mann* bei mir im Büro: Soeben sei es ihm gelungen, Maria – die mit einigen Bundesordnern unter dem Arm mit ihrem Motorrad das Gelände verlassen wollte – zurückzuhalten. Sie hatte alle Beweise in eine grosse Plastiktüte gepackt, zudem verräterische Inhalte auf ihrem Computer gelöscht und wollte die Flucht antreten.

Sie kehrte nie mehr in die Firma zurück. Noch am gleichen Tag erhielt ich eine telefonische Warnung: ein Schlägertrupp werde mich auf Geheiss offizieller Stellen entführen, weil ich die Beamten der Hafenbehörden verunglimpft habe. Ich war geschockt und wusste spätestens jetzt: Dieser Betrug zog genau so weite Kreise wie ich angenommen hatte. Wir waren einer gefährlichen und bestens vernetzten Bande auf die Schliche gekommen, die sich auch aus Mitgliedern offizieller Behörden zusammensetzte. Es war unglaublich. Zeit, um nachzudenken oder Trübsal zu blasen, hatte ich nicht. Ich wusste instinktiv, dass mein Leben in Gefahr ist und hiess Kenny sofort den Polizeichef des Distrikts zu kontaktieren. Als Gegenleistung für einen massiven Polizeischutz wurde diesem eine üppige Bezahlung versprochen und eine halbe Stunde später patrouillierten fünfzehn schwer bewaffnete Polizisten auf unserem Gelände. Am Ende des Tages brachte mich eine Sicherheits-Eskorte nach Hause.

Personenschutz und Speed-Yacht

Am Abend sass ich geschafft auf der Veranda. Ein weiterer Tag in Vietnam war über die Bühne gegangen. Ich liess ihn Revue passieren und kam zum Schluss: Nicht die Bedrohung meines Lebens schockierte mich am meisten, sondern die Tatsache, dass eine Mutter auf den Tod der Tochter ihre Unschuld geschworen hatte. Das war für mich eine neue Dimension und war sogar für vietnamesische Verhältnisse unglaublich. Ich befand mich in düsterer Stimmung, fühlte mich nicht hundert Prozent sicher, obwohl ich in einer bewachten Anlage lebte und telefonierte Tage später mit meiner Mutter in der Schweiz als mitten in der Nacht ein Land Cruiser die Einfahrt hochschoss. Viel zu aggressiv und viel zu schnell. Erwartete ich Besuch? Nein!

Der Wagen fuhr knapp an meiner Terrasse vorbei und stoppte derart abrupt, dass die Räder eine Furche in den Boden zogen und Kieselstein über den Vorplatz spritzten. Die Scheinwerfer blendeten mich. Ich bat meine Mutter am Apparat zu bleiben und was immer passieren möge, sich zu merken, was gesprochen werde. Drei Männer sprangen aus dem Wagen und stampften in grellem Licht auf mich zu. Mit gefror das Blut in den Adern, doch dann erkannte ich die schemenhafte Gestalt von Beat, dem Schweizer Generalkonsul in Vietnam. Er hatte eine neue Warnung erhalten und über eine Stunde lang versucht, mich telefonisch zu erreichen. Nun reagierte er erleichtert, mich unversehrt anzutreffen. Wir tranken ein Bier. Mittlerweile waren wir gute Freunde geworden. Er bestand darauf, dass ich sein «Geschenk» annehme: Er liess seine beiden *Bodyguards* bei mir, die mir ab dieser Nacht über ein Jahr lang Personenschutz boten.

Etwas unerwartet hatte ich nun zwei ständige Begleiter. Die beiden agierten hochprofessionell und: Beide waren kampferprobt. Wer Personenschutz akzeptiert, muss auch die damit verbundenen Regeln akzeptieren, hatte mich Beat an jenem Abend wissen lassen.

84

Es hiess so viel wie: Die beiden Männer richteten sich bei mir und Torill gemütlich ein und fortan lebten wir zu viert unter einem Dach. Ihre Anwesenheit beruhigte mich. Gleichzeitig war es gewöhnungsbedürftig, dass sie uns auf Schritt und Tritt folgten, allerdings in verschobener Reihenfolge, damit sie nicht auf den ersten Blick als meine Beschützer erkennbar waren. Leichter gesagt als getan. Alltägliche Aktionen, etwa das Einkaufen im Supermarkt oder andere Banalitäten, erwiesen sich anfänglich als trickreich. Wenn man professionell geschützt wird, muss man lernen, wie man sich zu verhalten hat. Mit der Zeit etablierten sich immer mehr ungeschriebene Abläufe, die beinahe orchestriert wirkten. Bald bemerkten umstehende Menschen nicht mehr, ob wir zu zweit oder zu viert unterwegs waren.

Natürlich waren die Beschützer überall mit dabei: Bei jedem Essen in einem 5-Sterne Hotel, bei jeder Party in einem Nachtclub. Wenn ich tanzte, tanzten sie auch, wenn ich an der Bar stand, waren sie in der Nähe und wenn wir essen gingen, assen sie am Tisch neben uns, der zum Eingang ausgerichtet war. Im Hotel Hyatt in Saigon waren wir bei der Belegschaft mittlerweile so bekannt, dass die Rechnung meiner Bodyguards automatisch an mich weitergereicht wurde.

Die beiden waren stets professionell und adrett gekleidet, nicht zu schick, sportlich-elegant und sie wussten sich manierlich zu benehmen. Mit der Zeit entstand so etwas wie eine Freundschaft zwischen uns. Ich war den beiden dankbar, vertraute ihnen, auch weil keine Zweifel bestanden, dass die kräftig gebauten Vietnamesen – beide verfügten über eine erstklassige Ausbildung in der Armee – uns unter allen Umständen schützen würden. Einem der beiden bot ich nach Beendigung des Personenschutz-Programms in meiner Firma eine Stelle an und finanzierte ihm die Ausbildung zum Teamleiter. Auch in dieser Funktion agierte er vom ersten bis zum letzten Tag loyal und sehr anständig.

Als ich Beat das nächste Mal traf, schlurfte er im Morgengrauen über die Boot-Anlegestelle, eine Tiefkühlbox hinter sich herziehend, die – wie ich wusste – mit Bier und Weisswein gefüllt war. Ein Speed-Boot der Armee sollte uns über den Mekong an unser Ziel bringen. Mit solchen Yachten, von denen es in Vietnam nur wenige gibt und die allesamt im Besitz der Regierung sind, liessen sich normalerweise nur hochrangige Funktionäre von A nach B chauffieren. Doch nun befanden sich Produktionsmanager, Designer und die üblichen Mitarbeiter der Dragon Line an Bord der fünfzehn Meter langen Yacht, die über 45 Plätze verfügte.

Die Besichtigung verschiedener Produktionsstätten stand auf dem Programm. Die geeignete Lehmqualität für unsere Waren ist am Mündungsdelta des Mekong zu finden und aus diesem Grund befanden sich die meisten meiner Fabriken im Süden des Lands. Mit wenig Zusatz von Kalk und anderen Mineralien lässt sich eine Lehm-Qualität erreichen, die der berühmten Terrakotta-Qualität aus Italien ebenbürtig ist. In diesem Umstand lag unser Marktvorteil, denn die ganze Welt wollte diese Qualität und wir lieferten sie zu vernünftigen Preisen. *Dragon Line* war die erste Firma in Vietnam, die mit unglasierten keramischen Produkten ein Exportgeschäft startete, den gesamten europäischen Markt und dabei vor allem Tausende von Gartenzentren in Deutschland, Frankreich, aber auch die USA belieferten. Die Blumentöpfe bildeten den Grundstein des Erfolgs und später kamen Hunderte von anderen Ton-Produkten dazu, die in Handarbeit angefertigt wurden.

Wir legten ab, fuhren langsam los. Innerhalb der Stadtgrenze erwacht das Leben auf dem Mekong bereits im Morgengrauen. Bei aufgehender Sonne bahnten wir uns den Weg durch Hunderte von Booten, Fähren, Flossen, schaukelten an Siedlungen, Hochöfen und Fabriken vorbei. Die Menschen winkten uns zu, wir winkten zurück. Bald genossen wir an Deck die wärmenden Sonnenstrahlen, die nun ihre volle Kraft entfalteten. Wir liessen die Stadt hinter uns, der Mekong verbreitete sich augenblicklich und überraschte mich wie jedes Mal: Noch eben glaubt man auf einem breiten See zu sein, um

86

sich unvermittelt in einem von Dutzenden von Armen oder Kanälen wiederzufinden mit den Handels-Treibenden, den Behausungen auf Stelzen und den schwimmenden Märkten. Wegweiser existierten nicht, sogar die erfahrene Crew diskutierte, welche verschlungenen Flussverzweigungen zu nehmen seien. Nach wenigen Metern lag das üppig bewachsene Ufer vor uns, kein Anzeichen von Zivilisation war jetzt sichtbar, die komplette Ruhe umgab uns.

Bald waren wir mit beachtlicher Geschwindigkeit unterwegs. Ich dachte an eine frühere Fahrt zurück, als die prachtvolle Jacht in einem der verschlungenen Kanäle bei einem Manöver beachtlichen Schaden nahm, doch diese Gedanken verscheuchte ich, trank ein kühles Bier, genoss den Trip, der uns jenes wilde und schöne Vietnam zeigte, das man als Städter normalerweise nicht zu Gesicht bekommt. Ich erinnere mich an Momente voller Magie und Schönheit, die dazu beitrugen, dass ich die Liebe meines Vaters zu diesem Land, zu Saigon und zu den hier lebenden Menschen nun besser nachvollziehen konnte.

Stunden später stand die Sonne bei der Anlandung bereits im Zenit. Die Hitze unter den Blechdächern der Arbeiter war infernalisch. Einen Hochofen zu bauen, ist eine kunsthandwerkliche Meisterleistung. Nachdem viele im Krieg bombardiert und zerstört worden waren, nahm mein Vater, wie bereits erwähnt, viele dieser Öfen wieder in Betrieb und sorgte auch dafür, dass uraltes Wissen erhalten blieb.

Westliche Kunden, die bei den Grossverteilern einen Blumentopf erstehen, wissen verständlicherweise wenig über die komplexen Herstellungsverfahren: Sobald die Gefässe ausgehärtet sind, werden die Öfen durch die Meister ihres Fachs befüllt. Kunstvoll wird die Ware von unten nach oben und je nach Brenndauer und Hitzebedarf gestapelt, bis am Schluss ein rund zehn Meter hoher Turm an unterschiedlichsten Produkten entstanden ist. Gedroschene Reishülsen – ein Abfallprodukt aus der Reisernte, welches in der Zwischenzeit auch durch Klimaschutzprojekte als erneuerbare Energie entdeckt worden ist – dienen zur Befeuerung des zugemauerten Ofens. Dieses Naturprodukt ergibt grosse Mengen an Asche, die von den Reisbauern in den natürlichen Kreislauf zurückgeführt wird, wenn sie damit später ihre Felder düngen.

Die Brennung wird durch die Feuermeister über eine Woche lang begleitet. Dabei muss die Temperatur konstant 950° Celsius betragen. Erfahrene Fachkräfte erkennen die richtige Temperatur, indem sie durch die Feuerungsschlitze in das Innere blicken. In dieser Phase schlafen sie nur stundenweise und bewachen ihre Öfen sieben Tage lang: Schwankt die Temperatur, wird die gesamte Charge unbrauchbar. Vor allem ist es eine Frage der Berufsehre dieser Spezialisten, nach dem Brand die perfekte Farbe auf ihre Gefässe zu brennen. Die in all diese Prozesse involvierten Arbeiter geniessen zu Recht jene Wertschätzung, die ihnen mein Vater früh zukommen liess. Er beschäftigte Hunderte von Familien, die dank seines Investments, Arbeit und ein Auskommen erhielten. Auch dieser Hinterlassenschaft meines Vaters fühlte ich mich verpflichtet: Wir zahlten faire Löhne und galten als vorbildliche Arbeitgeber.

Stunden später, wir hatten in der Zwischenzeit verschiedene Werke besichtigt, traten wir die Rückfahrt an, leerten die Kühlbox des Generalkonsuls und gingen in Saigon bestens gelaunt vor Anker. Der Ausflug hatte mich zusätzlich beflügelt und optimistisch gestimmt: Die Umstrukturierungen waren erfolgreich verlaufen, mein Kampf gegen die Korruption trug Früchte und ich hatte einen zuverlässigen Stab an Mitarbeitern aufgebaut. Trotz harter Konkurrenz steigerte *Dragon Line* die Umsätze unter meiner Führung stetig. Finanziell lief alles bestens und auch in der Schweiz konnte ich pünktlich meinen finanziellen Verpflichtungen gegenüber der Bank nachkommen und die Kredite abbezahlen.

Andere belohnen sich nach drei Jahren harter Arbeit und einer positiven Geschäftsbilanz vielleicht mit einem teuren Auto. Ich folgte einem spontanen Bedürfnis, einer Idee: Ich wollte mir im hektischen und anstrengenden Saigon eine kleine private Oase schaffen, in der ich Kraft tanken konnte, um erfolgreich weitermachen zu können. Bald ahnte ich: Auch andere hier lebende Ausländer würden ein solches Angebot in Anspruch nehmen und ich könnte mit einem solchen Angebot zusätzlich gutes Geld verdienen.

Mir schwebte ein Mix aus Spa, Sauna und Coffee-Shop oder Restaurant vor. Ein Lifestyle-Klub in Saigon: Etwas Vergleichbares existierte nicht. Gesagt, durchdacht, getan: Ich fand keine kleine Location, sondern ein traumhaftes Anwesen im zweiten Distrikt der Stadt. Auf dem rund 2'000 m² grossen Grundstück stand eine prachtvolle Doppelvilla. Das neue Projekt verlieh mir einen Energiekick. Nach vielen Monaten, in denen ich mich mehrheitlich mit Blumentöpfen befasst hatte, sollte mein Geist nun mit einer anderen Materie gefüttert werden.

Meine Begeisterungsfähigkeit etwas Neues anzugehen, die Freude etwas entstehen zu lassen, die Möglichkeit meine Fantasie und meinen Geschäftssinn ausleben zu können, war jeweils mit dem Willen verbunden, innert kürzester Zeit viel zu lernen. Wie bereits erwähnt, liebe ich die sogenannte rollende Planung. Auch in diesem Fall war sie Teil eines kalkulierten Risikos, das ich im Vorfeld verantwortungsbewusst auslotete. Vor allem der finanzielle Aspekt war wichtig. Konnte ich ein Projekt stemmen, das mit ziemlicher Sicherheit etwas grösser wird, als ich es eigentlich geplant hatte. Die Antwort lautete: «Ja!»

Es handelte sich um mein erstes Investment in den Bereichen Lifestyle und Gastronomie. Ich kniete mich in die Arbeit: rund um die Uhr. Der Umbau dauerte ein halbes Jahr. Im Haus wurde eine professionelle Gastro-Küche eingebaut, Mitarbeiterräume und Parkplätze entstanden. Allein um die Wege im paradiesischen Garten neu zu gestalten, kaufte ich zehn Tonnen Kies. Nachdem beide Häuser einer kompletten Renovierung unterzogen worden waren, liess ich sie auf Höhe der Dächer mit einer Brücke miteinander verbinden und gleichzeitig wurden so die Voraussetzungen für eine prachtvolle Terrassen-Bar geschaffen, die einen fantastischen Blick auf den Mekong freigab.

Wie immer, wenn meine Begeisterung riesig ist, wurde es auch schnell teuer: Zur Sauna gesellte sich eine Dampfbad-Landschaft mit Jacuzzi und Kaltwasser-Pools, in denen wir das Wasser auf 15 Grad kühlen konnten, eine Massage-Landschaft mit zwölf Räumen sowie eine Beauty-Zone samt Coiffeur. Ein üppig bepflanzter Garten mit einem zusätzlichen Pool, einem Coffee- Shop und einem Steak-Restaurant rundeten meinen Traum ab. Nach sechs Monaten feierten wir eine rauschende Eröffnungs-Party. Als ich die Mitarbeiter zählte, kippte ich beinahe aus den Schuhen: Vom Koch über die Rezeptionistin, Hair-Stylisten und vielen Spa-Damen bis zu den Security- und Service-Leuten standen ziemlich viele Männer und Frauen auf meiner Lohnliste und als ich nach der Ansprache nachfragte, wie viele den nun genau für uns in dieser «kleinen» Oase, die ich zuerst mehr für mich schaffen wollte, arbeiteten würden, lautete die Antwort: 120!

Aus dem angedachten kleinen *Chill-Out*-Platz war die spektakulärste Lokalität in Saigon geworden. Die Gäste erschienen zahlreich. Wir wurden über Nacht berühmt. Es lief derart gut, dass ich bald einen alteingesessenen und angesehenen Wirt, einen Amerikaner, der mit seinen eigenen Restaurants in Saigon sehr erfolgreich war, zum Manager ernannte. Er war mit dem berühmten britischen Fernsehkoch, Gordon Ramsay in Vietnam unterwegs, lebte bereits fünfzehn Jahre in der Stadt, war sehr gut vernetzt und verfügte über viel lokales Wissen. Die guten Voraussetzungen des Amerikaners trugen fast sofort Früchte; wir feierten einen Umsatzerfolg nach dem anderen.

Allerdings: Monate später stellte ich Ungereimtheiten bei den Rechnungen fest. Ich vermutete, dass bestellte Waren zwar von uns bezahlt, jedoch in seine eigenen Restaurants angeliefert wurden. Immer öfters war er gegen Mitternacht zudem sein eigener bester Kunde und bei Ladenschluss ziemlich heftig betrunken. In diesem

Bereich gibt es für mich eine rote Linie: Die Nähe zu den Gästen suchen, zur späten Stunde ein Glas mit ihnen trinken, ist absolut in Ordnung und sogar erwünscht. Als Gastgeber hat man allerdings auch eine Vorbildfunktion und ist für den laufenden Betrieb verantwortlich, kurz: Ein sturzbetrunkener Wirt schadet dem Image des Hauses.

Als abermals eine Bestellung bezahlt worden war, die Waren aber nicht ausfindig gemacht werden konnten, stellte ich ihn zur Rede. Es kam zu unschönen Diskussionen. Ich entliess ihn fristlos und erteilte ihm ein Hausverbot. Kein schlauer Schachzug. Heute würde ich mein Verhalten als Überreaktion eines jungen Unternehmers bezeichnen. Seine Reaktion auf meine harte Gangart war heftig. Tief gekränkt in seinem Stolz und um seinen Ruf ringend, nutzte er in den folgenden Monaten seine Macht und all seine Energie, um uns zu schaden. Seine Entlassung kam mich sehr teuer zu stehen.

Plötzlich kursierten wilde Gerüchte über meinen Betrieb: Lebensmittelvergiftungen, Dreck, Betrug und Falschdeklarationen. Heute würde ich sofort einen Anwalt einschalten, der gegen die verleumderischen Behauptungen und Lügen vorgeht, doch damals überrollten mich die Ereignisse – ich war wie gelähmt. Die Umsätze halbierten sich innerhalb von Monaten und befanden sich danach in freiem Fall. Die Verpflichtung eines versierten Gastor-Ehepaars aus Deutschland brachte nichts mehr. Dank seines riesigen Netzwerks und zehn Jahren Gastro-Erfahrung in Vietnam, hatte er es geschafft, uns enorm zu schaden.

Irgendwann musste ich mich entscheiden, welchen Verpflichtungen ich Priorität einräume, gab es in der Zwischenzeit doch noch andere Projekte, in die ich investiert hatte: Bereits zu Lebzeiten stellte mein Vater eine Möbelfabrik auf die Beine, die unter meiner Führung modernisiert wurde. Spezialisiert auf die sogenannte *Lacquerware,* waren mit diesem veredelnden Kunsthandwerk arbeitsintensive Vorgänge verbunden. Lange Zeit konzentrierte sich das traditionelle Verfahren auf die Herstellung von kleinen Schalen und Schatullen – wir hingegen fertigten Kommoden, Tische und grosse Wohnobjekte an. Lackschichten werden bei dieser uralten Technik Schicht für Schicht aufgetragen und abgeschliffen, ein arbeitsintensiver Vorgang, der so oft wiederholt wird, bis eine spiegelglatte Oberfläche entstanden ist. Kleinste Fehler sind sofort sichtbar und eine absolut staubfreie Umgebung ist ein Muss, will man auf höchstem Niveau produzieren.

Grosse Flächen erweisen sich als besonders anspruchsvoll. Wir importierten Spritzkabinen aus Italien und heuerten einen Spezialisten aus der Lackierung der Automobil-Industrie an. Zusammen mit diesem Fachmann setzten wir die Produktion neu auf. In der Zwischenzeit produzierten wir für Luxuslabels wie *Armani Casa,* oder *Pierre Cardin,* jedoch auch für exklusive Häuser wie *Habitat* in London. Viele Möbel zeichnete ich selbst. Zusammen mit einer Designerin aus Zürich, entwarf ich ganze Möbellinien und ein aufwendiges Lampenprogramm. Damit wir den Retail-Markt austesten konnten, eröffnete ich später einen eigenen Laden an bester Lage in Saigon direkt gegenüber bei der Oper und dem Hyatt und ein weiteres Ladengeschäft im zweiten Distrikt. In meiner Möbelfabrik arbeiteten mittlerweile vierhundert Frauen und Männer, deren Arbeitsstellen ich auf keinen Fall aufs Spiel setzen wollte.

In Gedenken an meinen Vater und aus Dankbarkeit einem Land gegenüber, das mir in der Zwischenzeit ans Herz gewachsen war, hatte ich zudem eine kleine Charity-Stiftung gegründet, die jedes Jahr einen fünfstelligen US-Dollar-Betrag in gemeinnützige Projekte investierte. Unter anderem bauten wir Brücken, die den Schulweg erleichterten und ungefährlich machten, finanzierten Lebensmittel und andere Hilfsgüter für betagte und behinderte Menschen. Das Leid in Vietnam, die Armut, war in jenen Jahren allumfassend. Meine Devise, dort zu helfen, wo sonst niemand hilft, auch weil manche westliche NGOs und grosse internationale Hilfsketten mit solchen Aktionen weniger Publicity machen können, bewährte sich. Ich erlebte verstörende Situationen und furchtbares Leid. Alte Menschen ohne Familienanschluss waren und sind in Vietnam besonders stark von der Armut betroffen. Der Staat stellte ihnen damals winzige Betonzellen zur Verfügung, in denen sie leben konnten. Es war eher ein Dahinvegetieren. Wer Kleidung besass, war bereits gut versorgt. Wer noch laufen konnte, hatte das Privileg vor den Türen der fensterlosen Räume zu sitzen, die anderen blieben ohne Pflege auf einer Matratze oder auf dem blanken Fussboden liegen. Aus der Nachbarschaft erhielten sie ab und an einen Sack Reis. Alle litten Hunger und Not.

Ich war entsetzt, als ich diese Zustände zum ersten Mal sah. Ab diesem Zeitpunkt verfolgte ich meine teilweisen flamboyanten Geschäftsideen weiterhin, doch ebenso konsequent half ich den Ärmsten. «Dragon Smile» erreichte einiges und wenn ich deprimiert oder traurig war, manche Geschäfte aus dem Ruder liefen, relativierten sich diese Misserfolge schnell, wenn ich an jene dachte, die nichts hatten und mich doch anlächelten, wenn ich sie besuchte.

Was ich eigentlich sagen will: Die Spa-Oase war nicht nur sehr viel grösser geworden als geplant, ein Umstand, den ich verkraften konnte, sie wurde auch zu einem Fass ohne Boden. Ich musste mich entscheiden, ob andere Verpflichtungen darunter leiden sollen, rang mit mir, dachte an meinen Vater. Ich zog die Reissleine: Wir restrukturierten den Betrieb, etablierten ihn in einer weniger ambitiösen Grössenordnung, die sich im Resultat allerdings immer noch schön und spektakulär präsentierte. So konnten wir die Verluste langsam auffangen, gleichzeitig kümmerte ich mich intensiv um mein Kerngeschäft, die Dragon Line und sah zu, dass es auch meinen Leuten gut ging.

Ich investierte weiterhin in die Sicherheit, die Ernährung, die sanitären Anlagen und manchmal auch einfach in kreative Ideen, die Probleme lösten, den Menschen halfen. Um solche Aktionen umzusetzen, musste man nicht immer viel Geld ausgeben, jedoch die kulturellen Unterschiede und lokalen Gepflogenheiten vor Ort kennen. In diesem Zusammenhang ärgerte ich mich oft über die

Ignoranz und Arroganz jener Grosskunden, die ihre soziale Verantwortung darüber definierten, die Produktionsbedingungen in den Ländern und Fabriken zu kontrollieren. Die Besuche dienten in meiner Wahrnehmung dem Schutz westlicher Firmen, die ihre Hände so leicht und ohne Engagement in Unschuld waschen konnten.

In einer unserer Fabriken beschäftigten wir zum Beispiel viele Mütter, deren Einkommen für die Familien überlebenswichtig waren. Da diese Frauen nur bei uns arbeiten konnten, wenn der Nachwuchs versorgt war, erlaubten wir ihnen, die Kinder mitzubringen. Wir richteten auf dem Gelände eine Spielecke ein. Die Kleinen durften mit demselben Lehm, den ihre Mütter verarbeiteten, Figuren und kleine Gefässe herstellen, die wir in den Öfen brannten und ihnen später aushändigten. Die Kleinen hielten sich in der Nähe ihrer Mütter auf, konnten Kontakt zu ihnen aufnehmen, assen gemeinsam mit ihnen zu Mittag. Es handelte sich, wenn man so will, um die einfache, vietnamesische Form eines Kinderhorts. Alles wäre in bester Ordnung gewesen, wenn die amerikanischen Auditoren eines Grosskunden in den USA, die für zwei Tage ins Land reisten, die Kinderecke nicht fotografiert und im Firmenreport mit der Unterzeile versehen hätten, wir würden Kinderarbeit fördern!

Die Firma drohte, einen Millionenauftrag zu stornieren, würden die Jungen und Mädchen nicht aus der Fabrik verschwinden. Dieses Beispiel veranschaulichte auf eindrückliche Art und Weise wie manche Grosskonzerne in Drittweltländern an der Realität vorbei agieren. Ich verstand die Welt nicht mehr, musste mich den Anweisungen aber beugen. Fortan mussten die Mütter auf die Arbeit verzichten und andere liessen ihre Kinder wohl allein und unbeaufsichtigt zu Hause.

Saigon, mon amour

Wer jeden Tag hart und direkt mit den Herausforderungen und Bedrohungen von Saigon konfrontiert war, benötigte ein Zuhause das Sicherheit und Geborgenheit vermittelt. Ich lebte in einer Wohnanlage mit über hundert grossen Villen zu denen ausladende Gärten und Pools gehörten. Da mein Vater bereits jahrelang hier gelebt hatte, konnte ich nach einigen Verhandlungen zuerst in eine Wohnung einziehen und wenig später erhielt ich sogar den Zuschlag für ein schönes Haus. Umgeben von hohen Mauern, mutete das Anwesen mit den vielen Häusern wie ein kleines Dorf an, in dem alles zu finden war, was damals einem sogenannt gehobenen Lebensstil entsprach. Vom Fitness Center über einen kleinen Supermarkt mit internationalen Produkten bis hin zum Basketballspielfeld war der Komplex einst den Managern und hochdotierten Arbeitern einer Öl-Firma vorbehalten gewesen. Mit meiner Spa-Oase konnte es mein Zuhause nicht aufnehmen. Trotzdem empfand ich jeweils ein Gefühl der Erleichterung, wenn ich durch die bewachten Eingänge fuhr, den Gestank, den Lärm, die Hektik und das Elend von Saigon für einige Stunden hinter mir lassen konnte. Sehr gepflegt und tiptop unterhalten, säumten blumenumrankte Häuser die Strassen. Da die Anlage alt war, verfügte sie über einen wunderbaren Baumbestand sowie ausgedehnte Grünflächen. Eine märchenhafte Welt, die bei Spaziergängen oder auch beim blossen Blick durch das Fenster des Wohnzimmers eine beruhigende Wirkung entfaltete.

Einen weiteren Luxus, den ich mir gönnte, betraf meinen Chauffeur, der mich jeden Morgen auf das Fabrikgelände kutschierte. Nach welchen Regeln das Weiterkommen von Tausenden von fahrbaren Untersätzen funktioniert, die sich Weg durch die Strassen von Saigon bahnen, begriff ich in all den Jahren nie. Was ich mit Sicherheit wusste: Alles war möglich und keine halsbrecherische Aktion zu gefährlich. Auch wenn man die kleinen Strassen der Vororte oder der inneren hektischen Stadt verliess und auf die

Autobahn gelangte, hielten nicht etwa Disziplin und das Einhalten der wichtigsten Verkehrsregeln Einzug. Kriminelle Ausweichmanöver, Notbremsungen bei hohem Tempo und haarsträubende Manöver führten dazu, dass es sich bei diesen zweistündigen Fahrten, zweifelsohne um die für mich gefährlichste Zeit des ganzen Tages handelte.

Heftige Adrenalinstösse durchfuhren mein System anfänglich. Ich musste mir etwas einfallen lassen, wollte ich nicht bald einer Herzattacke erliegen. Äusserlich präsentierte sich mein Mercedes-Bus unauffällig, ähnlich einem Transporter. Mir war das sehr recht, denn ich hatte kein Bedürfnis nach zusätzlicher Aufmerksamkeit und die abgedunkelten Scheiben, verunmöglichten auch den Blick von aussen. Dank breiten Sitzmöglichkeiten, einem Fernseher und einem Kühlschrank war es im gekühlten Innern jedoch wunderbar komfortabel und ruhig. Oft befand sich mein breiter Ledersessel in Liegeposition: Mit ausgestreckten Beinen hörte ich über den Kopfhörer meine Musik, während gefühlte Millionen von Motorrädern mein Fahrzeug umkreisten und begleiteten.

In diesen einzig ruhigen Momenten des Tages hing ich meinen Gedanken nach, dachte über mein Leben nach und die fast unglaubliche Tatsache, was ich im Hier und Jetzt alles erlebte.

Nach zwei Stunden war es mit der Ruhe jeweils vorbei. Spätestens wenn mir mein Chauffeur die Türe aufhielt, damit ich aussteigen konnte, war ich wieder mittendrin im täglichen Wahnsinn und der Alltag erschien mir manchmal wie ein Eimer kaltes Wasser, der über mir ausgeschüttet wurde. Meine Realität in Vietnam kannte keine sanften Übergänge und war definitiv kein ruhiger, malerischer Fluss.

Saigon war zu meiner Zeit eine interessante, aber auch sehr anstrengende Stadt. Die Dichte an Menschen und Tieren, der Lärm, der Gestank, vor allem der direkte und tägliche Überlebenskampf der Menschen, erzeugen nie endend wollende Vibrationen und Energien. Eine Explosion an Leben, Hass, Ärger, Angst und Trauer, an Freude,

Liebe, Zusammenhalt und Spass, spielte sich tausendfach auf kleinstem Raum ab. Ob in den Strassen, Gassen oder in den engen Behausungen. Wer sich mehr als einige Quadratmeter Platz erkämpfen konnte und jeden Tag etwas zu essen hatte, war ein Gewinner, wer ein Motorrad besass, ein Paar Schuhe, einen goldenen Armreif, ein König oder eine Königin. Die Richtung war für alle die gleiche: Vorwärts mit allen Mitteln und bei jedem erkämpfte Zentimeter handelte es sich um einen möglichen Gewinn, der die Zukunft vielleicht positiv beeinflussen wird. Auch wenn Ausländer Ausweichmöglichkeiten finden, sich Ruhe und ein angenehmes Zuhause gönnen können, ist es schwierig, sich Saigon zu entziehen: Man wird süchtig nach dieser Stadt und manche gehen auch an ihr zugrunde. Es ist ein Sog, vielleicht ein Gift, keine schnelle Liebe, die in der Luft verpufft, sondern eine enger werdende Umklammerung, eine Anziehung, die in manchen Punkten rätselhaft bleibt und doch durch Beständigkeit besticht.

Wer den harten und schnellen Pulsschlag der Stadt in sich trägt, spürt auch die Gier nach dem Leben und damit vielleicht die Angst, eines Tages, vielleicht bereits heute oder erst in dreißig Jahren, einen tausendfachen Abschied vollziehen zu müssen. Warum viele der hier lebenden Ausländer einen Hang zu einem exzessiven Lebensstil entwickelten, erschloss sich mir dennoch nie komplett. War es die Erkenntnis der Endlichkeit oder die freche Suche nach der Unsterblichkeit?

In diesem Zusammenhang erlebte ich – bis auf den Schweizer Botschafter – auch kein einziges Paar, das gemeinsam in dieses Land einreiste und es Hand in Hand wieder verliess. Jenen Eheleuten und Verliebten, die neu waren, riet ich, wieder abzureisen, sollten sie an der Partnerschaft festhalten wollen. Sie lachten mich aus. Selbstbewusst und ihrer Zuneigung sicher, hielten sie meine Worte für dramatisch und übertrieben. Doch sie bestätigten sich leider in den allermeisten Fällen.

Vor allem die Männer meinten ein bisschen Unsterblichkeit ganz einfach zu finden – in jungen Frauen, denen man die Gabe nachsagte, die Männer liebeskrank zurückzulassen. Als ich in dieses Land kam, erlebte ich die hier lebenden Menschen als herzlich, unschuldig, vertrauensvoll. Den westlichen Zuzüglern begegnete die Bevölkerung interessiert, neugierig und offen. Finanzielle Aspekte standen bei der Kontaktaufnahme nicht im Vordergrund. Das galt auch für die Frauen. In einer Zeit, als viele vietnamesische Männer tranken, sich dem Glücksspiel widmeten und oft gewalttätig waren, erwarteten die Vietnamesinnen von den westlichen Männern gute Manieren, Rücksichtnahme, Freundlichkeit.

Auch ich traf immer wieder auf bildhübsche Frauen, die begeistert waren, wenn man sie in eines der französischen Restaurants oder in ein Café ausführte. Die Kontakte waren unverbraucht und unverdorben. Von anderen Männern erfuhr ich: Wenn aus einer Freundschaft mehr wurde, zogen sich die einheimischen Frauen zurück, damit Beziehungen oder Familien durch sie nicht gefährdet wurden. Das änderte nichts an den Träumereien der Männer. Im Gegenteil. Sie idealisierten diese fragil wirkenden und doch so starken Wesen und meist war es nur eine Frage der Zeit bis das private Kartenhaus in sich zusammenbrach und die Katastrophe ihren Lauf nahm. Solche Geschichten fanden allein in meinem Freundes- und Bekanntenkreis dutzendfach statt. Ich bedauerte das Ende von langjährigen Partnerschaften jeweils sehr und war nicht überzeugt, dass die interkulturelle Neuausrichtung zum ewigen Glück beitragen wird.

Auch Torill und ich waren zusammen nach Saigon gekommen und sollten nicht gemeinsam weiterreisen. Unsere Beziehung war schuld daran, keine junge Vietnamesin. Seit acht Jahren ein Liebespaar, machten uns nicht die oft üblichen Differenzen lang verbundener Paare zu schaffen, sondern: Die grosse, vielleicht übergrosse Harmonie, mit der wir gemeinsam durch das Leben gingen. Wir lebten in der Zwischenzeit wie Geschwister zusammen, waren ein Herz und eine Seele, standen einander in allem bei, waren

98

uns in allem einig, waren einander immer sehr zugetan. Doch das Feuer, die Leidenschaft, war auf der Strecke geblieben. Wir sprachen über diese Problematik und die Möglichkeit eine offene Beziehung zu führen. Das wollte Torill nicht und tief in meinem Innern wusste ich, dass es auch mir sehr missfallen würde, müsste ich sie teilen. Wir gelangten zu keiner Entscheidung, lebten bald wie ein altes Ehepaar zusammen, gut und friedlich und doch fehlte jener Glanz, der einer Liebesbeziehung das gewisse Etwas gibt.

Bereits in der Vergangenheit hatte ich mein hart verdientes Geld unter anderem in ein Penthouse in Australien investiert, das direkt am Meer, in einem Vorort von Adelaide lag. Irgendwann, wenn wir Vietnam verlassen würden, sollte Australien unsere zweite Heimat werden, so dachten wir lange Zeit. Die seltenen Urlaube verbrachten wir auf dem fernen Kontinent, der via Saigon in acht Stunden Flugzeit zu erreichen war. Als unsere Beziehung schwieriger wurde, erbat sich meine Partnerin eine Auszeit von mir und Vietnam. Sie wollte einige Wochen allein in Australien verbringen und dabei über die Zukunft nachdenken, wie sie mich wissen liess. Ich unterstützte sie, brachte sie zum Flughafen und fühlte mich augenblicklich verloren: In den vergangenen acht Jahren waren wir nie länger als einige Stunden getrennt gewesen. Ich stürzte mich in die Arbeit und diverse Aktivitäten, zog mit Freunden um die Häuser, trank ziemlich viel und musste mir zwangsläufig ein paar neue Strategien im Umgang mit meinen noch immer drohenden Panikattacken einfallen lassen.

Ich war verzweifelt bezüglich meiner Liebe zu Torill und der sehr bedrückenden Perspektive unserer Zukunft. Keine Frage, ich habe sie zu jeder Zeit zweihundert Prozent respektiert, hochgeachtet und irgendwie auch immer geliebt. Ich war aber auch traurig und wütend, dass die körperliche Anziehungskraft auf der Strecke geblieben war und wir offenbar nichts daran ändern konnten. Ich war unglücklich und in ihrer Abwesenheit auch öfters betrunken und: ging nicht immer allein nach Hause. Wie ein Falter zog es mich zum Feuer.

Nach vielen Wochen waren wir beide froh, wieder zusammen zu sein. Doch die Trennung schien unausweichlich. Wir sprachen offen darüber, hielten uns traurig in den Armen, schliefen eng aneinandergeschmiegt, ein. Wir wussten beide: Es war Zeit, den anderen ziehen zu lassen. Torill wünschte sich, nicht in die Schweiz zurückkehren zu müssen. Wir hatten so viel erlebt, weit weg von der Normalität und die zurück liegenden Jahre waren mehr als nur eine Episode gewesen. Sie bat mich, nach Australien gehen zu dürfen.

Sie wollte versuchen, dort für immer ein neues Leben anzufangen. Ich bot ihr meine Unterstützung an und bin noch heute stolz auf sie, dass sie diesen Schritt gewagt hat, fand es eine unglaublich mutige Entscheidung, wissend wie schwierig es sein wird, dort allein Fuss zu fassen. Ich half ihr beim Packen, lud sie zu einem Essen ein und begleitete sie danach nicht an den Flughafen. Sie hatte es so gewünscht. Als sie meinen Bus bestieg, der sie zum Flughafen brachte und ich dem fahrenden Gefährt nachblickte, fühlte ich mich einsam und verloren. Als ich in unser Haus zurückkehrte, war ich am Boden zerstört.

Torill lebte in meinem Penthouse am Meer, bezog aber bereits nach wenigen Monaten eine eigene Wohnung. Im ersten Jahr sorgte ich für ihren Unterhalt und die Schule. Bald war sie im Besitz von Diplomen und konnte sich eine Arbeitserlaubnis beschaffen, damit sie in Australien als Krankenschwester tätig werden konnte. Heute hat sie aus eigener Kraft alles erreicht, sogar den australischen Pass besitzt sie, und zwar nicht aufgrund einer Heirat, sondern aus eigener Leistung. Den «Roten Blitz», ein Auto, das ich ihr vor vielen Jahren geschenkt hatte, besass sie noch jahrelang. Ich denke oft an sie, an ihre Bescheidenheit, an ihre Loyalität und an ihr grosses Herz. Die Welt wäre besser, gäbe es mehr Menschen wie Torill. Sie blieb in meinem Leben. Als Patenteste meiner Tochter stehen wir noch heute regelmässig in Kontakt und sehen uns, wann immer sich die Gelegenheit bietet.

Ich blieb allein in Vietnam zurück, arbeitete viel und nach dem ersten Trennungs-Schock tröstete ich mich damit, so richtig auf den Putz zu hauen. Als Junggeselle ohne Geldsorgen, der Vietnam in- und auswendig kennt, konnte man es damals so richtig krachen lassen. Zusammen mit einem meiner besten Freunde, dem CEO meiner Firma, mieteten wir sogar ein zusätzliches Haus an, damit wir ungestört von lärmempfindlichen Nachbarn exzessive Party feiern konnten. Des Öfteren erwachte ich am Morgen, ohne zu wissen, was nach Mitternacht geschehen war. Einmal stand ich zerknittert und verkatert auf und blickte um mich.

Die gute Nachricht: Ich war zu Hause aufgewacht! Die schlechte: Meine Arme waren mit Blutergüssen und blauen Flecken übersät. Glasklare Schlussfolgerung: Am Abend zuvor musste etwas geschehen sein. Ich durchwühlte meine Kleidung, fand das Handy und als ich meine Hose aufhob, fielen laut scheppernd drei Sheriff-Sterne aus buntem Blech zu Boden. Als ich Elmar* erreichte, klang dieser verschlafen und angeschlagen. Verstört berichtete er mir, an seinem T-Shirt seien ebenfalls etliche Sheriff-Sterne befestigt. Stunden später waren wir erst in der Lage, die vergangene Nacht zu rekapitulieren: In den frühen Abendstunden hatten wir einen Club betreten. Live-Musik, Hunderte Gäste und: Für jede volle Runde Gin, Rum Wodka oder Whisky, die wir der riesigen Gästeschar ausgegeben hatten, erhielten wir als Trophäe einen Sheriffstern! Wir zählten die Sterne: 20 Stück!

Je stärker die Alka-Seltzer wirkten, desto besser erinnerten wir uns an den Abend und kamen zum Schluss: Alle anwesenden Gäste hatten sich auf unsere Kosten betrunken. Später lüftete sich auch das Geheimnis um die blauen Flecken an meinen Armen. Ich war offenbar sturzbetrunken, konnte wohl nicht mehr allein nach Hause gehen und so hakten sich meine beiden Bodyguards ziemlich resolut in meine Achselhöhlen ein und trugen mich mehr oder weniger schwebend, aber den Eindruck erweckend, als würde ich selbst gehen, von der Bar bis zu meinem Bus. Meine beiden Beschützer hatten mir sogar meine Geldbörse abgenommen, um mich vor meiner ungezügelten Ausgabefreudigkeit zu schützen und steckten mir diese im Bus wieder zu, wie der Umstand bewies, dass sie nun bei mir auf dem Küchentisch lag. Elmar lachte Tränen, als er mir noch viele weitere Details erzählte, an die ich mich beim besten Willen nicht mehr erinnern konnte.

Die vielen Sterne hatten aus mir ohne Zweifel den höchst dotierten Sheriff der vergangenen Nacht gemacht. Es war nur eine von vielen wilden Nächten, die man in ihrer exzentrischen und exotischen Art nur in einer Stadt wie Saigon erleben konnte.

Diese Zeit bleibt mir in bester Erinnerung. Ich konnte mich austoben und Dampf ablassen, fühlte mich jung und unbezwingbar und gleichzeitig wusste ich auch: Die Stadt und ihre Menschen hatten ihre Arme nach mir ausgestreckt, zogen mich in ihren Bann, wollten mich nicht mehr loslassen.

Meine Gemütslage war nicht komplett stabil und mit Saigon verband mich in der Zwischenzeit eine Art Hassliebe. War ich ausgeschlafen, hatte ich die Nächte zuvor nicht durchgefeiert, nahm ich das Land und die Leute von einer sanfteren Seite wahr, suchte und erlebte Ruhe, Freundlichkeit und Schönheit. Das Gegenprogramm zu den exzessiven Nächten auferlegte ich mir immer öfter selbst. Es entsprach einem Bedürfnis nach innerer Ruhe, wie ich heute weiss.

Ich stand dann meist um sechs Uhr in der Früh auf und begab mich an die Ufer des Mekong. Direkt an meiner Wohnanlage gelegen, war dieser Streckenabschnitt des Flusses um diese Zeit menschenleer. Das gewaltige Ausmass der Wassermassen, die an dieser Stelle in einer Breite von mehreren Fussballfeldern flossen, relativierte vieles. Wasserpflanzen trieben an der ruhigen Oberfläche. Das Morgenlicht spiegelte sich im Wasser, bevor Dunst die Szenerie in ein pastellfarbenes Bild verwandelte. Ich beobachtete die weit entfernten Schiffe. Manche bewegten sich voll beladen behäbig und teilweise gefährlich nah am Wasserspiegel. Andere tanzten federleicht, fast wie kleine Nussschalen über das Wasser. Diese stillen Stunden am Mekong waren intime Begegnungen mit einem Land, das Heimat geworden war und sich doch bei vielen Gelegenheiten fremd anfühlte.

In dachte über mein Leben nach. Oder ich stellte mir vor, wie die Menschen auf der anderen Seite der Welt noch schlafen, dass in der Schweiz jetzt gerade die Restaurants schliessen und die letzten einsamen Seelen mit der Tram nach Hause fahren. Heimweh hatte ich fast nie. Es war eher eine diffuse Sehnsucht, die mich in diesen Momenten gefangen nahm. Manchmal am Abend, wenn es regnete, setzte ich mich vor meine Haustüre oder auf die Veranda. Der Himmel liess tosende Wasserfälle auf die Erde stürzen. Ausser dem Regen gab es nichts, der Regen brachte alles zum Stillstand. Ich sass stundenlang da und starrte in die schwarze Nacht. Dem trommelnden Lärm des Regens zuhörend und gut geschützt unter meinem Dach im Garten sehnte ich mich nach einem Sinn in meinem Leben.

Megagau

Nach einigen wilden Monaten als Single verliebte ich mich in Chau und befand mich bald erneut in festen Händen. Ein gutes Gefühl. Ich arbeitete noch immer sehr viel, die Firma lief hervorragend und jetzt vorwiegend problemlos. Ich hatte in den vergangenen vier Jahren wenig Urlaub verbracht, nun wollte ich dieses Versäumnis nachholen. In exklusivster Art und Weise bereisten wir die Welt, stiegen in den besten Hotels ab und genossen – zumindest solange wir uns am Erfolg von *Dragon Line* erfreuen konnten und Geld keine Rolle spielte – das Leben und unsere Liebe. Ebenso wie Millionen von anderen Menschen, ahnte ich zu diesem Zeitpunkt nicht, dass nicht nur die finanzielle Sicherheit, sondern auch die Existenzgrundlage bald weggewischt ist und ich vor einem Abgrund stehen werde.

Monate später, am 15. September 2008, ging die Investmentbank *Lehman Brothers* – einer der grössten und ältesten Finanzdienstleiter der Welt – mit lautem Getöse zu Boden. Sie riss Millionen von Anlegern, Firmen und Menschen in den Abgrund und löste eine langdauernde, globale Wirtschaftskrise aus, die heute vor allem als die «Finanzkrise von 2008» bekannt ist. In diesen Strudel mitgerissen wurde auch die Schweizer Bank UBS: meine Hausbank.

Aufgrund der saisonalen Geschäftsausrichtung in Vietnam war sie für uns als Kapitalgeber überlebenswichtig. Unser Geschäftsmodell basierte darauf, dass wir im Herbst die Bestellungen für den kommenden Frühling produzierten. Damit wir diesen Prozess vor der eigentlichen Lieferung vorfinanzieren konnten, waren wir auf Kapital von aussen angewiesen. Die Schweizer Grossbank hatte seit über zwölf Jahren, zuerst mit meinem Vater und danach mit mir, zusammengearbeitet und uns in unserem Wachstum stark unterstützt. Dieses Vorgehen hatte bisher nie für Probleme gesorgt. Das geschuldete Geld lag im Frühling, wenn unsere Kunden bezahlten, pünktlich und mit Gewinn auf dem Tisch der Bank.

Nun geriet die UBS geriet aufgrund der Lehman-Krise selbst in Bedrängnis, erhielt von der Schweizerischen Eidgenossenschaft einen Kredit von über sechs Milliarden Franken, verzichtete aber per sofort auf jegliche Form der sogenannten Risiko-Finanzierung. Wir waren zwar offiziell eine Schweizer Aktiengesellschaft. Aber unser Personal in der Schweiz bestand aus genau einem einzigen Angestellten, nämlich unserem Finanzchef. Im Gegenzug beschäftigte unsere «Filiale» in Saigon über zweitausend Mitarbeiter. Obwohl wir allen Verpflichtungen stets pünktlich nachkamen, wurden wir nun neu als «Hochrisiko Firma» eingestuft! Völlig überraschend erhielten wir die Mitteilung, dass wir unser Kontokorrent-Limit per Ende Monat auf null stellen müssen und keine Kreditvergaben mehr möglich seien.

Die ersten Tage befand ich mich in einem Schockzustand. Mitten in der Produktionszeit waren wir mit unseren Aufträgen Verbindlichkeiten in Millionenhöhe eingegangen. Völlig unerwartet und auch unverschuldet, standen wir nun vor einem gigantischen Produktionsvolumen, das wir nicht finanzieren konnten. Und: Eine riesige Belegschaft erwartete ihren Lohn! Der Gedanke an Verpflichtungen in Millionenhöhe und potenzielle Schadenersatzforderungen, wenn wir nicht liefern würden, verursachte mir ebenfalls Übelkeit und Schwindel. Eine Kürzung des Kreditrahmens hätten wir irgendwie verkraftet, aber eine Absage auf null und das von einem Tag auf den anderen, war einfach nicht machbar.

Es handelte sich um eine unfassbare Situation. Man konnte es drehen und wenden wie man wollte, der einzige Ausweg lautete: Innerhalb kürzester Zeit mussten wir finanzielle Mittel in Millionenhöhe auftreiben, ansonsten würde die Firma nicht überleben. Dies war umso schmerzlicher, als ich einen Monat vor der Lehman-Krise mit einem Investor einen Verkauf-Vorvertrag abgeschlossen hatte, der sich auf eine Summe von zehn Millionen US-Dollar belief. Damit wollte ich mich aus der operativen Tätigkeit zurückziehen und der Firma eine langfristige Perspektive geben. Für mich wäre mit diesem Vertrag auch die Altersvorsorge gesichert gewesen. Begeistert und voller Freude hatte ich dem unmittelbar bevorstehenden Vertragsabschluss entgegengesehen. Mit dem Erdbeben am Finanzmarkt und dem Zusammenbruch von unzähligen Banken verschwand unser Investor jedoch über Nacht vom Erdboden und mein Traum von einer sehr frühen Pensionierung war zerplatzt.

Nun ging es plötzlich um das nackte wirtschaftliche Überleben. Die Zeit lief gegen uns und ich war gezwungen Chancen zu ergreifen, die ich im Normalfall weit von mir gewiesen hätte. So liess ich mich auf einen Partner ein, der mir sehr kurzfristig die Finanzierung über eine andere Schweizer Grossbank organisierte. Dies war zwar einerseits ein Geniestreich, denn zu diesem Zeitpunkt war es beinahe ein Ding der Unmöglichkeit eine Finanzierung zu finden. Die Sache hatte aber einen Haken: Ich musste dabei eine private Solidarbürgschaft abgeben und war im Fall eines Zusammenbruchs der Firma ab sofort mit privaten Mitteln haftbar. Die Finanzierung war sowieso nur gelungen, weil dieser Kontaktmann mit seinem beachtlichen Vermögen bei der Bank eine Bürgschaft abgegeben hatte. Im Gegenzug wurde er nun zum Minderheitsaktionär der Firma und somit zu meinem Geschäftspartner.

Als wir einige Monate später finanziell am Limit liefen, uns mitten in der Hochsaison der Produktion befanden und bereits mit dem Verschiffen der Waren begonnen hatten, erreichte mich eine weitere Hiobsbotschaft: Mein Schweizer Geschäftspartner offenbarte mir, dass er den Kredit nicht weiter absichern werde, wenn ich weiterhin Hauptaktionär und somit Hauptnutzniesser des Gewinns bleibe. Dieses Vorgehen hatte rein gar nichts mit der erst Wochen zuvor ausgehandelten Vereinbarung zu tun und man kann seine Forderungen wohl am ehesten mit den Worten – Gelegenheit macht Diebe – zusammenfassen: Aus geschäftlicher Sicht war sein Vorgehen vielleicht schlau, weniger legitim fand ich seine Forderung, dass ich meine Aktien gratis an ihn abtreten solle. Im Gegenzug zu diesem Handel würde ich aus der Solidarbürgschaft entlassen, liess er mich wissen, doch die weiteren Worte klangen in

106

meinen Ohren wie eine Drohung: Sollte ich nicht einverstanden sein, stehe die Firma über kurz oder lang vor dem Aus und privat würde der Pleitegeier über mir kreisen.

Ich fühlte mich schachmatt gesetzt, konnte seiner Argumentation nichts entgegensetzen. Ohne seine Bürgschaft bei der Bank und sein Geld standen wir am gleichen Punkt wie vor Wochen, nämlich vor dem unmittelbaren Aus. Genau betrachtet, befanden wir uns in einer noch schlimmeren Situation, denn wir befanden uns nun in der Hochphase der Produktion, waren somit finanziell voll engagiert, hatten jedoch null Reserven. Die Gegenseite war sich dessen bewusst, setzte mich unter Druck – just zu einem Zeitpunkt, als unsere liquiden Mittel ausgereizt waren. Den eiskalten Versuch meine Firma kostenlos zu übernehmen, empfand ich als dreistes Vorgehen, das ich unter keinen Umständen akzeptieren konnte. Lieber würde ich untergehen, als das Lebenswerk meines Vaters zu verschenken. Mein Entschluss war schnell gefasst: Ich wollte mich wehren, so aussichtslos die Situation auch schien.

Mein Widersacher wusste um seine Position der Stärke. Seine Gedanken konnte ich förmlich lesen: Würde ich sein Angebot ablehnen? Mit dem Risiko, dass die Firma zugrunde geht und aus dem einfachen Grund, damit sein Spiel nicht aufgeht und auch er viel Geld verlieren wird?

Er liess mich wissen, sein bisheriges Investment zu verlieren sei nicht das Problem, er habe mehr als genügend auf der hohen Kante und würde im Gegensatz zu mir diesen Verlust locker verkraften. Keine Frage, er hatte definitiv die besseren Karten in der Hand. Die Situation spitzte sich zu. Ich wollte zumindest eine vernünftige Entschädigung, hatte selbst einen siebenstelligen Betrag für die Firma bezahlt, sechs Jahre lang hart gearbeitet und sehr gute Resultate vorzuweisen. In den folgenden Wochen flog ich verschiedene Male in die Schweiz, um mich mit ihm und seinem Anwalt zu treffen. Es kam zu Auseinandersetzungen, wir schenkten uns nichts, stritten über Finanzen und Verantwortlichkeiten, den

Fortbestand der Firma, die Rettung von Tausenden von Arbeitsstellen. Niemand in Vietnam ahnte, was sich 2009 hinter den Kulissen der *Dragon Line* abspielte, die Firma damals jeden Tag kurz vor dem Ende stand.

In der Zwischenzeit glaubte ich zu wissen, dass die andere Seite nicht bereit war, das bisher geleistete Investment abzuschreiben. Seine diesbezüglichen Aussagen stufte ich als Bluff ein. Ich war mir ziemlich sicher: Wenn ich aufs Ganze gehe, würde er mir ein Kaufangebot unterbreiten und wir müssen die Firma nicht liquidieren. Also teilte ich meinem Widersacher mit, dass ich Verhandlungen als gescheitert betrachte und nach Vietnam zurückkehren werde. Als Direktor und Präsident des Verwaltungsrats betrachtete ich es auch als meine Pflicht, bei einer nicht mehr vorhandenen Finanzierung die rechtzeitige Liquidation der Firma einzuleiten. Ich pokerte und war gleichzeitig verzweifelt, wusste nicht, wie es weitergehen wird, was aus meinen Leuten und mir werden soll.

Doch dann ereignete sich eine Fügung des Schicksals: Der durch mich eingesetzte CEO meiner Firma schickte mir eine Mail und: Er vergass den bisherigen Mail-Verlauf zu löschen. Ich erhielt einen interessanten Einblick in die mir bisher völlig unbekannte Beziehung, die er mit der Gegenpartei unterhielt: Sie hatten sich längst darauf geeinigt, wie die Firma ohne mich zu verteilen ist und wie man mich am besten loswerden kann.

Es war ein Schock, dass mein CEO, den ich bisher auch als Freund betrachtet hatte, diesen Verrat an mir und der Firma begann. Positiv war, dass ich plötzlich sehr genaue Einblicke in die Ränkespiele und die Ansichten der beiden erhielt. Mein neuer Geschäftspartner schrieb in einer dieser Mails, dass er notfalls eine Million US-Dollar an mich zahlen werde und: Bei diesem Betrag sei die Übernahme der Firma noch immer ein eigentliches Geschenk. Seine Zeilen zeigten mir, dass ich recht gehabt hatte. Anders als seine bisherigen mündlichen Aussagen war er in Tat und Wahrheit nicht bereit den Niedergang der Firma hinzunehmen und: Er war offenbar bereit, zu zahlen. Ich dachte – «Vielen Dank für diese Information» – rief ihn an und bat um ein letztes Treffen – natürlich ohne zu erzählen, was ich jetzt wusste.

Dieses fand in Bern, im gediegenen Rahmen eines teuren Hotels, statt. Wir tranken Tee. Nach einigen Freundlichkeiten und banalen Kommentaren zur Stadt und zum Wetter legte ich wortlos den Ausdruck des E-Mail-Verkehrs auf den Tisch. Seine Gesichtsfarbe änderte sich und seinen Gesichtsausdruck vergesse ich nie mehr: Schock! Nach Sekunden der Genugtuung besann ich mich auf das Wesentliche und liess ihn wissen, dass ich weit von meinen ersten finanziellen Zielen abgerückt sei und nannte ihm einen neuen Betrag, der bar zu bezahlen sei und meine sofortige Freistellung von allen Pflichten und Verantwortlichkeiten innerhalb der Firma bedeuten müsse. Ich räumte ihm eine zweitägige Bedenkzeit ein, verabschiedete mich freundlich und ging.

Am nächsten Morgen sass ich bereits im Flieger nach Vietnam. Damit setzte ich ein klares Zeichen. Die Verhandlungen waren zu Ende. Es gab genau zwei Möglichkeiten: Entweder mein Vorschlag, der in etwa der schriftlichen Aussage seiner Mail entsprach, wird angenommen oder ich würde die Firma umgehend liquidieren. Als ich landete, war der Deal bereits zwischen den beiden Anwälten besiegelt und das Geld wurde wenig später überwiesen. Alle Firmenanteile, inklusive Inventar, und Charity- Organisation gingen nun vollständig in den Besitz meines Nachfolgers über und ich war ab sofort nicht mehr Teil der Firma. Gleichzeitig musste ich eine bittere Pille schlucken: Unter dem Strich hatte ich viel mehr für die Dragon Line bezahlt, als ich am Schluss erhielt, und dies obwohl wir den Umsatz deutlich gesteigert und das Geschäft in seiner Grösse und seiner Profitabilität massiv ausgebaut hatten.

Das Gute an diesem Deal: Die Firma und viele tausend Arbeitsstellen blieben erhalten. Ich erinnere mich an die Stunden, nachdem alle Last der vergangenen Monate von mir abfiel: Ein

Kapitel meiner Lebensgeschichte, das so stark mit meinem Vater verbunden war, neigte sich dem Ende entgegen. Alles war wieder einmal wahnsinnig schnell gegangen, nichts konnte vorbereitet oder verarbeitet werden. Von hundert auf null war mein Engagement in der Firma beendet und ich musste mich mit dem Wegzug aus diesem wunderbaren Land befassen. Nun war ich arbeitslos und hatte keine Ahnung, was die Zukunft bringen wird. Fazit? Mein Vietnam-Abenteuer endete abrupter als es vor sechs Jahren gestartet war.

Anh und Jenny

Fast gleichzeitig bahnte sich die Krise in der Beziehung mit Chau an und schliesslich trennten wir uns einvernehmlich. Bereits vor der Geschäftskrise entwickelte sich die Beziehung nicht so, wie wir es uns wünschten und den schwierigen Zeiten hielt unsere Liebe nicht stand. Benötigte ich sonst jeweils Zeit, um eine Partnerschaft zu verarbeiten und hinter mir zu lassen, war es dieses Mal anders. Unerwartet flog mir das Glück nur wenige Wochen nach unserer Trennung in Form von Anh entgegen, meiner heutigen Frau. Sie war erst zwanzig Jahre alt, als ich sie kennenlernte. Ihre Schönheit und ihr Wesen nahmen mich gefangen und was ich bereits in den Anfängen ahnte, sollten die kommenden Jahre zeigen. Sie geniesst die guten Zeiten und rennt in den schlechten Zeiten nicht weg.

Anh arbeitete bei mir in der Firma in Vietnam am Empfang. Ich fand sie attraktiv und sehr nett, es hat ein wenig geknistert, mehr nicht, befand ich mich damals doch in der Beziehung mit Chau. Als es im Jahr 2009 um meine Zukunft ging, überlegte ich mir verschiedene Szenarien. Es war klar, dass ich meine Zelte in Vietnam bald abbrechen musste. Noch galt es viel zu organisieren und zu klären: Innerhalb meiner Tätigkeit bei Dragon Line befand ich mich in der sehr bequemen Lage, dass mir jeweils zwei persönliche Assistenten die Probleme des Alltags aus dem Weg räumten, dabei konnte es sich um organisatorische und administrative Dinge handeln aber auch um zwischenmenschliche Bereiche, die der Klärung durch eine Drittperson bedurften.

Auch nachdem ich aus der Firma ausgeschieden war, wollte ich auf diesen Service künftig nicht verzichten. Gleichzeitig benötigte ich einen Menschen an meiner Seite, dem ich vertraute, damit ich meine immer noch auftretenden Panikattacken in Schach halten konnte. Anh, die ich als seriös qualifizierte und die im administrativen Bereich sattelfest war, so kam ich zum Schluss, ist meine Wunschkandidatin für diesen Job. Was zahlreiche andere junge Vietnamesinnen mit Handkuss gemacht hätten, für einen westlichen Geschäftsmann zu arbeiten und diesen in naher Zukunft ins Ausland zu begleiten, wollte Anh nicht. Sie lehnte ab. Es bedurfte stundenlanger Überredungskünste durch meine ehemalige Assistentin, damit sie es sich schliesslich anders überlegte.

In den ersten Wochen unterhielten wir eine geschäftliche Beziehung, bei der sich mein Bauchgefühl bestätigte. Sie ist loyal und eine Kämpferin – genau wie ich. Wir waren praktisch rund um die Uhr zusammen und merkten, wie gut wir uns in vielerlei Hinsicht verstanden. Aus der beruflichen Beziehung wurde eine verbindliche Freundschaft. Gewohnt, mich Hals über Kopf für Frauen zu begeistern, um das Weitere erst im Verlauf der Zeit zu entdecken, geschah mit Anh alles umgekehrt. Wir näherten uns vorsichtig an, kannten den anderen bereits in- und auswendig, schätzten uns als Menschen und Persönlichkeiten bevor wir ein Paar wurden und auch als wir bereits eine Beziehung führten, waren wir uns einig, dass damit keine Erwartungen verbunden sein sollen, weil unsere Geschichte nicht für die Ewigkeit gedacht ist. Wir verlängerten unser Zusammensein um einen Monat, dann um drei Monate und dann wurden aus Monaten ein halbes Jahr. So ging es immer weiter.

Ich entdeckte in ihr Verlässlichkeit, Standhaftigkeit, Unbestechlichkeit und erfuhr, wie sie aufgewachsen war. In sehr bescheidenen Verhältnissen. Die Mutter war Lehrerin, der Vater ein einfacher Arbeiter. Sie besassen ein wenig Land, das sie mit einem Wasserbüffel und einem Pflug bewirtschafteten. Oft assen die Eltern wenig oder nichts, um die wenigen Nahrungsmitteln den Kindern zu überlassen. Die Familie erlebte Armut und den Aufschwung Vietnams: Eine Entwicklung im Zeitraffer, die meiner Meinung nach dazu geführt hat, dass die Gier nach Geld in einem einst bitterarmen Land in der Zwischenzeit riesig geworden ist, jeder sich ein Stück von der Torte abschneiden möchte, man die vergangenen Zeiten verständlicherweise hinter sich lassen möchte. Mit dem Resultat, dass vieles aus dem Gleichgewicht geraten ist, Grenzen überschritten werden, die Moral vergessen geht.

Später lernte ich ihre Eltern kennen. Es sind Menschen, die sich nicht blenden und verderben lassen, an ihren Werten festhalten. Der Apfel fällt nicht weit vom Stamm: Anhs herausragende Qualitäten sind Loyalität, Echtheit, Gerechtigkeitssinn. Es gibt Dinge, die macht sie einfach nicht, egal wie gross der materielle Profit wäre. Sie ist nicht verführbar, würde niemals der Versuchung erliegen, einen Apfel anzubeissen, der ihr nicht gehört. Die Liebe: Ich habe auch in diesem Bereich viel erlebt und weiss nicht, ob ich wieder so lieben möchte, wie ich es in jüngeren Jahren tat. Heute liebe ich anders. Weniger stürmisch, vielleicht auch weniger dumm und oberflächlich. Fürsorge, *Kommittent* und Verbundenheit sind für mich die Grundpfeiler der Liebe. Stabile Gefühle, die unter Beweis gestellt werden, sind mir heute hundertmal wichtiger als die grösste Verliebtheit, die so schön ist und auf den zweiten Blick doch oft unwirklich und unecht der Realität nicht standhält.

Ein weiterer Mensch trug zu meinem grossen Glück bei: Jenny. Sie war ein absolutes Wunschkind. Als ich ihr kurz nach der Geburt zum ersten Mal in die Augen blickte, liebte ich sie sofort bedingungslos. Ich gab ihr damals das Versprechen, dass ich immer an ihrer Seite stehen werde, sie niemals im Stich lasse und alles daransetzen werde, dass ich unsere Geschichte auf die Reihe bekomme. Dieses Versprechen, das ich auch mir selbst gab, erfülle ich nun seit vielen Jahren. Zusammen mit den Wogen des Lebens, die mit der Geburt meiner Tochter nicht beendet waren, kann man von einer Herausforderung sprechen. Doch die innige und wunderbare Beziehung, die wir von Anfang an unterhielten, konnte durch nichts getrübt werden. Meine Tochter ist nicht einsam, so wie ich es war. Sie ist nicht allein. Sie weiss, dass ich und Anh ihr und ihrer Lebenswelt echtes Interesse entgegenbringen und sich an diesem Umstand niemals etwas ändern wird. Ich sehe mich auch als *Coach* meiner Tochter, begleite sie, versuche ihr moralische Werte und Selbstvertrauen zu vermitteln. Die Basis des erfolgreichen Heranwachsens ist das Grundvertrauen, das Vertrauen in jene Menschen, die das Kind umgeben. Und das Wissen, dass diese

Menschen immer zueinanderstehen werden. Den noch folgenden Teenagerjahren sehe ich nicht blauäugig entgegen und doch bin ich überzeugt davon, dass die starke Liebe, die uns verbindet, diese Jahre überdauern wird. Die Liebe von Jenny macht auch, dass ich mir heute gesundheitlich Sorge trage und natürlich hat meine Tochter meinen Blick auf das Leben und die Welt verändert: Früher scheute ich keine Risiken, gab in fast jeder Situation Vollgas. Heute sitzt meine Tochter vertrauensvoll auf meinem Rücken. Ich muss zusehen, dass es nur noch so stark knallt, dass die Erschütterung für Jenny nicht allzu gross ist.

Anh ist für Jenny eine wunderbare Mutter. Gemeinsam sorgen wir für dieses Kind, das zum Zentrum unseres Lebens wurde. Jung und ungestüm: Immer wieder hatten Anh und ich zu Beginn unserer Beziehung wilde Auseinandersetzungen, bei denen – jeder für sich – am liebsten die Koffer gepackt hätte. Doch trotz dieser Anfangsschwierigkeiten konnte ich mich immer auf Anh verlassen und im Verlauf der Zeit bildeten wir eine verschworene Gemeinschaft. Sie hätte mich und Jenny niemals im Stich gelassen, übernahm in jungen Jahren Verantwortung und schaffte es, den Zusammenhalt als Familie und unsere Liebe zu stärken.

Meine Frau ist ein leidenschaftlicher und sehr emotionaler Mensch. Dieser Umstand machte unser gemeinsames Leben vom ersten Moment an spannend und facettenreich. Kleine Dinge bereiten ihr grosse Freude, allerdings: Kleine Dinge können sie auch überaus verärgern. Die Emotionen schlugen bei ihr im Positiven wie im Negativen hohe Wellen. Langweilig wurde es nie, anstrengend waren die ersten Jahre trotzdem.

Gleich zu Beginn unserer Beziehung mussten wir aufgrund der vielen geschäftlichen Turbulenzen sehr schwierige Zeiten überstehen. Finanzielle, aber auch persönliche Unsicherheiten gingen mit dieser Phase einher. Sie war auch die erste Partnerin, die mir klar zu verstehen gab, dass ich mir keine Spielchen erlauben kann. Sie verlangte Treue und viel Liebe. Mir setzten ihre klaren Ansagen

Grenzen, die ich benötigte und die ich seither einhalte. Ich meinerseits wusste mit 37 Jahren, dass ich einen Menschen an meiner Seite brauche, der zu mir steht, egal was geschieht. Im Verlauf der Zeit kamen wir uns immer näher, ein spannender Prozess mit vielen Hochs und einigen Tiefs. Heute verstehe ich ihre teilweise sehr heftigen Emotionen, die unser gemeinsames Leben anfänglich provozierte. Vieles kam nach Vietnam zusammen: Auswandern, nirgends zuhause sein, eine unsichere Zukunft und das alles zusammen mit einem kleinen Kind und in einem sehr jungen Alter.

Der Altersunterschied von fast 18 Jahren war in unseren Anfängen sicher spürbar. Jener Partner, der über so viel mehr Lebenserfahrung verfügt, sollte achtsam sein, dass sich der Mensch an seiner Seite respektiert fühlt, seine Meinung zählt und natürlich liegt es auf der Hand: Zwischen 20 und 30 entwickelt man sich weiter, verändert sich vielleicht: Man sollte jenem Menschen, den man liebt, diesen Raum zugestehen. Die Streitigkeiten und Unklarheiten überwanden wir im Verlauf der Zeit. Heute pflegen wir noch immer eine intensive Beziehung. Der schwierige Start hat uns zusammengeschweisst und zusammen schafften wir es, die Liebe, aber auch die Leidenschaft zu bewahren; beides verbindet uns bis zum heutigen Tag.

Auf zu neuen Ufern

Bereits in Vietnam gelangten wir zum Schluss, dass wir nach Australien auswandern wollen. Dort fühlte ich mich seit langem zuhause, besass ein wunderschönes Penthouse am Meer und würde in *down under* auch mein in der Zwischenzeit fertiggestelltes «Gelato-Italia»-Konzept verwirklichen können. Meine Einreise als Investor bereitete ich 2009 noch in Vietnam sorgfältig vor. Mein Plan: Ich wollte eine Geschäftskette aufbauen, die das beste italienische Speiseeis im riesigen Land produziert und viele Standorte aufbauen. Den passenden Businessplan hatte ich bereits verfasst, diesen den australischen Immigrationsbehörden unterbreitet und um eine dauerhafte Aufenthaltsbewilligung mit Arbeitserlaubnis nachgesucht.

Was einfach klingt, ist hochgradig komplex. Glücklicherweise pflegte ich gute Beziehungen zum australischen Botschafter in Saigon, den ich vor nicht allzu langer Zeit auf einer Gartenparty und nach einigen Drinks in einer Schubkarre durch den Park kutschierte, was den Anfang einer Freundschaft besiegelt hatte.

Gleichzeitig beauftragte ich die beste Immigration Agentur in South Australia und bezahlte den Verantwortlichen viel Geld, damit sie das Notwendige vorbereiten. Als ich die sogenannte «Sponsorship» erhielt, wusste ich, dass ich die grösste Hürde überwunden hatte und glaubte, beim Rest handle es sich um eine reine Formsache.

2010 kehrten wir vorübergehend in die Schweiz zurück. Jenny war noch ein Kleinkind. In meiner Heimat, die ich zwar liebe und in den langen Jahren der Abwesenheit auch vermisste, wollte ich mich zu diesem Zeitpunkt nicht fest niederlassen. In Erwartung der notwendigen Papiere für Australien wollte ich Anh und Jenny jedoch die Schweiz zeigen und näherbringen. Sechs Monate lang spazierten wir in Bern mit dem Kinderwagen durch den Tierpark, machten viele Ausflüge in die nahe und ferne Umgebung, pflegten die Häuslichkeit und das süsse Nichtstun. Doch dann wurde ich unruhig, wollte den neuen Lebensabschnitt lieber heute als morgen angehen.

Auch Jenny freute sich auf den Umzug. Die Versprechen von endlosen Sommern und vielen putzigen Kängurus hatten sie überzeugt. Als zwölf Tage altes Baby flog sie zum ersten Mal. 14 Stunden von Zürich nach Vietnam und bereits in ihrem ersten Lebensjahr flog sie viele andere Destinationen an, wie ihr vollgestempelter Pass bewies. Fliegen bedeutete für sie Trickfilme, Buntstifte und viele nette Airhostessen. Anh spielte auf den Flügen jeweils stundenlang mit ihr, eine Gabe, die mir ein wenig abging. Doch meine Frau war sehr jung und verlor nie die Geduld, war für jeden kindischen Spass zu haben und kultivierte dieses Talent in den langen Stunden der Reisezeit. Im Flieger ignorierte auch ich alle pädagogisch sinnvollen Regeln. Mit Erfolg: Diese Erlebnisse waren fortan im kindlichen Gedächtnis verankert und definitiv positiv besetzt und so sahen wir auch der baldigen, langen Reise nach Australien mit Freude entgegen.

Als endlich alle Bewilligungen vorlagen, traten wir von Singapur aus die Weiterreise an. Unsere Vorfreude und die Hoffnungen, die wir mit Australien verbanden, wurden bereits bei der Einreise einer harten Prüfung unterzogen. Aufgrund der amtlichen Bescheinigungen, die ich mitführte, ging ich davon aus, dass man uns ohne Probleme einreisen lässt. Doch dem war nicht so: Nachdem mein Gepäck akribisch durchsucht worden war, drohte man mir mit Gefängnis: Die Beamten hielten triumphierend eine Schachtel «Panadol Cold Relief»-Tabletten in die Luft. Diese hatte ich in einer Apotheke in Singapur gekauft. Was ich – wohl genau wie Millionen anderer Konsumenten – nicht wusste ist, dass dieses Grippe-Präparat einen Wirkstoff enthält, der offenbar auch zur Herstellung einer gefährlichen Droge, dem sogenannten Crystal Meth, verwendet wird, wie man mich nun informierte. Ich war sprachlos.

Da ich nur eine einzige Packung mit mir führte, mussten sie nach anderen Gründen suchen, um uns die Einreise zu erschweren. Sie hielten uns fast vier Stunden lang fest, in einer sehr unangenehmen, beinahe bedrohlichen Art und Weise. Die damit verbundene Aggression und Ablehnung schockierten mich nachhaltig. Nicht nur musste ich auf der Stelle alle meine Bankauszüge offenlegen, die ich mit mir führte und erklären, aus welchen Quellen das Geld stammt. Da es sich nach dem Verkauf um teilweise doch eher hohe Summen Bargeld auf meinen Konten handelte und ich in ihren Augen quasi arbeitslos war, wollten sie einfach nicht verstehen, dass es sich um mein privates, hart erarbeitetes Vermögen handelte. Fast noch mehr erzürnte mich der Umstand, dass sie kommentarlos ein gerahmtes Bild meines Vaters beschlagnahmten und die weinende Jenny konsequent ignorierten. Anh war in Panik. Trotzdem wurden wir in einen separaten Raum geführt und von vier Offizieren abwechselnd ins Kreuzverhör genommen.

Ich verstand die Welt nicht mehr, kam ich doch nicht als Bittsteller, sondern wollte eine namhafte Summe in dieses Land investieren, besass bereits eine Immobilie, war in den Jahren zuvor unzählige Male problemlos eingereist und hatte den gesamten Schriftverkehr zu meiner Einwanderung vorschriftsgemäss eingereicht. Nach fast vier Stunden schienen sie am Ende ihres Lateins zu sein und ebenfalls schienen ihnen die Ideen auszugehen, was sie mir tatsächlich vorwerfen könnten. Sehr forsch wurden wir nun angewiesen, unsere sieben Sachen zusammenpacken und zu verschwinden. Die Antwort auf die Frage nach dem Grund für diese Behandlung blieb man uns schuldig. Das Vorgehen der Beamten empfinde ich heute noch als unprofessionell, hochgradig unfair und gleichzeitig handelte es sich – im Nachhinein betrachtet – um ein schlechtes Omen, das bereits zu diesem Zeitpunkt den Anfang vom Ende in Australien andeutete.

In der ersten Woche regnete es. Es war kalt, grau und nass. Ausserdem waren die meisten Büros und Geschäfte geschlossen:

Public Holiday! Als ich nach eineinhalb Wochen endlich zu einem Termin vorgeladen wurde, um meine Arbeits- und Aufenthaltsbewilligung abzuholen, bescherte man mir, dass meine Arbeitsvisa und mein Immigrationsgesuch zwar bewilligt worden seien, die Ausstellung der Bewilligungen aber bis auf weiteres ausgesetzt werde. Ich verstand nur Bahnhof. Sie erklärten mir, die neu gewählte Präsidentin habe als erste Amtshandlung ihr Wahlversprechen umgesetzt, sprich, sämtliche Arbeitsbewilligungen für Ausländer vorerst auf Eis gelegt. Im Klartext hiess das: Ich durfte bleiben und trotz der Bewilligung aber auf keinen Fall arbeiten. Nach mehreren Tagen des Schocks wurde klar; diese Situation würde lange Zeit andauern. Unsere Auswanderung stand definitiv unter einem schlechten Stern. Ich hatte mich akribisch vorbereitet, alle notwendigen Zusagen lagen vor und meine Gesuche und der entsprechende Schriftverkehr füllten mittlerweile einige Bundesorder. Und doch war ich zum Nichtstun verdammt, wusste nicht, wie ich unter diesen Umständen eine neue Existenz aufbauen sollte.

Glücklicherweise lebten wir in meinem Penthouse, das ich seit vielen Jahren besass. In der Zwischenzeit war es perfekt eingerichtet. Vieles hatte ich im Verlauf der Zeit nach eigenen Ideen anfertigen lassen. Während ich im übrigen Leben ein Nomade geblieben bin, mich immer wieder von Haus und Hof samt Inhalt getrennt hatte und oft in möblierten Unterkünften lebte, wurde mein Zuhause in Australien zu einer Konstante und entsprechend wohnlich und gepflegt präsentierte sich dieses Domizil am Meer. Trotzdem wollte und musste ich Geld verdienen: Ich hätte mit meinem perfekt ausgearbeiteten Gelato-Italia-Konzept sofort loslegen können. Doch nun würde ich mindestens ein Jahr lang auf die Ausstellung meiner eigentlich gültigen Arbeitsbewilligung warten. Aus Frust wurde Verzweiflung und aus Verzweiflung wurde Ärger. Im Verlauf von einigen Wochen langweilte ich mich tödlich und meine Ablehnung diesem Land gegenüber wurde immer grösser.

Irgendwann war mein Überdruss derart gross, dass ich nur noch wegwollte. Anh fühlte ähnlich. Doch wohin? Einen Plan B hatten wir nicht. Nach knapp einem Jahr in Australien befanden wir uns wieder am Anfang des Spiels. Ohne Jenny wären wir vielleicht nach Südamerika gereist, hätte dort oder woanders unser Glück versucht. Doch an eine solche Flucht ins Ungewisse war jetzt nicht mehr zu denken. Ich war ratlos und schlug Anh schliesslich vor, dass wir zusammen in die Schweiz zurückreisen, um über die Bücher zu gehen und die Zukunft zu überdenken.

Sie war einverstanden. Die Organisation der Flug-Tickets erwies sich als schwierig. Schliesslich offerierte uns *Singapore Airlines* einen Flug, bei dem wir in Singapur einen Zwischenhalt einlegen mussten. Drei Tage später würden wird den Anschlussflug in die Schweiz antreten können, wurde uns versichert. Ich war einverstanden, vor allem, weil uns die Fluggesellschaft drei Hotelübernachtungen offerierte. Ich hatte die Infrastruktur für die geplanten Gelato-Läden über einen Zwischenhändler in Singapur gekauft, der auch für den australischen Markt verantwortlich war. Sein Name? Mario – den ich später van Gogh nannte! Wir hatten uns bereits zwei, drei Mal getroffen, um den Kauf zu besprechen und die Bestellung umzusetzen. Jetzt hatte ich keine Ahnung, was ich mit dem Equipment für drei Geschäfte machen sollte, kontaktierte ihn und erkundigte mich, ob er die brandneuen Maschinen für die Hälfte des Verkaufspreises zurücknehmen will.

Seine Begeisterung hielt sich in Grenzen. Er schlug ein Treffen bei einem Abendessen vor. Zu diesem Zeitpunkt trank ich noch Bier und ein paar Flaschen später verstanden wir uns bereits sehr gut. Wir plauderten nicht nur über Geschäftliches, sondern auch über Gott, die Welt und das Leben. Ich schilderte die unglaubliche Geschichte, die wir in Australien erlebt hatten. Er antwortete: «Warum realisierst Du die Idee nicht einfach hier in Singapur? Es ist immer warm, es gibt viel Geld im Markt, die Stadt ist familienfreundlich, sicher und das Beste: Die Einwanderungsbehörde wird es Dir leichter machen als jene in Australien.» Ich war perplex. An diese Idee hatte ich bisher nicht gedacht. Seine Argumente waren einleuchtend. Es bestand kein Zweifel: Es handelte es sich um eine boomende Stadt, die ein Zuhause werden könnte. Um Mitternacht kehrte ich in unser Hotel zurück. Anh wartete auf mich, Jenny schlief bereits. Ich begrüsste meine Frau mit den Worten: «Schatz, willst Du hier bleiben?» Sie antwortete lachend: «Klar, warum nicht?»

Am nächsten Tag verschob ich unseren Weiterflug bis auf Weiteres und organisierte den vorübergehenden Einzug bei Schweizer Freunden, die seit längerem in der Mega-City lebten. Roger hatte ich vor fast sieben Jahren in Bern an der Aare beim Grillieren kennen gelernt. Als damals meine Auswanderung nach Vietnam bevorstand, er aber noch in der Schweiz lebte, hat er mir ein Grillzange geschenkt, die er mit dem witzigen Satz – «Ob am Mekong oder am Aare Fluss, Grillen ist immer wieder ein wahrer Genuss» – gravieren liess. Damals arbeitete er als *Trader* bei derselben Bank, die ihn später nach Singapur entsandte. Wir kannten uns nicht gut, verstanden uns aber bestens. Meine Devise, im Umgang mit anderen Respekt, Anstand und Ehrlichkeit an den Tag zu legen, bewährte sich in meinem Leben hundert Mal, denn es folgt meist der Tag, an dem man sich erneut begegnet und der erste oder zweite Eindruck prägt die weiteren Beziehungen. Nun waren wir wieder vereint. Natürlich konnten wir diese Gastfreundschaft nicht bis in alle Ewigkeit ausreizen, also machten wir uns auf die Suche nach einer Wohnung.

Eine solche darf in Singapur allerdings erst angemietet werden, wenn man über eine Arbeitsbewilligung verfügt und so zogen wir vorübergehend in ein sogenanntes «Service Appartement», das über viel Komfort verfügte, allerdings sehr klein war. Als erste Aktion suchten wir eine Spielgruppe für unsere Tochter. Ich fand den Austausch mit anderen Kindern wichtig und auch Jenny war Feuer und Flamme. Wir brachten sie am Morgen zu Fuss hin und um 12. 00 Uhr holte ich sie jeweils ab, während Anh bereits das Mittagessen vorbereitet hatte. So startete unser Leben im Jahr 2010 in Singapur gemächlich, aber sehr bald war ich bereit, nicht nur die Metropole, sondern irgendwann auch den asiatischen Markt mit meinen Eiskreationen und einem Franchise-System für entsprechende Ladengeschäfte zu erobern.

King of Gelato

Drei Jahre, ein Dutzend Ladenlokalitäten und Hunderttausende von verkauften Eiskugeln später stand ich auf der Bühne einer riesigen Halle. Fünfhundert Gäste hatten sich eingefunden. Neben mir hielten gut gekleidete Menschen Mikrofone in den Händen und die Vertreter berühmter Franchise-Brands wie *Subway* oder *7Eleven* blickten erwartungsvoll in Richtung des Moderators.

Als noch junge und neue Firma in diesem Geschäftsbereich mussten wir uns im Vorfeld einer gründlichen Prüfung unterziehen, erst danach durften wir an der Ausschreibung der FLA-Show (Franchise and Licencing Asia) teilnehmen. Im Rahmen der gigantischen Fach-Messe dröhnte bald ein wunderbarerer Satz durch den Raum: «And the winner is: Gelateria Italia». Nun kam Bewegung in die Menge. Der tosende Applaus galt uns. Wir hatten die Auszeichnung «Most Promising Franchisor 2013» gewonnen.

Unser Stand – gross und an bester Lage – war der mit Abstand bestbesuchte Stand der ganzen Messe gewesen. Um den grossen Ansturm von Interessierten bewältigen zu können, wies ich meine Verkäufer an, unser Franchise-System zu erklären, potenzielle Käufer aber möglichst schnell von der Besichtigung unserer Eis-Fabrik zu überzeugen. So verloren wir auf der Messe nicht viel Zeit, sprich wir konnten unser Angebot möglichst vielen Menschen nahebringen. Die Interessenten standen Schlange und manche warteten bis zu zwei Stunden, um mehr Informationen zu unserem erfolgreichen Gelato-Geschäft zu erhalten.

Über fünfzig Interessenten wollten den Kauf einer Franchise mit uns näher diskutieren und die Besucherliste für einen Besichtigungstermin unserer Fabrik war innert kürzester Zeit voll. Inzwischen hatten wir nebst der Produktion auch ein Lagerhaus eingerichtet. Dekomaterial, Servietten, Pappbecher und hundert weitere Artikel kauften wir nun selbst ein und verkauften sie mit entsprechenden Margen an unsere Franchise-Nehmer weiter.

Nachdem ich zigfach erfolgreiche Ladengeschäfte aufgebaut und betrieben hatte, wollte ich weg vom reinen Gelato-Verkauf. Als Vertreiber, der sich vor allem auf die Zulieferung und auf die Entwicklung neuer Geschäftsideen im Franchise-System konzentriert, lag die Zukunft verheissungsvoll vor mir. Die Auszeichnung auf dieser Messe kam wie gerufen. Ich war mächtig stolz und feierte den Erfolg zusammen mit Anh und Jenny im besten Steak-Restaurant der Stadt. Wir waren definitiv in Singapur angekommen!

Insgesamt verkauften wir bereits an der Messe zehn Franchisen á 35 000 Singapur-Dollar. Zudem mussten nun alle Maschinen und die Ausrüstung bei uns, respektive bei unserer Tochtergesellschaft, die wir von Mario «van Gogh» übernommen hatten, gekauft werden. Die Margen waren hoch, kurz mit jeder neuen Franchise verdienten wir uns eine goldene Nase. Einer unserer neuen Klienten war Jason. Er hatte bereits in andere Firmen investiert hatte und war mit verschiedenen Restaurants – die meisten betrieb er im örtlichen *Changi International Airport* – sehr erfolgreich unterwegs.

Bald prangten unsere Firmenlogos werbewirksam in den Abflughallen und die Reisenden standen Schlange, um sich in den Wartezeiten ein erstklassiges Eis zu gönnen. Nachdem Jason den ersten Shop eröffnet hatte, investierte er in ein zweites Geschäft, zudem äusserte er den Wunsch in unsere Firma investieren. Alex mit seinem sehr progressiven Geschäftsverständnis war Feuer und Flamme. Wir bewerteten die Firma zu diesem Zeitpunkt mit zehn Millionen Dollar und offerierten Jason eine Beteiligung von 5 % für eine halbe Million Dollar. Es folgten lange Verhandlungen, zugunsten von Jason, der am Schluss eine 10-%-Beteiligung für die Investition von 500 000 Dollar erhielt. Es war auch für uns kein schlechter Deal, hatte sich der Firmenwert mit dieser Aktion doch innerhalb eines Jahres erneut verdoppelt und war nun fünf Millionen Dollar wert. Ich war somit zumindest auf dem Papier wieder mehrfacher Millionär, und zwar durch eine Firma, die ich in Singapur, quasi aus der Not heraus, gegründet hatte. Es fühlte sich gut an. Die langen Jahre harter Arbeit machten sich bezahlt und ich konnte meiner Familie nun ein komfortables Leben bieten.

In diesem Sinn rückte auch unser Traum, eines Tages in einem sogenannte «Black and White» zu leben, in greifbare Nähe. «Schwarz und weiss» werden in Singapur jene Häuser aus der Jahrhundertwende genannt, die die Engländer bis in die 1930er-Jahre bauten. Da bauliche Veränderungen und Renovationen nicht erlaubt sind, verströmen sie noch heute den authentischen Charme der Kolonialzeit. Diese architektonischen Trouvaillen sind heute geschützt und gehören bis auf ganz wenige Ausnahmen dem Staat, obwohl die Mieten zwischen 10 000 bis 20 000 Singapur-Dollar pro Monat betragen, sind diese Objekte äusserst begehrt.

Sie können nicht einfach angemietet werden, wenn eines auf den Markt gerät – Interessenten müssen an einem Bieter-Verfahren teilnehmen, für das sie sich zu qualifizieren haben. Die Versteigerungen finden verdeckt statt: Wer ein solches Haus wirklich will, benötigt also nicht nur viel Geld, sondern auch viel Zeit und lokales Wissen. Wir nahmen über Monate hinweg an jeder Besichtigung teil und verstanden mit der Zeit immer besser, welche Zusammenhänge bestehen und welche Voraussetzungen erfüllt sein müssen. Dann gelangte unser Traumobjekt auf den Markt, mitten in einem exotischen Wald gelegen mit einem grossen Grundstück, das an einen tropischen Dschungel erinnerte und doch befand sich das paradiesische Anwesen, samt Pool und grosszügiger Patio, nur wenige Autominuten vom pulsierenden Stadtzentrum entfernt. Anh und ich waren hin und weg.

Wir wollten das in der idyllischen Oase gelegene Schmuckstück – und zwar unbedingt. Nach der offiziellen Besichtigung fuhren Anh und ich erneut hin, stiegen über den Zaun der Anlage, erkundigten das Anwesen auf eigene Faust und träumten von unserem Leben an diesem traumhaften Ort. Wir schlenderten durch das leere Haus, waren verliebt und glücklich und haben uns sogar an einem offenen Fenster geliebt. So sehr wir dieses Häuschen auch wollten, wir mussten halbwegs vernünftig bleiben. 10'000 Singapur-Dollar Miete wäre der absolute Höchstbetrag, den wir uns leisten konnten und doch würden die Chancen klein sein, dass wir den Zuschlag bekommen. Wir glaubten an unser Glück. Es zu versuchen, kostete nichts und gleichzeitig wollten wir unbedingt an unserem Preislimit festhalten. Dann hatte ich einen Geistesblitz: Ich wusste, wie sehr man in Singapur an ungerade Zahlenkombinationen glaubt, die Glück bringen. So benannte ich unser Angebot mit 10 112 Dollar. Den Zuschlag erhielten wir eine Woche später. Mit einem Vorsprung von zwölf Dollar war uns dieses Husarenstück gelungen. Unsere Freude hätte nicht grösser sein können.

Einige Wochen später zogen wir ein und investierten erst mal ein kleines Vermögen, um das Bijou bewohnbar zu machen. Dabei ging es um rudimentäre Voraussetzungen – etwa den Einbau von Kochherd und Kühlschrank; beides fehlte. Auch aus solchen Gründen sind diese Häuser nicht in erster Linie etwas für Spinner und Reiche. Es handelt sich um Liebhaberobjekte. Ein bisschen Luxus musste aber doch sein und so liess ich hinter dem Haus eine Sauna einbauen. Wochen später brannten am Abend die Fackeln im Garten, Musik erklang aus dem Innern des Hauses und nach der Sauna sprangen wir alle zusammen nackt in den Pool. Das Leben war grossartig. Das Leben war schön. Wir hatten ein kleines Paradies auf Erden erobert und waren mehr als glücklich.

In diesem Umfeld konnte ich Jenny auch einen Herzenswunsch erfüllen: einen Hund! Ich hielt dieses Anliegen für eine gute Sache, würde sie doch ein Lebewesen aufwachsen sehen und Verantwortung für sein Wohlergehen übernehmen müssen.

An ein Schosshündchen dachte ich dabei nicht, sondern an eine deutsche Dogge. Meine beiden Frauen blickten mich skeptisch an. Ich erklärte ihnen, dass es sich bei dieser Rasse um liebe und gutmütige Tiere handle, die sich vorzüglich als Familienhunde eignen.

Da in Singapur keine deutschen Doggen-Züchter existierten, kontaktierten wir eine Zucht in Australien. Unser Kleiner war vier Wochen alt, als wir ihn per Video-Chat auswählen durften. Ich wollte ihn «Boon» nennen. Boon bedeutet in Thailand Gutes, das ein Mönch hinterlässt, zum Beispiel wenn er ein Haus segnet. Als «Boon» Wochen später bei uns eintraf, war es Liebe auf den ersten Blick. Tollpatschig erkundetet er Haus und Hof und begleitete uns fortan auf Schritt und Tritt. Er brachte uns Glück und Jenny verbrachte bald jede freie Minute mit dem neuen Familienmitglied, das täglich bis zu einem Kilogramm Fleisch frass und bald staatliche Ausmasse annahm. Manchmal hatte ich das Gefühl, dieses Tier wächst über Nacht. Doch trotz seiner bald riesigen Grösse und einem Körpergewicht von 80 Kilogramm blieb es tollpatschig und sehr lieb. Einen besseren Familienhund kenne ich bis heute nicht. Die Voraussetzungen, um eine solche Rasse zu halten, waren bei uns ideal: ein grosses Haus, viel Umschwung und unsere Haushälterin Liezel, die stets anwesend war und sich auch in unserer Abwesenheit um Boon kümmerte. Mit dieser Zeit verbinde ich idyllische und glückliche Erinnerungen: Jenny, Anh, das schöne Zuhause, die gut laufenden Geschäfte: Ich war der glücklichste Mann der Welt!

Ein Jahr, nachdem wir zum besten Franchise-Unternehmen von Singapur gekürt worden waren, flogen wir im Frühsommer 2014 nach Italien, um uns mit einem der besten Ladenbau-Spezialisten zu treffen. Wir wollten unsere Konzepte auffrischen. Diesem Plan lag eine Erneuerung zugrunde, die ich für eine grandiose Idee hielt. Anstatt nur am Morgen Kaffee und in den Abendstunden *Gelato* zu verkaufen, erarbeitete ich das «Casa Italia Konzept»: Vor meinem geistigen Auge sah ich ein italienisches Zuhause – bunt und fröhlich – mit einem grossen Tisch, auf dem von morgens bis abends immer eine kulinarische Köstlichkeit stand. Das italienische Flair, die Authentizität und herausragende Qualität der Speisen waren mir sehr wichtig. Wir wollten mit frisch gemahlenen italienischem Kaffee und süssen Backwaren starten, zur Mittagszeit Pizza, Pasta, Salate und

Brote anbieten, ab den Nachmittagsstunden Kuchen und am Abend erneut italienische Speisen sowie unsere Eiskreationen.

Das neue «Casa Italia»-Konzept ermöglichte den ganztägigen Umsatz und war drauf angelegt, viel Geld in die Kassen zu spülen. Im gastronomischen Bereich dreht sich alles um den *Break Even*. Ist dieser erreicht, handelt es sich bei den folgenden Einnahmen – minus die Kosten für die Nahrungsmittel – um Reingewinn. Als dringendste Aufgabe für jeden Wirt gilt darum: Die Umsätze sollen möglichst hoch über der Gewinnschwelle generiert werden, wobei jeder zusätzliche Franken über dem *Break Even* zwischen 50-70 % Reingewinn abwerfen sollte.

Damit Erneuerungen bei den Kunden und Kundinnen ankommen und angenommen werden, ist die sogenannte nonverbale Kommunikation wichtig. Diese findet über das Marketing und den Ladenbau statt. Farben, Materialien, Schriften, Licht und passende Musik können eine Botschaft spürbar machen. Weltweit gibt es nur wenige Architekten oder Firmen, die auf die hocherfolgreiche Gestaltung gastronomischer Betriebe spezialisiert sind. Rund fünfzig Angestellte, allesamt Koryphäen in ihren Bereichen, gehörten zur erwähnten Firma in Italien, die einen hervorragenden Ruf genoss. Vor Ort besprachen wir eine Woche lang die verschiedensten Spezifikationen und bestimmten auch die notwendigen Maschinen und Installationen. Unser Ziel: hochfunktionale Läden, die über Farben und natürliche Materialien ein beschwingtes Lebensgefühl vermitteln. Damit das neue und erweiterte Konzept erfolgreich in die Realität umgesetzt werden konnte, musste ich zusätzliche Mitarbeiter gewinnen, die den neuen Aufgaben gewachsen waren.

Zuvor galt es einen finanzstarken Partner zu gewinnen. Einer unserer Master-Franchise-Nehmer in Manila kam dafür in Frage. Jasens Angehörige sind im Besitz von Restaurants, Konzept-Läden, Fabriken und Supermarktketten; die Familie gilt als eine der Reichsten im Land.

Im Verlauf von vielen Berufsjahren hatten sich bereits unzählige Kontakte mit asiatischen Superreichen ergeben und oft genug staunte ich, wie einfach es ist, in Asien hochfliegende Geschäftsideen umzusetzen. Für grosse Firmen existieren wenig Restriktionen und wenn man genügend Geld besitzt, lässt sich sowieso fast alles kaufen. Manche asiatische Länder befinden sich heute praktisch im Besitz von einigen hundert Familien, die sich gegenseitig protegieren und dafür sorgen, dass ein paar hunderttausend Leute schier unglaublich reich werden.

Zu erleben, wie schnell Unmengen von Geld angehäuft und auch wieder ausgegeben werden, kann beeindruckend sein. Die Neureichen pflegen ein anderes Verhältnis zum Geld als die Mitglieder einer Familie mit altem Geld, das über Generationen vererbt wurde. Den Umstand, dass manche Vertreter des neuen Reichtums nie gelernt haben, zivilisiert damit umzugehen, kann man ihnen nicht verübeln. Das arrogante und ignorante Verhalten, welches sie bisweilen an den Tag legen allerdings schon. Gerade in Singapur empfand ich die sogenannten «Blitz-Multimillionäre» als Ärgernis. Da sie aufgrund einer ausufernden Warenvielfalt meist heillos überfordert sind, kaufen sie einfach sicherheitshalber einfach alles, was übermässig teuer ist, und ihr Umgang mit anderen Menschen ist, um es vorsichtig auszudrücken, gewöhnungsbedürftig.

Zurück zu Jasen: Bereits im Vorfeld hatte ich ihn wissen lassen, wie unsere Expansionsstrategie aussieht und was alles nötig sein wird, um diese umzusetzen. Er war bereit, mich zu empfangen. Wir vereinbarten einen Termin. Als Treffpunkt nannte er ein exklusives Hotel in Manila. Bei meiner Ankunft staunte ich nicht schlecht: Schwer bewaffnete Leibwächter durchsuchten mich akribisch und liessen mich wissen, dass allfällige Pistolen und Handgranaten in einer bereitgestellten Kiste deponiert werden müssen. Ich war baff. Als Schweizer gehe ich normalerweise nicht kriegstauglich ausgerüstet aus dem Haus. Bewaffnet an einem Meeting aufzukreuzen erschien mir geradezu absurd. Ich war scheinbar der einzige, der so dachte, wie der Blick in die besagte Kiste zeigte. Ich nahm mir vor, zumindest beim nächsten Streit um einen Parkplatz in Manila dem anderen den Vortritt zu lassen.

Dem potenziellen Geldgeber und Franchise-Nehmer aus Manila mein neues Casa-Italia-Konzept erläutern zu dürfen, empfand ich als grosse Chance: Den Prototypen, den wir aus eigener Kasse nicht selbst finanzieren, aber unbedingt verwirklichen wollten, wäre für uns auch eine Plattform zur Vermarktung des neuen Konzepts. Über zwei Stunden lang erläuterte ich Jasen unsere Pläne bis ins kleinste Detail: Wir vereinten unter dem Label «Casa Italia» nun einen Coffee-Shop, ein Restaurant, eine Bar, eine Kinder-Ecke und einen Dinner-Platz, die optisch und funktional als Einheit funktionieren und harmonieren mussten. Was in Singapur wie ein authentisches italienisches Zuhause daherkommen sollte, musste in anderen Ländern genau gleich funktionieren, ganz abgesehen davon, dass die Qualität der Speisen absolut identisch zu sein hatte. Jasen zeigte sich begeistert und sein Angebot übertraf meine kühnsten Erwartungen: Er gab mir «card blanche» und somit unbeschränkte Vollmacht und Handlungsfreiheit, um für ihn die erste Casa-Italia-Lokalität in Manila zu eröffnen.

Ruhe vor dem Sturm

In den folgenden Monaten flog ich unzählige Male nach Italien, um die Entwicklung des Ladenbau-Konzepts zu verfolgen, zu kontrollieren und sicherzustellen, dass alle meine Vorstellungen umgesetzt werden. Manila sollte auch unser bisher grösstes Lokal werden: Prototyp und *Flagshipstore* in einem, die Herausforderungen waren gross und die Vorbereitungen für diesen Meilenstein erwiesen sich als zeitintensiv.

Ich vertraute Jasen und seiner Zusage, dass wir bei der Realisierung freie Hand haben. Optisch erinnerte er mich an einen grossen Jungen. Die funkelnden Augen, das herzliche Lachen, seine Begeisterungsfähigkeit: Er war mir sympathisch. Als wir uns näher kennenlernten, entstand bei mir der Eindruck, dass er viel lieber Musiker geworden wäre als in die grossen Fusstapfen seines Vaters zu treten. Aber in Asien haben Söhne solch erfolgreicher Familien keine Wahl. Mit «Casa Italia», so glaubte ich, verfolgte er ein Projekt, das ihm entsprach und dem er sich mit Herzblut widmete, kurz: Ich beurteilte seinen Enthusiasmus als aufrichtig. Dass er eine versteckte Agenda führte, mich nach Strich und Faden belog und betrog, an der Zusammenarbeit einzig und allein interessiert war, damit er das Konzept im Detail versteht, kopieren und dann ohne uns weiterfahren kann – daran dachte ich in meinen schlimmsten Alpträume nicht.

Noch wähnte ich mich in Sicherheit, investierte all meine Energie in den Aufbau der Firma und tätigte meinerseits grosse Investitionen. Dementsprechend oft war ich nun im Land und lernte vor allem Manila gut kennen. Wenn mich Jasen am Flughafen abholte, tauchte er jeweils mit zwei bis drei Luxuskarossen und einigen Leibwächtern im Schlepptau auf. Ich erfuhr: In der Megacity werden jeden Monat Dutzende von Unternehmern auf offener Strasse gekidnappt. Die Entführungen werden derart professionell und brutal durchgeführt, dass die Polizei selten eingreift. Die Wagen werden am helllichten Tag auf offener Strasse blockiert, wehrt sich das Opfer, wird es auf der Stelle exekutiert. Nicht nur aufgrund solcher Informationen kam ich bald zu Schluss, dass es sich bei der philippinischen Metropole um eine der gefährlichsten Städte der Welt handelt. Ich war oft ausserhalb unterwegs, weil wir dort die Produktionsstätte und die Logistik von «Casa Italia» für Jasen aufbauten. Im Niemandsland, das zehn Fahrminuten vom Stadtzentrum entfernt beginnt und so riesig ist, dass man sich nach stundenlangen Autofahrten noch immer in Manila befindet, herrscht Anarchie. Jedes Jahr strömen Millionen von Menschen in diese Städte, die sie verschlingen, die ihnen nicht gerecht werden und sie in kilometerlange Vororte verdrängen, die wie anarchistische Parallelwelten funktionieren. Gewalt und Armut sind allgegenwärtig und in manchen Vororten von Manila sieht es am Abend bei Dunkelheit aus, wie in den apokalyptischen Szenen von *Blade Runner*. Nicht selten ergriff mich auf diesen Reisen eine Art Weltschmerz, eine Trauer darüber, was ich sah und erlebte.

Glücklicherweise war ich selten allein. Anh und Jenny begleiteten mich, wann immer möglich, und wichen nicht von meiner Seite. Seit ich mir in jungen Jahren die Ermahnungen meiner damaligen Partnerin zu Herzen genommen hatte, fand ich zu entsprechenden Verhaltensweisen, damit ich trotz Panikanfällen normal weiterleben konnte. Mit reiner Willenskraft, das wusste ich in der Zwischenzeit, war dem Problem allerdings nicht beizukommen: Die Angst vor den Panikattacken begleitete mich weiterhin. Ich suchte in Europa, aber auch in Asien Hilfe bei den besten Spezialisten auf diesem Gebiet und befasste mich zwangsläufig mit meiner Kindheit und Jugend, in der ich einsam und verlassen war.

Die dauerhafte Angst vor diesem Zustand, das weiss ich heute, nistet sich in meinem Unterbewusstsein ein und wurde mit der ersten Panikattacke, die ich mit Mitte Zwanzig erlebte, in das Bewusstsein und in die Realität katapultiert. Ab diesem Zeitpunkt benötigte ich einen Menschen an meiner Seite, der mir das subjektive Gefühl von Sicherheit vermittelte und die Gewissheit, dass ich nicht verlassen

132

werde. Musste ich bei seltenen Gelegenheiten allein unterwegs sein, gab es in meinem Kopf eine kurze Liste mit mir wertvollen Personen, die meist von ihrem Glück nichts wussten, doch ich war sicher: Ich könnte sie alarmieren und sie wären sofort zur Stelle.

Mit professioneller Hilfe lernte ich später, die feinen Anzeichen der Angst wahrzunehmen, ihr früh zu begegnen, indem ich mich mental sofort darauf einliess, ihr aber den Raum nicht zugestand, sich zu einem veritablen Anfall zu entwickeln. Zu wissen, woher die Angst kommt, zu wissen, wie sie sich aus dem Nichts heraus manifestiert und wie sie mittels Atemübungen und Eigenfokussierung in Schach gehalten werden kann, bewährte sich, wie bereits erwähnt als wirksame Strategie, damit ich mich aus der Situation befreien konnte, sich die Attacke und die Hyperventilation nicht voll ausbilden konnten. Doch auch wenn diese gelang, spürte ich im Nachhinein solcher Episoden, wie Unmengen von Adrenalin durch mein System flossen, die mich in einen unruhigen Zustand versetzten, der Stunden andauern konnte.

Meine Geschäftspartner und Mitarbeiter sahen in mir einen Mann, der alles aus dem Weg räumt, um seine Ziele zu erreichen, der energetisch und risikobereit keine Furcht zu kennen schien. Dass ich in Tat und Wahrheit kaum in der Lage war, allein mit dem Lift vom Hotelzimmer in die Lobby zu fahren, wusste nur Anh, die dieses Geheimnis niemals verraten hätte.

Während in Manila die Dinge ihren geplanten Lauf nahmen, kehrte ich in den Berufsalltag in Singapur zurück und sah der Ankunft von Stefan mit Spannung entgegen. Endlich war es mir gelungen, diesen erfahrenen Manager abzuwerben. Er blickte auf eine beindruckende Karriere, hatte viele Jahre in Asien verbracht, war zuständig für den Verkauf des hocherfolgreichen Franchise-Konzepts von *Subway* in Asien gewesen. Mit über 44'700 Filialen im Jahr 2016, ist dieses Unternehmen auch heute die grösste Franchise-Kette der Welt. Ich war mächtig stolz, dass er zu uns wechselte und versprach mir von seiner Mitarbeit viel. Zeitgleich wechselte auch

Donato ins «Team Fox». Kurz dachte ich an den anderen Italiener, Mario, der mich an den Rand des Wahnsinns getrieben hatte. Auch er war genial gewesen, jedoch unberechenbar – die Gedanken an ihn schob ich schnell zur Seite. Als Koch und Wirt erlitt Donato einige Male Schiffbruch und da er gerade wieder einmal ein Restaurant an die Wand gefahren hatte, benötigte er dringend einen Job. Ich hielt trotz seiner Misserfolge grosse Stücke auf ihn, war überzeugt, dass er als begnadeter Koch unsere Visionen von der südländischen Kulinarik perfekt umsetzen wird.

Der dritte Mann im Bunde hiess Marco. Er hatte eine mittelgrosse Summe in meine Firma investiert, seinen hoch-dotierten Job gekündigt und arbeitete ab sofort als Verkaufsleiter bei uns. Meine erstklassige Crew kostete mich eine Stange Geld: Zusammen verdienten die drei Goldjungen pro Monat rund 60'000 Singapur-Dollar – umgerechnet also rund 55'000 Franken. In Anbetracht der sehr guten Geschäftslage bereitete mir diese Summe kein Kopfzerbrechen und war mir sicher: Die Invention in gute Leute, die die geplante Expansion des Casa-Italia-Konzepts vorantreiben sollten, würde sich über kurz oder lang ausbezahlen.

Bald würde das erste Casa-Italia-Projekt in Manila seine Türen öffnen; die prognostizierte Eröffnung von rund dreissig Geschäften in den nächsten zwei bis drei Jahren schien für die Philippinen ein realistisches Ziel zu sein. Im ersten Halbjahr 2014 eröffneten wir in Singapur zudem beinahe monatlich eine neues Gelato-Italia-Geschäft und im Juli waren es bereits 21 Filialen. Motiviert und im Glauben an eine grossartige Zukunft schlossen wir sogar Wetten ab, wann die hundertste Filiale eröffnet wird. In der Zwischenzeit verdienten wir unglaublich gut, rund 100'000 Singapur-Dollar pro Lokalität. In diesem Betrag nicht inbegriffen waren Franchise-Gebühren, Trainings, Marketing-Kosten, Maschinen und Ladenbau, die Erstausstattung an Kleinwaren sowie die komplette Innen-Einrichtung, kurz: Unsere Kassen waren voll, bevor die Ladentüren öffneten.

Zudem agierten wir neu als «one Stop Solution-Supplier». Es bedeutete, dass Franchise-Nehmer mit dem nötigen Kleingeld in der Tasche einen Shop eröffnen konnten, ohne einen Finger zu krümmen. Wir regelten vom ersten Gespräch bis zur Eröffnung alles und führten auch die Schulung des Personals und die Kontrolle der Performance nach der Eröffnung durch. Wirtschaftlich handelte es sich bei dieser kostspieligen Serviceleistung um ein riesiges Potenzial. Natürlich nutzten wir auch unsere Einkaufsmacht und verdienten an allem, was in einem Store in irgendeiner Form gebraucht wurde, zusätzlich gutes Geld.

Dies sollte auch für das neue Casa-Italia-Konzept gelten, denn sämtliche kulinarischen Köstlichkeiten würden künftig ebenfalls durch uns vorbereitet, in riesigen Lagerhäusern gehortet und von dort aus an die Franchise-Nehmer ausgeliefert. Fünfzig Casa-Italia-Shops in den nächsten zwei Jahren zu eröffnen, schien für den hiesigen Markt ebenfalls ein realistisches Ziel zu sein und die Investition in fähige Leute, neue Lagerhallen, in die Design-Abteilung und die Fabrikation, war nicht nur vertretbar, sondern auch eine Verpflichtung.

Ich arbeitete bereits achtzig Stunden pro Woche und war mir früh bewusst, dass unser Tempo rasant war. Ich sprach Ermahnungen aus, verlangte meinen Leuten Leistung ab, die man realistisch bewerten konnte. Wie bereits angedeutet: Wenn es gut läuft, will keiner hören, dass die Party auch mal zu Ende gehen könnte und bei jedem Loblied singen alle kräftig mit. Ich gab ebenfalls Vollgas, wollte noch mehr, noch höher hinaus. Weder das Streben nach Macht noch der Ruhm trieben mich an. Ich konnte mein unternehmerisches Potenzial voll entfalten, meine bisherigen Erfahrungen und Erkenntnisse anwenden und unter Beweis stellen, dass ich alles aus eigener Kraft schaffe. Auf der Rakete sitzend flog ich durch das Universum und gelangte auf eine eigene Umlaufbahn. Die Erde lag winzig klein unter mir. Und plötzlich wurde es still und ruhig in mir. Es ist ein wunderbares Gefühl, wenn man glaubt, fast alles erreichen zu können.

Um unsere Expansionspläne verfolgen und umsetzen zu können, hätten wir über mindestens fünf Millionen Dollar Bargeld verfügen müssen. Im Wissen, dass die Geschäfte erfolgreich liefen, bereitete mir der Umstand, dass dies nicht der Fall war, keine allzu grosse Sorgen. Heute weiss ich, dass grosse Vorhaben grosses Kapital brauchen; es stimmt nicht, dass man aus einer Garage heraus ein Imperium aufbauen kann. Zumindest im asiatischen Raum handelt es sich dabei um ein schwieriges Unterfangen, auch weil die dortigen Investoren bevorzugt in die Geschäftsideen ihrer Landsleute investieren, wie ich heute weiss. In der Schweiz wachsen Firmen aber auch langsamer, oft über Generationen hinweg. Man ist auf den Erhalt des Erreichten ausgerichtet, kalkuliert vorsichtig, läuft einen Marathon, während ein anderer Typus von Unternehmer, zu dem ich mich zähle, sich lieber dem Sprint zuwendet und schnell agierend hohe Risiken eingeht. Solche Macher können meist nicht auf riesige Vermögen zurückgreifen, sprich, sie machen in der Aufbauphase fast zwangsläufig hohe Schulden, um auf die Startbahn gelangen zu können.

Da einige Investoren in Zwischenzeit richtig gut an ihrem Investment verdient hatten, waren wir zuversichtlich, dass wir das erforderliche Geld über kurz oder lang generieren werden.

Die Wette auf unseren Erfolg war auch ein Wettlauf gegen die Zeit. Würde es uns gelingen, den Höhepunkt des Erfolgs schneller zu erreichen als uns die mangelnde Liquidität einen Strich durch die Rechnung macht, wäre alles gut. War es Naivität? War es Leichtsinn? Zweimal lautet die Antwort «Nein». Die Eigendynamik, die der Erfolg entwickeln kann, ist trotzdem nicht zu unterschätzen. Ab einem gewissen Zeitpunkt sind Entscheidungen notwendig, von denen man nicht mit absoluter Sicherheit wissen kann, ob sie richtig sind. Man muss sie fällen, will man weitermachen und das bereits Geleistete erhalten und vorantreiben.

Ich war in der Zwischenzeit von hochqualifizierten Mitarbeitern umgeben, die in alle wichtigen Entscheidungen involviert waren und gemeinsam standen wir für unsere Vision, aus dem Casa-Italia-Brand einen internationalen Erfolg zu machen. Stefano intensivierte die Suche nach passenden Investoren. Als ehemaliger Investmentbanker war er Teil des Wahnsinns an der *Wall Street* gewesen und bei der Marktbereinigung von *Lehmann Brothers* als Kind mit dem Bade ausgeschüttet worden. Genau wie Tausende seiner Berufskollegen verlor er damals sein Job. Dafür hatte ich jetzt einen erstklassigen Investment-Banker an Bord. Zusammen liefen wir zur Hochform auf.

Natürlich muss jeder Geschäftsidee ein Dossier zugrunde liegen, damit Investoren überzeugt werden können. Stefano erarbeitete und schrieb minutiöse Konzepte, meine Hauptaufgabe bestand darin, diese zu verkaufen. Um unseren Erfolg zu erklären, mussten wir keine Geschichten erfinden, das war für mich Ehrensache. Ebenso wie ein anderer Punkt: Bei den Beschreibungen gingen wir absolut seriös vor. Mit dem Resultat, dass die Business-Pläne erzkonservativ, aber sehr verlässlich ausfielen. Wir waren bestens am Start, beschäftigten Top-Leute im operativen Bereich und verfügten auch über die notwendige Macht im Absatz unseres Konzepts, um an neue Franchise-Partner zu gelangen. Die Hälfte meiner Arbeitszeit verbachte ich ebenfalls auf der Suche nach möglichen Investoren, kam mit exzentrischen und aufregenden Menschen in Kontakt, so auch mit einem der bekanntesten Unternehmer aus Jakarta.

Über 800'000 Follower zählte sein Twitter-Account, die Dauerpräsenz im Fernsehen und auf verschiedenen Radio-Kanälen hatten Tung Desem Waringin zu einer Berühmtheit gemacht. Nebst seiner Betätigung als Grossinvestor etablierte er ein florierendes Seminarangebot, das sich an international tätige Spitzenmanager richtete. Ihnen wollte er möglichst schnell beibringen, genau so reich zu werden, wie er selbst. Ursprünglich hatte ich ihn bei einer Veranstaltung mit Jordan Belfort kennengelernt, dem «echten» *Wolf of Wallstreet*. Waringin war einer der Gastredner, beim anschliessenden Abendessen machte ich seine Bekanntschaft. Ich wusste: Seine Immobiliendeals bewegen sich jeweils in Grössenordnungen von Strassenzügen und halben Städten. Ihm ging ein schillernder Ruf voraus. Allerdings hatte er auch mit einer haarsträubenden Aktion auf sich aufmerksam gemacht: Um sein Buch «Financial Revolution» zu promoten, warf er aus einem Helikopter zehntausend 1-Dollar-Noten über Jakarta ab. Eine zynische Idee, hatte sie doch zu gewalttätigen Übergriffen unter jenen Menschen geführt, für die ein solcher Geldschein ein kleiner Reichtum bedeutet. Ich behielt meine Gedanken in dieser Sache für mich und nachdem wir uns ein paar Mal in Singapur getroffen hatten, bat mich Waringin, ihn in Indonesien zu besuchen, um an einem Seminar mit über hundert Topmanagern einen Vortrag zum «Casa Italia»-Konzept und zum Erfolg unseres Brands zu halten. Es handelte sich um eine einmalige Gelegenheit, um unser Konzept vor einem hochkarätigen Publikum zu präsentieren: Natürlich sagte ich zu.

Nach der Ankunft machten wir es uns im Hotel «Mandarin Oriental» bequem und warteten auf den angekündigten Wagen. Anstelle des erwarteten Mercedes', stand Mister Warengins persönlicher Rolls Royce vor dem Eingang. Wir kutschierten in dieser auffälligen Nobelkarosse durch die Strassen von Jakarta. Passanten steckten beim Anblick des Autos spontan die Daumen in die Höhe, um zu signalisieren, dass sie diese mehr als protzige Aktion grossartig fanden. In diesem Moment landete ich auf dem Boden der Realität. Die Kluft zwischen arm und reich erschien mir nie grösser als auf dieser Fahrt.

Während es im Innern der Nobelkarosse kühl und absolut ruhig war, die Sitze den schwachen Duft von Leder verströmten, eine Trennwand zwischen Fahrer und Gästen für Privatsphäre sorgte, tummelten sich draussen Tausende von Männern und Frauen, die nicht mehr besassen, als was sie am Körper trugen. Nicht enden wollende Menschenströme schienen von einem stickigen und staubigen Moloch verschluckt zu werden. Die Hoffnung, dass sich das Schicksal irgendwann verändern könnte, sich das Blatt wendet, geben die wenigsten auf. Ist es Fatalismus oder Mut? Vielleicht beides. Auf jeden Fall ist es eine Strategie, um am Leben zu bleiben und den Widrigkeiten einer harten Existenz zu trotzen: eine Haltung, die Respekt verdient.

Trotz vielfacher Besuche konnte ich mich auch mit dieser asiatischen Grossstadt nie anfreunden. Die Jakarta Metropoliten Area ist mit über 30 Millionen Einwohnern (2014) eines der grössten Ballungszentren der Welt. Wenige Superreiche geben hier pro Tag mehr Geld aus als die meisten Einheimischen in ihrem ganzen Leben zur Verfügung haben. Ich fühlte mich schlecht, musste mich aber auf meinen Auftritt vorbereiten und kurz darauf verschlang mich ein anderer Moloch: Mein Referat wurde durch eine bombastische Musik- und Lichtshow begleitet. Als ich mich zwei Stunden später durch die draussen stehende Menschenmenge gekämpft hatte und später wie betäubt erneut im Wagen sass, blitzten von aussen Handykameras durch die verdunkelten Scheiben: Als wäre ich ein Rockstar.

Ich reiste nun beinahe wöchentlich zwischen Singapur und Manila hin und her. Wie bereits erwähnt: Jasen wollte in zwei Jahren dreissig Casa-Lokalitäten eröffnen, was uns einen massiven Gewinn bescheren würde. Wir rechneten mit Einnahmen von rund 1.5 Millionen US-Dollar und einer Signalwirkung für die ganze Region. Für dieses Ziel mussten mein Team und ich viel Unterstützungsarbeit leisten, die weit über den sonst kalkulierten Zeitaufwand für Franchise-Nehmer hinausging.

In Singapur eröffnete weiterhin ein Gelato-Italia-Shop nach dem anderen. Monate zuvor waren wir mit Anfragen förmlich überrannt worden und ich konnte einige gute Verträge abschliessen. Wir genossen die anhaltende Erfolgswelle, die auch unser Selbstbewusstsein stärkte, um unsere ambitionierten Pläne zu verfolgen. Weitere Anfragen klangen vielversprechend, gleichzeitig waren wir mit Indien in Verhandlungen und planten, an der

Franchise-Messe in New York teilzunehmen, um den Schritt in die USA zu schaffen.

Mit Zack hatten wir auch einen Franchise-Nehmer gefunden, der bereit war, einen Casa-Italia-*Flagship-Store* – ein besonders repräsentatives Ladengeschäft – in Singapur zu eröffnen. Das Vorzeige-Objekt sollte über viel mehr Platz verfügen und an bester Lage, an der *Clark Quay*, einer best frequentierten Ausgangs-Strassen der Stadt liegen. Die Miete betrug 45'000 Singapur-Dollar, also umgerechnet etwa 40'000 US-Dollar pro Monat. Zack plante rund eine Million Dollar in den Umbau zu investieren und für uns war dieses Glanzstück natürlich auch noch aus anderen Gründen interessant: Wir würden sehen und erleben wie das neue Konzept in Singapur funktioniert und ankommt. Noch nie zuvor hatte einer unserer Franchise-Nehmer aus Singapur so viel Geld in die Hand genommen. Wir waren nervös, doch schliesslich lag ein Vertragsentwurf zur Übernahme der entsprechenden Lokalität vor.

An diesem Punkt setzte rückblickend, unsere Pechsträhne ein. Einer unprofessionell agierenden Maklerin war es zu verdanken, dass wenig später eine riesige Konfusion entstand. Sie hatte unserem Klienten zusätzliche Mietobjekte unterbreitet, die in der gleichen Überbauung lagen, weniger gut situiert, jedoch zu günstigeren Mietpreisen. Das führte zu Verunsicherung und sofort lagen wieder alle Fragen auf dem Tisch, die wir bereits in den vergangenen Wochen und Monaten gewälzt hatten.

Und: Die abermals endlosen Diskussionen hatten zur Folge, dass sich unser Kunde aus dem gesamten Projekt zurückzog! Einen Kunden auf diese Art und Weise zu verlieren, konnte man nur als Schande bezeichnen. Es war ein klägliches Versagen aller Beteiligten und ich ärgerte mich wie selten in meinem Leben. Diese Episode, so weiss ich im Nachhinein, war nur die erste von vielen dunklen Wolken, die bald am Himmel aufziehen sollten. Wir wollten sie nicht sehen, hatte auch keine Zeit, um in den Himmel zu blicken, denn der

140

Erfolgswille, aber auch der Erfolgsdruck trieben das Tempo weiter an.

Finanziell ging es uns zu diesem Zeitpunkt noch immer sehr gut. Wir lebten von den Aufträgen, die wir sechs bis zwölf Monate zuvor eingefahren hatten. Den einen oder anderen Rückschlag konnten wir gut verkraften. Erfolgsverwöhnt: So standen wir auch in der Aussenwelt da und niemand bemerkte, dass das eine oder andere Nachfolgeprojekt weniger gut gelang als gedacht.

Haben und Sein

Die vergangenen Monate hatten an meinen Kräften gezehrt. Ich war müde, geradezu erledigt und erschöpft, was ungewohnt war für mich, schienen meine Energiereserven ansonsten doch grenzenlos zu sein. Die private Zeit konzentrierte sich jeweils auf eine Stunde pro Tag. Mich mit Jenny zu beschäftigen empfand ich als Freude, die immer viel zu schnell wieder beendet war. Ebenfalls vermisste ich die Zweisamkeit mit Ahn. Ein kleines Vergnügen, das ich mir allerdings auch in sehr arbeitsreichen Zeiten gönnte, war der sonntägliche Ausflug mit der Familie und den Hunden an den Strand, der wie üblich in Singapur über Dutzende von Kameras und einen künstlich angelegten Park verfügte.

Unsere Dogge war in der Zwischenzeit ein ausgewachsenes Tier und hatte einen Kollegen erhalten. Als wir «Blue» Wochen zuvor am Flughafen abholten, machte uns ein schrilles Bellen auf seine Anwesenheit aufmerksam. Glücklich wedelnd verliess er seine Box. Wir waren sofort ein Herz und eine Seele. Ein süsses Knäuel mit stahlblauen Augen und einem schwarz-weiss gefleckten Fell. Zusammen bildeten die Tiere fortan ein unzertrennliches Gespann und hielten die Schlangen, darunter schwarze Kobras, die sich im Unterholz unserer dschungelartigen Gartenanlage aufhielten, fern.

Obwohl es verboten war, liessen wir die Hunde frühmorgens am noch menschenleeren Ufer von den Leinen und genau so wie wir, genossen auch andere Hundehalter diese kleine Freiheit in einem ansonsten lückenlos überwachten Staat. Die Hitze in Singapur ist anstrengend und machen Aktivitäten am Nachmittag im Freien fast unmöglich. So taten auch wir in der Zwischenzeit, was Hunderttausende von anderen Einheimischen am Wochenende tun. Wir besuchten im Anschluss an den Ausflug an den Strand eine Shopping-Mall. Wir assen Nudelsuppe und machten dieses Gericht zu unserem Ritual, bevor die hektische Woche erneut startete.

Jetzt zog zum Glück der Dezember ins Land. Ich wusste: Weihnachten und Neujahr sorgen sogar in Singapur für eine wenig Ruhe. Den bevorstehenden Feiertagen sah ich mit Freude entgegen. Als Belohnung für die hinter uns liegende anstrengende Zeit hatte ich eine Kreuzfahrt in die Südsee gebucht. Kurz nach Weihnachten schlenderten wir dem Quai im australischen Sydney entlang und bestaunten das Schiff: 5'000 Leute würden in den nächsten Stunden an Bord gehen. Reisen auf dem Wasser liebte ich schon immer und spontan dachte ich an die Speed-Boot-Fahrt über den Mekong, an Beat, der den Alkoholvorrat angeschleppt hatte und die Fabrikbesichtigung. Erinnerungen an ein Leben, das weit hinter mir zu liegen schien, obwohl in Tat und Wahrheit erst sechs Jahre vergangen waren, seit ich die Firma im Zug der Finanzkrise von 2008 verkaufen musste.

Ich freute mich sehr, einige Tage am Stück mit Anh und Jenny zu verbringen und wusste: Wir werden es uns dabei so richtig gut gehen lassen. In weiser Voraussicht buchte ich die «Owners Suite», eine der grössten Kabinen der Luxusklasse und als wir auf das Deck 10 gelangten und die Türe aufstiessen, betraten wir eine exklusiv eingerichtete Wohnung mit zwei Schlafzimmern, einem Wohnraum, einem Arbeitsbereich, sowie zwei Balkonen. Auf dem Tisch stand eine eisgekühlte Flasche Champagner. Ich war begeistert. Ebenfalls befanden wir uns im Besitz einer goldenen *Bord Card*. Egal, was wir gerade benötigen würden, einen Hortplatz für Jenny oder den besten Tisch im schönsten Restaurant des Kreuzschiffs: ohne Anstehen und ohne Wartezeiten würden solche Wünsche umgehend erfüllt. Ein privater Butler, der rund um die Uhr zu unserer Verfügung stand, rundete den Luxus-Urlaub ab, den ich mit Genuss und Lebensfreude gleichsetzte, weil eine solche Reise auch für uns keine Selbstverständlichkeit war.

Natürlich konnten wir uns zu diesem Zeitpunkt viel leisten, lebten gut, investierten das Geld jedoch mehrheitlich in gemeinsame Erlebnisse. Irgendwann begriff ich, dass es keine Rolle spielt, was man hat, sondern wie sich der materielle Besitz im Verhältnis dazu verhält, was andere ihr Eigen nennen. Wir wissen es alle: In Uganda geniesst ein Fahrrad einen anderen Stellenwert als in Deutschland, wo die meisten Menschen ein Auto besitzen. In Asien kann man bei manchen Reichen einen besonders offensiven Umgang mit Luxusgütern beobachten. Der Wille sich gegen jene abzugrenzen, die nichts besitzen, treibt meiner Meinung nach viele widersinnige Aktionen an. Das Bedürfnis zu zeigen, was man erreicht hat, wie erfolgreich man im Leben dasteht, jedoch auch ein mangelnder kollektiver Umgang mit viel Geld, das ohne eigentliche Leistung auf einen niedergeprasselt ist, verleitet manchmal zu groben Exzessen.

Die Zurschaustellung von Reichtum und Status führt vor allem dazu, dass Luxus nicht mehr als Möglichkeit erlebt wird, um in erster Linie die eigene Lebensqualität zu verbessern. Auch ich genoss das Leben in vollen Zügen. Allerdings verprasste ich das Geld nie für teure Autos, Armbanduhren oder protzige Klamotten. Ging es darum, alles zu machen und zu erleben, was man will und ohne Rücksicht nehmen zu müssen, was es kostet, war ich allerdings immer an vorderster Front dabei. Das Beste an dieser Art den Wohlstand zu zelebrieren? Die damit verbundenen Erlebnisse und Erfahrungen konnte mir niemand wegnehmen: Auch später nicht, als ich alles verlor und bei Unternull wieder anfangen musste.

Wie auch immer: Bald stachen wir in See und befanden uns auf dem offenen Meer. Zweieinhalb Tage lang im Niemandsland. Eine Platte wie aus gebürstetem Eisen, der Horizont als dunkle Linie auf dem Wasser liegend. Ich verbrachte viel Zeit auf unserem Balkon. Ich tat nichts. Ich trank keinen Champagner. Benötigte die Dienste des Butlers nicht. Ich blickte auf das Meer hinaus, das sofort seine heilende Wirkung entfaltete. Alles relativiert sich bei diesem Anblick, der für mich das Universum repräsentiert. Die Ruhe war allumfassend und der Umstand, dass ich weder per Handy noch per Computer erreichbar war, empfand ich als Wohltat. Zum ersten Mal seit langem nahm ich Sehnsucht nach einem Leben mit weniger Stress und Druck wahr, ebenso wie das Bedürfnis nach sinnvollen Aktivitäten.

Meine Hoffnung, dass mein Leben nach der Rückkehr aufs Festland wie ein weisses Blatt Papier vor mir liegen möge, ich es neu beschreiben kann, die alten Probleme und Verpflichtungen einfach verschwunden sind, würde sich nicht erfüllen lassen, soviel war sicher. Plötzlich empfand ich meine Ziele, die sich unter dem Strich immer daran orientierten, wie viel Geld sie einbringen werden, als banal und sinnlos. War ich erfolgreich? Als Geschäftsmann sicher. Doch ein gutes Leben würde ich irgendwann noch anders definieren müssen als über einen privaten Butler auf einem Kreuzfahrtschiff. Während dieser Überlegungen, bei denen unser Schiff Richtung Süden steuerte, um das nächste Reiseziel in der Karibik zu erreichen, durchfuhren wir plötzlich einen riesigen Teppich aus Plastikmüll. Kilometerweise ist das Meer auf diesen Breitengraden durch menschlichen Abfall verunreinigt. Diese riesigen Plastikinseln sind vom Mond aus sichtbar und sie setzen sich unter der Wasseroberfläche fort, denn in Strudeln werden Kleinteile kilometerweit ins Meer gezogen. Eine Naturkatastrophe, die Flora und Fauna schädigt und den Planeten gefährdet.

Heute weiss man, dass über diese Plastikinseln auch Mikroplastik in die Tiefen der Ozeane gespült wird; eine zusätzliche Gefahrenquelle, nicht nur für die Meerestiere – denn die Mikroteilchen werden über die Nahrungsmittelkette wieder in den Umlauf der Zivilisation gebracht. Beim Anblick der Plastiksuppe war ich schockiert und agierte doch wie die meisten Menschen: Ich verdrängte das Thema, wollte mir die schöne Reise nicht verderben lassen, trank an diesem Abend ein paar Gläser zu viel, schlief traumlos und am nächsten Morgen lag das Meer erneut tiefblau und spiegelglatt vor mir.

Unsere Titanic war teilweise grösser als die Inseln selbst und das Anlegen des Kolosses erwies sich als unmöglich. Also bestiegen wir ein Schnellboot und wurden von den Einheimischen der «Mistery Island» sofort mit Beschlag belegt. Die Attraktion? Touristen konnten einen Kochtopf besteigen und sich so fotografieren lassen. Tatsächlich sind manche Südseeinseln bekannt dafür, in der

145

Vergangenheit dem Kannibalismus gefrönt zu haben. Ich fand dieses touristische Fotosujet lustig und zugleich absurd. Noch absurder erschien mir der Hinweis, die Insel in der ungefähren Grösse einer Kokosnuss, verfüge über einen internationalen Flughafen. Das musste ich mit eigenen Augen sehen. Anh und Jenny im Schlepptau gelangten wir auf einen kleinen Platz mit einer noch kleineren Hütte: Das Terminal! Über der scheinbar unbenutzten Anlage prangte ein riesiges Schild «International Airport of Mystery Island». Ich lachte Tränen.

Zurück am Strand wurde mir schnell alles zu viel: Kochtöpfe, Haare flechten, Touristen. Wir beschlossen an das andere Ende der Insel zu laufen und befanden uns auf einem schmalen Pfad, als Anh kichernd fragte: «Was machen wir, wenn ein Flugzeug landen will?» Ich lachte über den Witz, doch im nächsten Augenblick erblickte ich tatsächlich einen Punkt am Himmel.

Es handelte sich um zwei grösser werdende Propeller. Mit lautem Geknatter steuerte das Flugobjekt, das an die zusammengeschusterte Kreation eines Daniel Düsentrieb erinnerte, auf uns zu. Anh und ich realisierten im selben Moment, dass es sich bei unserem Spazierweg um die Landebahn handelte. Panisch setzten wir uns in Bewegung und Sekunden nachdem wir uns – Jenny unter dem Arm – mit einem Sprung in den Dschungel retteten, brummte das Propellerflugzeug wenige Meter über unsere Köpfe hinweg und landete ziemlich abrupt auf dem Boden: Genau dort, wo wir kurz zuvor gestanden hatten. Anh und Jenny beobachteten das Spektakel mit offenem Mund. Ich lachte zum zweiten Mal an diesem Tag Tränen. Meine beiden Frauen fanden es weniger lustig und liessen sich erst am Abend wieder versöhnen. Wir besuchten das beste Restaurant an Bord. Anh und ich tranken auf den Schreck des Nachmittags eine Flasche Wein. Jenny schlief längst, als wir einige Schnäpse später den aufregenden Tag mit einem romantischen Spaziergang an Deck beschlossen. Anh konnte es nicht lassen, wies auf zwei nebeneinander liegende Sterne und schrie: «Hilfe, ein Flugzeug!»

Am nächsten Morgen präsentierte sich die See rau. Für eine eigentliche Landratte wie mich erwies sich der stundenlange Tanz über Wellen, das Niederkrachen in die Tiefe und die unberechenbaren Bewegungen unseres Riesenschiffs als Herausforderung. Ich nahm unser Gefährt jetzt als Körper wahr, durch den ein ständiges Zittern fuhr, wenn er mit Volldampf in die gigantischen Wellen eintauchte. Der Alkoholkonsum vom Vorabend sass mir in den Gliedern und bald war mir speiübel. Ich ärgerte mich über mich selbst und war in diesem Zustand bereit, der unangenehmen Wahrheit ins Auge zu blicken: Entweder trinke ich wenig, dafür konstant oder dann trinke ich mit Abständen, dann aber umso massloser. Auch betrunken werde ich nicht ausfällig oder aggressiv, neige allerdings zu allerlei Unfug, bevor ich irgendwann einfach einschlafe.

Trotzdem erschien mir dieses Verhalten nun plötzlich als Kompensation, aber für was genau? Um Stress und Druck abzubauen, um negative Gefühle zu balancieren? Mit meinem Alkoholkonsum beschäftigte ich mich schon länger. Einen entspannten Umgang mit Wein, Bier und Schnaps fand ich bisher trotzdem nicht, doch das sollte sich nun ändern. Vorerst stand ich wie ein Häuflein Elend an der Reling. Ich schlurfte in Anhs Nähe und klagte ihr mein Leid, gelobte sofortige Besserung und hörte mich tatsächlich sagen: «Ab heute werde ich ein Jahr lang keinen Tropfen Alkohol trinken.» Meine Liebste lächelte milde. Zugeständnisse unter Schmerzen sind eine einfache Sache, aber sobald das Aspirin Wirkung zeigt, verschwinden die guten Vorsätze so schnell, wie man sie gefasst hat. Mir war es jedoch ernst. Ich fragte Anh: «Würde es Dich stören?» Sie lachte. «Sicher nicht.» Ich fühlte mich noch immer beduselt und erbat mir einen Tag Bedenkzeit. Am nächsten Morgen war der Handschlag fällig. Ab sofort wollte ich keinen Tropfen Alkohol mehr trinken.

Kleiner Einschub: Ich zog es durch, auch nach der Rückkehr aufs Festland. Aus einer Woche wurde ein Monat, aus einem Monat ein halbes Jahr. In den ersten zwei, drei Monaten machte mich der

Alkoholverzicht müde und es gab harte Momente. Das Trinken ist auch eine soziale Angewohnheit, es hat eine verbindende und beruhigende Wirkung. Zudem waren die Weinregale zuhause zum Bersten voll, im Kühlschrank lagerten unzählige Bierflaschen. Ich rührte nichts an. Ich hätte trinken können, wollte aber nicht. Nach einigen abstinenten Monaten stellte ich fest, dass ich in meinen Gedanken klarer bin als zu Zeiten stetigen Alkoholkonsums. Es war ein schönes Gefühl, das ich nicht mehr missen wollte. Wenn ich heute am Morgen aufstehe, bin ich sofort hellwach, benötige keine Anlaufzeit. Mein Gehirn arbeitet einwandfrei und messerscharf. Auch das ist ein Rausch; die geistige Klarheit.

Bis es soweit war, zogen Monate ins Land und dann näherte sich der Jahrestag, an dem mein Versprechen erfüllt sein würde, ich zu meinen alten Gewohnheiten zurückkehren durfte. Ein Jahr lang ohne Alkohol: Wenn das kein Grund zum Feiern ist! Anh und ich befanden uns in den Startlöchern. Nur noch drei, nur noch zwei, nur noch ein Tag, und dann wäre es soweit. Wir dürfen wieder richtig Gas geben. Doch dann vertagten wir die Sause auf morgen und dann auf den übernächsten Tag. So zog ein weiteres Jahr ohne Alkohol ins Land. Einmal entdeckte Anh in einem Geschäft kleine Flaschen aus Schokolade, die mit verschiedenen Likören gefüllt sind. Ich liebte diese Süssigkeiten, verputzte gleich mehrere Stück und fühlte mich danach komplett betrunken. Ich fragte mich, ob ich diesen Zustand grossartig finde und kam zum Schluss – nein, überhaupt nicht. Seitdem sind sechs Jahre vergangen, ich trank zweimal ein Bier in dieser Zeit und mochte den Geschmack nicht mehr. Wie wunderbar es doch ist, sich an einem Anlass zu amüsieren, entspannt nach Hause zu fahren am nächsten Tag aufzustehen und joggen zu gehen. Kein Kater, kein Frust, dafür die Gewissheit nicht mit den Kleidern in den Pool gesprungen zu sein und auch sonst nichts angestellt zu haben, wofür man sich bis ans Ende seines Lebens schämen muss.

Dieses neue Lebensgefühl hatte ich also einer betrunkenen Nacht auf einem Kreuzfahrtschiff zu verdanken, nachdem wir auf einer mit ehemaligen Kannibalen bevölkerten Südseeinsel beinahe

148

von einem Propellerflugzeug getötet worden wären. Ist das Leben manchmal nicht zum Schreien komisch und auch genauso wundervoll in all seinen Zufällen? Meines schon. Und apropos übermässiger Luxus: Die Einsparungen, die ich seit unserer opulenten Kreuzfahrt machte, weil ich dem Alkohol abschwor, übersteigen die Kosten des Trips in der Zwischenzeit natürlich um ein Mehrfaches.

Meine Maxime – man muss den Problemen ins Auge blicken, damit man sein Verhalten steuern kann – hat sich in meinem Leben bewahrheitet. Nicht nur den übermässigen Alkoholkonsum auch andere schädigenden Verhaltensweisen – ich war siebzehn Jahre lang Kettenraucher – konnte ich so hinter mir lassen. Weil ich nicht mehr wollte. Die Willensfreiheit, aber auch die Selbstkontrolle sind ebenfalls wichtig, um solchen Zielen näherzukommen. In meine Fall gab es immer einen Schlüsselmoment, der mir klar vor Augen führte, dass sich etwas ändern muss, dass ich etwas ändern will, weil eine Belohnung winkt – ein klarer Geist, Wohlbefinden – und klar war ich auch stolz als ich in den Spiegel blickte und einen erneut schlanken und ranken Jüngling erblickte, nachdem ich es geschafft hatte, 35 Kilogramm abzunehmen. Unter dem Strich lässt sich sagen: Ich kenne viele die Laster und auch die riesigen Hürden, die man nehmen muss, um sie zu überwinden. Eine Erkenntnis finde ich besonders wichtig: Vielen Verhaltensweisen, die ausser Rand und Band geraten, liegt das Bedürfnis zugrunde, zu kompensieren: Schmerz, Misserfolg, Stress, Kummer jeglicher Art. Drogen, Alkohol, Völlerei, Kaufsucht, Sexsucht und andere schädigende Verhaltensweisen sind Möglichkeiten, um der Realität zu entfliehen. Ich finde: Wer seine Realität nicht erträgt, sollte versuchen, diese zu verändern.

Das Eis wird dünner

Mein Traum, den ich auf hoher See gehegt hatte, ging natürlich nicht in Erfüllung. Die Firma war noch da, als ich in Singapur wieder an Land ging: mit allem, was dazu gehörte. Bald hatte mich der hektische Alltag wieder: Eine gute Bekannte von mir, die bei der grössten Eigentümerschaft von Einkaufszentren in Singapur gearbeitet hatte und in der Zwischenzeit als Standort-Verantwortliche von IKEA South East Asia amtete, überzeugte mich davon, eine Flaggschiff-Lokalität in Malaysia zu übernehmen. Das Angebot war unwiderstehlich. Als wir unterschrieben, befand sich das riesige Projekt noch in der Planungsphase. Die Idee des schwedischen Konzerns in Asien eigene Einkaufszentren zu planen, erwies sich als schlauer Schachzug, hatte die Vergangenheit doch gezeigt: Sobald sie irgendwo auf einer grünen Wiese ein Projekt starteten, entstand im Dunstkreis des Möbelriesen innert kürzester Zeit regelrechte Einkaufs-Städte.

Unser Platz lag in einer breiten Passerelle, die das Möbelhaus mit der *Mall* verband. Tausende von Passanten würden diesen Verbindungsweg jeden Tag benutzen hiess es und: Casa Italia galt als bestes Konzept der gesamten Überbauung. Wow, was für ein Geschenk! Wer als Betreiber figurieren sollte, wusste ich zwar noch nicht, als ich die Füllfeder unter den Vertrag setzte, war aber felsenfest davon überzeugt, den passenden Franchise-Nehmer innert nützlicher Frist zu finden. Tage später reisten wir in die Schweiz. Mike, ein Vermögensverwalter aus Zürich und bestens vernetzt mit vielen hochkarätigen Leuten aus dem Finanzbereich, hatte Termine bei potenziellen Investoren organisiert. Pflichtbewusst bereitete ich mich auf diese Treffen vor. Wir hofften auf Investitionen in der Höhe von vier Millionen Franken, mit denen wir den Liquiditätsbedarf decken konnten.

Die Meetings liefen gut, die Gespräche waren intensiv. Ich war zuversichtlich, dass es funktionieren wird. Und ein anderer Umstand trug zu meinem Glück bei: Nach dem vielversprechenden Treffen fuhren Anh und ich nach Bern. Um zu heiraten! Anzug. Trauzeugen. Champagner. Als wir das Standesamt verliessen, stand zu unserer Überraschung eine goldfarbene Stretch-Limo vor der Türe. Freunde und Familie hatten dies ermöglicht. Ich wollte eigentlich nie heiraten, verstand aber, dass die Ehe für Anh einen ganz anderen Stellenwert hat als für mich. In Vietnam ist es entscheidend, verheiratet zu sein, wenn eine Frau mit einem Mann zusammenlebt. Diese Haltung respektierte ich und so kam es wie es kommen musste: Ich machte ihr einen Antrag.

Es wäre nicht meine Art gewesen auf das Standesamt zu huschen und danach sang- und klanglos in den Alltag zurückzukehren. Wenn schon heiraten, dann richtig: Nach der standesamtlichen Trauung flogen wir nach Bali, um den grossen Tag mit einem rauschenden Fest zu feiern. Auf einer Klippe über dem Meer fand die Zeremonie statt und während die Sonne am Horizont im Meer verschwand, flatterten weisse Tauben in den Himmel. So wurden wir auch offiziell zu Mann und Frau.

Die Liebe stand selbstverständlich im Vordergrund dieser Entscheidung, allerdings hegten wir auch den Plan mittelfristig in die USA auszuwandern. Stefano würde das Casa Italia in Singapur weiterführen, während ich den Brand auf der anderen Seite des Erdballs etablieren wollte. Ahns vietnamesischer Pass würde die Einreise nicht vereinfachen und nach dem Debakel in Australien schwante mir bereits Böses, wenn wir dies unverheiratet umsetzen wollten. Also: Liebe, Kind und erleichterte US-Einreise waren in dieser Reihenfolge beste Gründe, um in den Hafen der Ehe einzufahren.

Bevor wir nach Singapur zurückflogen, fand die zweite Investoren-Runde in Zürich statt und nach einigen Personalgesprächen stand fest: Catherine sollte unsere neue Brand-Managerin werden. Einer meiner Mitarbeiter hatte mich überzeugt, dass die Bereiche Branding, Brand Control, *Brand Awareness* zunehmend wichtig werden und wir auf diese Themen fokussieren sollten. Unsere Lohnkosten waren in der Zwischenzeit exorbitant hoch. Die erhoffte Ertragssteigerung, die meiner Ansicht nach eine Frage der Zeit war, rechtfertigte diese Investitionen und doch muss ich im Nachhinein sagen: Ich war zu gutgläubig, zu stark fokussiert auf unseren Erfolg.

Einen Plan B – was geschehen wird, wenn die Mitglieder unserer Top-Teams versagen oder zumindest unter den erwarteten Leistungen bleiben – gab es nicht. Noch standen uns genügend finanzielle Mittel zu Verfügung, um uns auf das Wachstum zu konzentrieren. Im April 2015 bezogen wir, da unsere Administration aus allen Nähten platzte, in Singapur neue Büro- Räumlichkeiten. Ich hatte das Interieur selbst entworfen und mich dabei mächtig ins Zeug gelegt: Mit einer Raumhöhe von vier Metern, veranschaulichte diese lichtdurchflutete Lokalität auf den ersten Blick, auf welchem Weg sich die hier agierenden Firma befand: steil nach oben. Alle Zeitungsartikel, die jemals über uns erschienen waren, hingen gerahmt an der Wand, auf der auch unser Firmenlogo prangte.

Im Hintergrund plätscherte jene Casa-Musik, die zu unserm Konzept gehörte und in allen Geschäften zu hören war. Alle Puzzleteile würden eines Tages ein grosses Ganzes ergeben, sich zusammenfügen, ein prachtvolles Bild ergeben, so war ich damals überzeugt. Und alle anderen dachten wie ich, bestätigten meine Entscheidungen, waren Feuer und Flamme für unsere Sache.

Wenn man auf diesem Level Geschäfte anreisst und betreibt, ist das gesamte Umfeld ähnlich unterwegs: Noch mehr von allem, ist die Devise. Alle denken und handeln gleich. In diesem Umstand sehe ich heute eine grosse Gefahr. Die Mitglieder einer solchen Peer-Group bieten kein Korrektiv. Niemand mahnt zur Vorsicht. Niemand bremst. So fühlt sich der Leader in allem, was er denkt, sagt und entscheidet, bestätigt und hält sich befeuert durch sein Umfeld im schlimmsten Fall für unfehlbar. Heute weiss ich auch: Schlimmer als die Gleichgesinnten sind jene, die Werte übernehmen, die ihnen eigentlich nicht entsprechen. Aus dem einfachen Grund, weil sie glauben, ihr persönlicher Profit falle grösser aus, als wenn sie kritisch äussern, was sie wirklich denken. Droht ein Absturz, berufen sie sich vehement auf ihre eigentlichen aber nie geäusserten Überzeugungen und agieren als härteste Kritiker, die es gibt.

Im Zug unserer Neuausrichtung und unserer Euphorie trugen wir uns mit dem Gedanken, die legendäre Bäckerei «les Trois Petites Croissants» in Singapur zu übernehmen, die über ein riesiges Ladenlokal verfügte. Wir verhandelten lange mit den Besitzern, die sich einen guten Namen erarbeitet hatten. Sie buken nach allen Regeln der Kunst wunderbare Brote, Patisserie und vor allem Croissants. Das Geschäft befand sich im Besitz von drei Einheimischen, von denen zumindest einer auf eine halbe französische Staatsbürgerschaft blicken konnte. Frank, ein super schlauer Junge mit einer super kleinen Brille, war auch ein ausgezeichneter Bäcker. Wir wussten, dass sich die Besitzer bei der Neueröffnung massiv verrechnet hatten. Nun drohte die Pleite. Wir legten uns mächtig ins Zeug. Am Schluss machte ein anderer Kandidat das Rennen. Der Zuschlag ging an ein koreanisches Restaurant mit Besitzern, die später alles niederrissen, die Fläche verdoppelten und den talentierten Frank auf die Strasse setzten. Wir stellten ihn ein, da er eine Menge über die sogenannte prozessorientierte Produktion wusste. Dabei wird das Unternehmen nicht nach Abteilungen oder Funktionen organisiert, sondern nach einzelnen Produktionsschritten, die im Bereich der Herstellung zu einer organisatorischen Einheit zusammengefasst werden.

Im Sog der Erweiterung und Vorbereitung auf den globalen *Roll Out* der anstehenden Expansion in den Philippinen, die Investoren-Gespräche in Zürich und in Singapur, unterlief uns ein Fehler. Wollten wir den Tatsachen zu lange nicht ins Auge blicken oder wurden wir vom Alltag mit den vielen Problemen

überrollt? Waren wir geblendet, hatten wir das Wesentliche aus den Augen verloren? Tatsache war, dass der Verkauf der Franchisen ins Stocken geraten war. Anfänglich brachten wir die Flaute mit der Tatsache in Verbindung, dass bisher keine Beispiele existierten, die unser neues Konzept propagierten.

In diesem Sinn rechneten wir damit, dass sich das Blatt wendet, sobald der erste Casa-Italia Shop in Manila eröffnet wird. Wir arbeiteten weiter wie die Wahnsinnigen, mussten ein Jahr später aber feststellen, dass noch immer kein einziger Franchise-Deal unter Dach und Fach gebracht worden war. Auch aufgrund Marcos Ankündigungen, dies problemlos zu schaffen, hatten wir massiv investiert und ein grosses Team zusammengestellt. Dass ein *Head of Sales,* der bei seinem früheren Arbeitgeber sicher ebenfalls unter teilweise schwierigen Bedingungen fast eine halbe Million Franken als Lohn verdient hat, bei uns aber innerhalb von zwölf Monaten keinen einzigen Verkauf zustande brachte, ist mir bis zum heutigen Tag schleierhaft.

Zeitgleich entluden sich andere Wolken als heftige Gewitter über uns. Jasen, unser philippinischer Franchise-Nehmer, gebärdete sich immer unselbstständiger und alles was er auch nur im Ansatz selbst hätte organisieren müssen, endete in einem Desaster. Meine Ansage an das Team war klar und deutlich: Egal was es kostet, Manila muss ein Erfolg werden. Wir steckten weiterhin viel Geld und Arbeitskraft in den Aufbau dieser ersten und so wichtigen Casa-Italia-Lokalität, liessen uns von diesem Projekt regelrecht absorbieren, bis die ganze Firma nur noch mit Manila beschäftigt war. Resultat: Unsere Kosten für dieses Projekt fielen sehr viel höher aus als kalkuliert, während in Singapur weiterhin Flaute herrschte.

Die kostspieligen Spezialisten meiner Mannschaft brachten die erwartete Leistung nicht und auch die Brandmanagerin entwickelte sich zu einer Enttäuschung. Genau wie die anderen, konnte sie einen erfolgreichen Werdegang, erstklassige Leistungsausweise und Referenzen vorweisen. Doch nach zwei Monaten hatte sie nur gerade einige simple Standards zu dem Namen- und den Preisschildern definiert. Daran änderten auch die kommenden Monate nichts: Sie agierte nach den starren Grundsätzen einer Marketingschule, war zu wenig beweglich und kreativ, um den Sprung in unseren Alltag zu schaffen. Ich wurde ratlos, zweifelte an meinem Bauchgefühl, das mich in Personalfragen bisher selten im Stich gelassen hatte und musste mir eingestehen: Die grossen Versprechen, die die Bewerber in die Waagschale geworfen hatten, damit es zu einer Anstellung kommt, wurden nicht oder nur ungenügend erfüllt.

Zu den exorbitanten Personalkosten kamen nicht verkaufte Franchisen dazu, so verdoppelte sich der Verlust. Zwischen unseren hochfliegenden Zielvorgaben und der Wirklichkeit, respektive zwischen Einnahmen und Ausgaben, klaffte ein immer grösser werdendes Loch. Der Apparat war zu gross geworden, die Kosten horrend, vor allem die Personalkosten meiner hochkarätigen Mannschaft erzeugten hohen Druck. Jeder Unternehmer, der einmal in einer solchen Zwickmühle gesteckt hat, weiss, dass ein *Downsizing,* also die Verkleinerung einer Firma, Monate in Anspruch nimmt, bevor die Massnahmen greifen und Kosten gesenkt werden können.

Der Kapitän verlässt das sinkende Schiff nicht und auch die Hoffnung, das Steuer doch noch herumreissen zu können, liess mich weitermachen. Hatte ich auf dem Weg nach oben zu schnell zu viel gewollt und dabei das Risiko unterschätzt? Für solche Überlegungen blieb wenig Zeit. Bald waren wir damit beschäftigt, den Kopf über Wasser zu halten und steckten gleichzeitig unsere ganze Energie in das Überleben der Firma. Dass ich die Notbremse nicht früher zog, dem schlechten Geld bald gutes Geld – nämlich mein eigenes – hinterherwarf, hatte gute Gründe.

Von der erstklassige Positionierung von Casa Italia im Luxus-Einkaufszentrum «My Town» in Kuala Lumpur erhoffte ich mir die Rettung – ebenso von der Lokalität in einer atemberaubenden

Luxus Mall in Singapur, dem damals höchsten Wohngebäude in Asien: *Tan Jong Paar* galt als vielversprechendes Projekt. Unterhalb des Gebäudes kreuzen sich drei U-Bahn Linien. Man erwartete dort den zweithöchsten Food-Traffic in ganz Singapur – also riesige Menschenmengen, die sich auf diesem Gelände verpflegen würden. Ein Jahr zuvor waren wir von den Entwicklern dieses Projekts zu einer Präsentation eingeladen worden. Sie boten uns einen *Flagship Store* direkt beim U-Bahn-Ausgang an. Zu diesem Zeitpunkt galt unser Konzept als hip, alles lief damals bestens und so hatten wir dem verlockenden Angebot zugesagt.

Mit solchen Aktionen glaubten wir zwei Fliegen mit einem Schlag zu erledigen, denn: Einige unserer Franchise-Nehmer hatten in der Vergangenheit keine geeigneten Lokalitäten gefunden, nachdem sie das Casa-Paket gekauft hatten. Mit der Vermittlung von Top-Plätzen konnten wir dieses Problem künftig lösen und gleichzeitig sollten solche Abschlüsse auch Geld in unsere Kassen spülen. Bis es soweit war, kosteten die Mietverträge vor allem sehr viel Geld. Zum Franchise-Geschäft in Asien kann ich heute Folgendes sagen: Es ist ein hartes Pflaster. Die Suche nach passenden Lokalitäten in Singapur wurde zu einer Sisyphusarbeit und die damit zusammenhängenden Probleme erschwerten das Geschäft:

Erst nachdem unsere Interessenten einen genauen Background-Check durchliefen, wozu auch der Nachweis der Finanzierung gehörte, konnten sie sich als potenzielle Bewerber von Casa-Italia auf die Suche nach einem Standort machen. Wir waren in diese Suche involviert und hatten als Franchise-Geber auch die Entscheidungsgewalt, um Lokalitäten abzuweisen, die uns nicht geeignet erschienen.

Dies geschah aus dem einfachen Grund, weil ich aufgrund meiner Erfahrung und den formulierten Expertisen genau sagen konnte, an welchen Standorten ein Geschäft reüssiert oder scheitert. Im Voraus absehbare Misserfolge konnten wir unseren Franchise-Nehmern nicht zumuten. Sie hätten – ganz abgesehen davon, dass wir in die schlechten Umsätze involviert gewesen wären, da uns die Franchise-Nehmer Royalties auf die Umsätze entrichteten – auch unserem Ruf geschadet. Bei der Suche nach knapper werdenden

Standorten in der boomenden Stadt verloren wir immer mehr Zeit und Geld und nicht immer waren unsere Bemühungen im Endeffekt vom Erfolg gekrönt.

Standorte in mittlerer und guter Preislage zu finden, erwies sich mit der Zeit als beinahe unmöglich. Die führte dazu, dass Franchise-Bewerber reihenweise wieder ausstiegen. Und andere, die sich bereits mit einem namhaften Betrag bei uns eingekauft hatten, konnten nicht loslegen, waren zunehmend verzweifelt, was uns zur Entscheidung brachte, sehr kostspielige Lokalitäten zu suchen und mit der Unterzeichnung der Verträge auch vorzufinanzieren. Die Kosten explodierten abermals. Wir verfolgten zunehmend eine High-Risk-Strategie, glaubten weiterhin daran, dass wir uns irgendwann doch noch über die Franchise-Verkäufe – und somit nicht aus den operativen Einnahmen – finanzieren können und hofften vor allem darauf, einen Investor zu finden. Wäre diese Strategie aufgegangen, könnte ich mich heute in einer Hängematte in der Südsee ausruhen und wäre wohl als «Mister-Gelato» in die Geschichte eingegangen. Es kam leider anders.

Natürlich trug die Dynamik in Asien, die in der Schweiz nicht vorstellbar ist, dazu bei, dass das Tempo hoch sein musste, wollte man einen Investor zu finden. In Asien trägt das Umfeld mit vielen anderen, die hier risikobereit ihre fantastischen Visionen umsetzen wollen, dazu bei, dass Abstürze hingelegt werden, die man in Europa vielleicht als vermeidbar bezeichnen würde. Die Atmosphäre ist anders, aber auch die Voraussetzungen, die es einem leicht machen, sehr schnell vorwärts zu streben und natürlich wimmelt es in diesen Städten von Menschen, die es tatsächlich schafften, aus dem Nichts einen riesigen Erfolg schufen. Alle wissen und akzeptieren auch: Erfolg und Misserfolg liegen nahe beieinander. Und auch: Dass ohne Bereitschaft zu scheitern, nichts geht. Die Eigendynamik kann sich als tückisch erweisen. Wenn man A sagt, muss man auch B sagen, heisst es. Das tat ich und stand auch später dafür ein, dass die Firma und die Arbeitsplätze gerettet werden können.

Vollgas im Leerlauf

Unsere Situation war nicht blendend – ein Umstand, den andere allerdings nicht bemerkten. Eine Einladung der Schweizer Botschaft blieb mir in Erinnerung. Diese war mit einer Kunstvernissage verbunden, die Anh und ich gemeinsam besuchten. Zwischen zwei Gläsern Champagner versicherte mir der Botschafter, dass er bei der nächsten Casa-Italia-Eröffnung dabei sein werde. In solchen Momenten liess sich die Realität ausblenden, man erfreute sich an Komplimenten, an der Aufmerksamkeit und wägte sich zwei, drei Stunden lang in einem Traum, von dem ich bereits ahnte, dass er zu einem Alptraum werden könnte.

Am nächsten Morgen stand ich um 5.00 Uhr auf, begab mich ins Büro, erledigte Dutzende von Aufgaben. Der enorme Druck änderte nichts daran, dass ich wie ein Stein schlafen konnte, doch ich erwachte nun immer früher, beunruhigt, besorgt. Ich spürte, dass wir uns auf dünner werdendem Eis bewegen. Heute würde ich einiges anders machen und sicher nicht auf *Franchising* als Expansionsstrategie setzten. Auch der Glaube daran, dass im Nachhinein ein Investor gefunden werden kann, erwies sich als Trugschluss.

Die Haltung, dass harte Arbeit allein – und ein wenig Glück – genügen können, um einen aussergewöhnlichen Erfolg zu erzielen und dass ein solcher aus einer Garage heraus möglich ist, stimmt meiner Erfahrung nach nicht. Wie bereits erwähnt: Grosse Ideen benötigen sehr viel Geld, das im Idealfall in der Kasse liegen sollte, bevor man loslegt. Die Gefährlichkeit einer geschäftlichen Phase des Misserfolgs liegt in einem ebenso simplen wie brutalen Umstand: Keine Einkünfte bedeuten nicht, dass Verpflichtungen, die man in guten Zeiten eingegangen ist, nicht weiterlaufen. Ich wusste: Bleibt der Franchise-Verkauf dürftig, herrschen bald eklatante Löcher im Budget. Gleichzeitig mussten wir weiterhin in den Umbau der Firma investieren, damit der Erfolg in Kuala Lumpur und in anderen neuen Ländern eine Sogwirkung entfalten konnte.

Natürlich gehören solche Phasen zum Leben der meisten Unternehmer dazu. Man benötigt Rückgrat, um sie zu überwinden. Zu einem Selbstzweck darf das Weitermachen aber nicht werden. Zu erkennen, wo die Grenze liegt, ist schwierig. Aufgeben war zu diesem Zeitpunkt für uns alle keine Option: Wir gaben im Leerlauf Vollgas, damit der Stillstand überwunden werden kann.

Zudem war es nicht das erste Mal, dass ich eine geschäftliche Negativspirale erlebte. Jedes Mal war es mir gelungen, das Ruder herumzureissen, darauf vertraute ich auch jetzt.

Für mich war es eine Frage der Zeit, dass der Verkauf der Franchisen anzieht und wenn nicht, würden wir mithilfe von Stefano einen Investor finden. Pete und Mike äusserten sich weiterhin zuversichtlich und bald besuchten uns die verschiedenen Mittelsmänner- und Frauen der potenziellen Geldgeber. Diese Besuche liefen immer nach dem gleichen Muster ab. Es herrschte grosses Interesse, man äusserte Bewunderung für unseren Erfolg und bei den anschliessenden Diskussionen wurden vielversprechenden Zusagen gemacht, um die Deals nach der Rückkehr in die Schweiz wasserdicht abzuschliessen. Doch ausser einem hohen Unterhaltungswert für die Besucher brachten diese Reisen in keinem einzigen Fall die gewünschten Resultate.

Eine andere Option betraf nun den Verkauf der Firma. Wir verhandelten mit *Common Wealth Capital*, die sich auf Investments im Nahrungsmittel- und Gastrobereich spezialisiert hatte. Zu einem früheren Zeitpunkt war ich davon ausgegangen, die Grenze zu einem zweistelligen Millionenbetrag für meinen Teil erreichen zu können, aber in Anbetracht der aktuellen Umstände legten wir den Verhandlungspreis um die 10 Millionen Dollar fest, trafen uns über einen Zeitraum von rund acht Wochen immer wieder und bereiteten die Übernahme detailliert vor. Mit meinem Anteil von rund 60 %

hätte ich rund sechs Millionen Dollar verdient und die Firma langfristig absichern können.

Als wären uns gerade alle Götter schlecht gesinnt, wurde auch dieser Plan vereitelt: Ohne dass dies in Europa wahrgenommen wird, spielt sich in Südostasien jedes Jahr eine Umweltkatastrophe erster Güte ab. Im September werden in Indonesien jeweils ganze Landstriche durch Brandrodungen zerstört, damit auf diesen Feldern neue Palmöl-Plantagen angebaut werden können. Die Brände und die daraus resultierende Rauchentwicklung sind gigantisch und ganz Südostasien keucht unter dem toxischen Würge-Smog. Je nach Windrichtung legt sich der dichte Nebel – der sogenannte «Haze» – auch über die Megacity Singapur. 2015 überstieg die Katastrophe das bisherige Ausmass bei Weitem.

Der *Haze* kam wie eine Rauchwalze über die Stadt. Innert einer Woche existierten alarmierende Zustände. Die Belastung für die Bevölkerung wird mit dem sogenanntem PSI (Pollution Standard Index) berechnet. Ab einem Index von 100 sind gesundheitliche Schäden zu befürchten, ab 120 lautet die Warnung «sehr ungesund», ab 150 «ernsthaft gefährdend». Ab Index 150 verliess ich, wie Millionen anderer Menschen auch, das Haus nur noch im Notfall, denn bereits nach wenigen Sekunden rang ich im Freien nach Atem, wurde von Hustenanfällen geschüttelt. Auch in unserem Haus frass sich der schädliche Rauch durch alle Ritzen. Menschen, die nicht in nagelnagelneuen Betonblöcken hausen, liefen in diesem Rekordjahr Gefahr, eine Rauchvergiftung zu erleiden. Die Lösung lautete bisher wie für fast jedes Problem in Singapur: Einkaufszentrum. Doch in der zweiten Septemberwoche zeigte der PSI 200 an. Ab diesem alarmierenden Wert erkannte man die eigene Hand nicht mehr vor den Augen. Die Schulen schlossen, das öffentliche Leben kam zum Erliegen.

Während Anh und Jenny ab sofort zuhause blieben, bewegte ich mich nur noch mit einer Atemmaske im Freien, die ich auch bei den Autofahrten nicht absetzte, da der Innenraum des Fahrzeugs ebenfalls mit Rauch angefüllt war. Eine Woche später stieg der PSI auf 300, dann auf 400. Unser altes Kolonialhaus glich jetzt einer Räucherkammer, in der Möbel und Bewohner nur noch schemenhaft erkennbar waren. Meine Panikattacken, die stets mit Atemnot in Verbindung standen, nahm ich jetzt anders wahr: Das ganze Leben war ein

Wir beschlossen den Umzug in ein Hotel, das über Fenster, die sich nicht öffnen liessen, und eine luftreinigende Klimaanlage verfügte. Obwohl wir halbwegs geschützt waren, empfand ich die Situation als surreal und beängstigend. Die Sonne hatten wir seit Wochen nicht mehr gesehen, fast das gesamte städtische Leben kam zum Erliegen und die Bewegungsfreiheit war stark eingeschränkt. Alle redeten nur noch vom *Haze* und auch ich kontrollierte den PSI nun alle zwei Stunden. Die Angaben unterschieden sich je nach Quelle der Messungen: Jene der Amerikaner zeigten höhere Werte an als jene der Regierung, welche die Bürger mit ausgeklügelten Statistiken bediente, die das Ausmass der Katastrophe stets relativierten: Hauptsache die Untertanen bleiben ruhig.

Natürlich hatte die lang andauernde Naturkatastrophe auch negative Auswirkungen auf jegliche Form des Business. Das Geschäftsleben war ebenfalls zum Stillstand gekommen. Zu tun gab es nichts, meine Familie und ich befanden uns in Gefahr. Besser als zu ersticken oder irreparable Schäden davonzutragen, erschien mir die Flucht nach vorne. Ich buchte kurzfristig und im Wissen, dass die Luftverhältnisse in Thailand besser sind, einen Flug nach Koh Samui. Durch dunkle Rauchwolken fuhren wir zum Flughafen, sassen mit Atemmasken ausgerüstet im Taxi.

Ich fragte mich, wie lange es noch dauert, bis der Flugverkehr eingestellt wird, denn die Sichtverhältnisse erschienen mir mehr als prekär.

Als wir in Samui landeten, sich ein endlos blauer Himmel über uns spannte, die Sonne strahlte, das Leben wieder gut war, weinte ich beinahe vor Erleichterung. Wir konnten wieder atmen. Ich dachte an

Millionen von Menschen, die nicht einfach weggehen können und dann packte mich die Wut: Ganz Südostasien nimmt es hin, dass Bürger Schaden nehmen, aus dem einfachen Grund, weil man das Riesenland Indonesien aus wirtschaftlichen Gründen für die Brandrodungen nicht sanktioniert. Die ganze Welt konsumiert Palmöl, das in Millionen von Produkten auch als versteckte Inhaltsstoffe figurieren. Das billige Rohprodukt ist in Suppen, Brotaufstrichen, in Schokolade, aber auch in Produkten der kosmetischen Industrie zu finden: ein Milliardengeschäft.

Grosse Teile der indonesischen Palmöl-Industrie sind im Besitz regierungsnaher *Singaporeaner,* die zur Oberschicht gehören. Auf politischer Ebene wird jedes Jahr zur Haze-Saison ein medienwirksames Riesentheater aufgeführt. Doch bei den angeregten Verbesserungen und Sanktionen handelt es sich um Lippenbekenntnisse, weil keiner der Verantwortlichen auf jene Geldflüsse verzichten will, die ihm die Vertreter der Palmöl-Industrie garantieren. In Thailand hatte ich die Gelegenheit, über unser gegenwärtiges Leben nachzudenken und kam zum Schluss: Singapur setzte mir und meiner kleinen Familie bereits seit längerem zu. Bestimmt ist die Megacity in vielerlei Hinsicht ein wunderbarer Flecken Erde, vorausgesetzt man verfügt über viel Geld, befindet sich nicht im Vorschulalter und verfügt über eine unzerstörbare Gesundheit. Auch die Lebenskosten von monatlich rund 25 000 Dollar wurden zu einer grossen Belastung. In der Schweiz würde ein ähnlicher, komfortabler und schöner, aber nicht protziger Lebensstil mit einer Familie rund 8'000 Franken kosten. Die Differenz zu erarbeiten, bedeutete auch, dass ich fast keine Zeit mit meiner Familie verbringen konnte, unter Druck stand, meine Gesundheit litt.

Auch die penetrante Überwachung und Bevormundung durch den Staat und das Doktrin, den geliebten Gründervater von Singapur verehren zu müssen, das Verbot auch nur leiseste Kritik zu üben, stiessen mir seit langem auf. Zudem: In Singapur geschieht die staatliche Überwachung – mit dem Wissen von Millionen von Menschen – lückenlos. Auffällige Konstruktionen mit Kameras, die wie die Blätter einer Palme angeordnet sind, begegnen einem auf Schritt und Tritt. Die roboterartigen Gerüste bewegen sich, sie schauen den vorbeieilenden Menschen nach. Der nicht öffentliche Bereich ist von der Dauerüberwachung ebenfalls betroffen: Jedes Fahrzeug verfügt über einen Satelliten-Transponder, der den zuständigen Stellen meldet, wo sich das gerade Auto befindet. Handy, E-Mail-Daten, soziale Medien? Privates gibt es nicht. Der Staat ist in alles involviert.

Als ich mich einmal mit Anh auf einer Parkbank sitzend stritt, verstrichen keine zehn Minuten und die Staatsgewalt tauchte auf. Erst jetzt bemerkten wir die Überwachungskameras, die mit ihren Mikrofonen auf uns gerichtet waren und das Gehörte offenbar in ein Überwachungsbüro des Parks übermittelt hatten. Die Drohgeste des stillstehenden Polizeiautos verstanden wir sofort: Lächelnd und händehaltend machten wir uns vom Acker. Uns dem Auto zu nähern, eine Frage zu stellen, hätten wir nicht gewagt. Wir wussten: Bereits eine kritische Bemerkung kann Repression zur Folge haben. Das alles macht, dass die meisten Menschen auf Gleichschritt getrimmt sind: selbst denken, aktiv sein, sich eine eigene Meinung zu bilden, haben sie nie gelernt.

Dieser Umstand machte sich auch im Geschäfts-Alltag bemerkbar und war ein Grund gewesen, um ein Team mit europäischen Top-Leuten aufzubauen. Meine steigende Unlust weiter in Singapur zu leben, hatte ich stets zur Seite geschoben. Lange Zeit gab es viele positive Aspekte, war ich beruflich erfüllt und erfolgreich. Doch nach der Rückkehr aus Thailand – der *Haze* verflog erst nach Monaten – verbesserte sich die geschäftliche Lage nicht. *Common Wealth Capital* hatte sich in der Zwischenzeit komplett zurückgezogen. Sie empfanden die Lage in Singapur aufgrund der lang dauernden und mit Sicherheit wiederkehrenden Umweltkatastrophen als unsicheres Terrain für Investitionen, wie sie uns wissen liessen.

Die Kosten der Firma liefen mittlerweile aus dem Ruder. Die temporäre Verkaufsflaute entwickelte sich zu einem Dauerzustand. Wir ahnten nun auch, dass die Zielvorgaben für Manila nicht erfüllt werden können, der dortige Riesenaufwand – der uns personell und finanziell so stark absorbiert hatte – sich, wenn überhaupt erst in einigen Jahren bezahlbar machen würde. Jasen schien weder in Bezug auf die Umsetzung der neuen *Stores* noch was die Grösse seines finanziellen Engagements betraf, sein Wort zu halten. Mit tausend Ausreden versuchte er, sich aus seinen Zusagen herauszuwinden und uns die Schuld für seinen Rückzieher zu geben. Wir hatten seinen Versprechungen geglaubt und mussten nun realisieren, dass unser monatelanges Engagement im Sand verlaufen wird.

Nicht genug: Die interne Verkaufs-Mannschaft, verursachte weiterhin hohe Kosten, brachte jedoch ausser vielen schönen PowerPoint-Präsentationen und blumigen Ankündigungen nichts. Der Umsatz in diesem Bereich war nach über einem Jahr – null. In dieser Zeit stand auch die Eröffnung einer Filiale in Singapur bevor: Der kleine, aber feine *Flag Ship Store* präsentierte sich als Aushängeschild in Sachen Design und Konzept. Die Verträge hatte ich – wie bei solchen Projekten üblich – unterschrieben, als die Renovation der *Mall* erst als Plan auf Papier existierte. Bei der Präsentation hatte das Projekt einen verheissungsvollen Eindruck erweckt. Die neue «White Sands»-Mall sollte ein Publikums-Magnet werden. Als ich das vermeintliche Schmuckstück nun zum ersten Mal besuchte, stockte mir der Atem. Die Realität zeigte sich weit weniger glamourös, als man uns weisgemacht hatte. Ich ahnte instinktiv, dass wir einen weiteren Rückschlag hinnehmen müssen.

Diese Vorahnung war schlimm, hatte ich doch viel Hoffnung, Herzblut und harte Arbeit in das neue Konzept gesteckt und wollte unbedingt einen Erfolg verbuchen, der positive Signale aussendet. Wir eröffneten im Oktober, eigentlich eine gute Zeit. Das Publikum setzte sich aus sehr alten und sehr jungen Menschen zusammen, die sich die Tage in den Einkaufszentren um die Ohren schlugen, ohne

164

einen Dollar auszugeben. Nach dem Eröffnungstag starrten wir gebannt auf die Displays, die uns die ersten Umsatzzahlen bekannt gaben. Als sie aufleuchteten, wusste ich, dass das «Casa Italia» in dieser Mail bankrottgehen würde.

Ich war bereit, Opfer zu bringen, um den Niedergang der Firma zu verhindern. Um die Liquidität kurzfristig zu erhöhen, kürzte ich mein Einkommen und bei meiner Entscheidung, der Firma über meine privaten Rücklagen Geld zu leihen, handelte es sich um eine tollkühne Aktion. Aufgrund meines stark gekürzten Lohns wurde das Leben in der Stadt sehr schnell anstrengend und ich dachte darüber nach, wo wir mit weniger Geld besser zurechtkommen und ich meinen Notfallplan für die Firma in die Realität umsetzen könnte.

Die Aussicht, die Zelte erneut abzubrechen, bereitete mir in dieser Phase kein Unbehagen. Im Gegenteil! Wie bereits erwähnt, fühle ich mich überall auf der Welt wohl, finde ein Zuhause, bin vielleicht weniger als andere Menschen mit liebgewonnenen Gewohnheiten und Routinen verbunden, die das dauerhafte Verbleiben an einem Ort mit sich bringt. Das Wissen einen Flecken Erde zu verlassen, um im nächsten Land mein Glück zu finden, war für mich stets ein Trost gewesen auch eine Motivation, um die Zukunft anzugehen, die bereits gemachten Erfahrungen zu nutzen und Neues kennenzulernen. Manchmal wusste ich bereits, welche Aufgaben mich in einem neuen Land erwarten, ich bereitete mich vor, war bestens informiert. Manchmal folgte ich einfach einem Bauchgefühl, trat die Reise spontan und ohne allzu viel Wissen an, bereit, mich auf alles einzulassen, bereit in eine fremde Welt einzutauchen.

as Weiterreisen war für mich ein Bedürfnis, manchmal auch eine Verpflichtung, doch immer empfand ich eine Auswanderung als normalen Zustand, der früher oder später sowieso eintreten wird. Dieser Moment war nun gekommen. Vom Neuanfang auf Kho Samui versprach ich mir einerseits, dass sich meine Pläne, um die Liquidität der Firma voranzutreiben, realisieren lassen und andererseits wusste ich, dass ich mit meiner Familie auf dieser bestens erschlossenen Insel auch mit der Hälfte des bisherigen Budgets ein gutes Leben führen kann. Anh und Jenny, die mir in dieser schwierigen Phase zur Seite standen und mich nie im Stich liessen, sollten durch die geschäftlichen Turbulenzen nicht allzu stark in Mitleidenschaft gezogen werden.

Der geplante Umzug war, wenn ich der Wahrheit schonungslos ins Auge blickte, auch ein Eingeständnis, dass mein Traum von einer globalen Kette «Casa Italia» vorerst gescheitert war. Ich versuchte, mich in dieser Phase zu motivieren und führte mir meine bisherigen unternehmerischen Aktivitäten vor Augen, die in der Schweiz in jungen Jahren mit einer eigenen Kurier-Firma startete, ein Unternehmen das aus der Not heraus gegründet worden war und zu einem Riesenerfolg wurde. Später trat ich das Erbe meines Vaters an, bin nach Vietnam ausgewandert, führte sein Unternehmen sechs Jahre lang erfolgreich weiter, bekämpfte die Korruption und baute zahlreiche Subunternehmen auf. Den Erfahrungen in Australien folgte der erfolgreiche Aufbau von «Gelato Italia» in Singapore, ein kometenhafter Aufstieg, dem die Erweiterung des Konzepts folgte, das leider nicht vom Erfolg gekrönt war. Wenn ich bilanzierte, konnte ich trotz dieser Niederlage behaupten, dass mein bisheriges Leben eine spannende Erfahrung mit vielen Erfolgen gewesen war. Was fehlte, war der krönende Abschluss, der es mir erlauben würde, mich aus der operativen Geschäftstätigkeit zurückzuziehen.

Dachte ich an die Zukunft, machte ich mir um mich selbst keine Sorgen. Ich bin bereits unzählige Male in meinem Leben wieder aufgestanden. Harte Arbeit und Mut hatten mich in Vergangenheit belohnt und ich hatte keine Angst und Zweifel, dass es auch dieses Mal in irgendeiner Art und Weise weitergehen würde. Was ich nicht wollte, war, dass meine Mitstreiter oder die Franchise-Nehmer zu Schaden kamen. Noch betrieben wir in Singapur einige Gelato-Italia-Shops, doch der Grossteil der Lokalitäten wurde über Lizenzen betrieben. Die Dachgesellschaft aller meiner Firmen, die Casa Italia Holding Pte sollte gerettet werden. Für den Plan auf die thailändische

166

Insel Kho Samui zu ziehen, sprach, dass unsere neue Heimat nur eine Stunde Flugstunde von Singapur entfernt lag, vor allem aber, dass ich diesen Flecken Erde bereits wie meine Hemdentasche kannte.

Neuanfang auf Kho Samui

In früheren Jahren hatte ich bereits einige Monate auf der Insel verbracht. Mein eigentliches Talent bestand schon immer darin, Häuser zu zeichnen. Hätte ich diese Gabe früher erkannt, wäre ich vielleicht Architekt geworden. Zu wissen, dass man eine Aufgabe perfekt und mit Leichtigkeit meistert, ist ein wunderbares Gefühl.

Einer meiner Entwürfe war so spektakulär jedoch auch umsetzbar, dass ich für eine Präsentation im Auftrag eines australischen Kunden sogar nach Bangkok eingeladen wurde. Mein Entwurf setzte sich damals gegen alle Mitbewerber durch. Ein wunderschönes Haus sollte entstehen, direkt am Meer und so konzipiert, dass keine grossen und alten Bäume gefällt werden mussten. Wochen später erkrankte die Mutter meines Auftraggebers schwer, er reiste zurück nach Australien und legte alle Arbeiten auf Eis. Als er zurückkehrte, hatte ich meine Zelte auf der Insel bereits wieder abgebaut und war weitergezogen. Ob er das Bijou ohne mich gebaut hat? Ich wusste es nicht, doch anderes wusste ich aufgrund dieses früheren Aufenthalts mit Sicherheit: Die Insel ist eine Projektionsfläche für Besucher aus aller Welt, die hier so vieles zu finden glauben.

Mein Blick wurde aufgrund der damaligen Erfahrungen etwas ungnädig: Touristen, die sich ein Motorrad ausleihen und mit diesem die Insel erkundigen, glauben nach einem Elefantenritt und dem dritten Chang-Bier, im Paradies angekommen zu sein. Die thailändische Kultur und das Wesen der Einheimischen meinen sie meist schnell begriffen zu haben und begeistert äussern sie sich über die unerschütterliche Freundlichkeit der stets lächelnden Thais. Ihr Fazit am Ende des all-inclusive Urlaubs – Geld ist eben nicht alles – hat oft zur Folge, dass sich ihre eigenen Träume fortan um ein einfaches, aber glückliches Leben in Kho Samui oder auf einer anderen thailändischen Insel drehen.

Ihre Beobachtungen und Einsichten haben oft nicht viel mit der Realität zu tun. Es liegt auf der Hand: Viele Einheimische überleben mehr schlecht als recht dank der Touristenströme. Bereits als ich dort lebte, erinnerte vieles an den Ballermann in Mallorca. Aber anders als in Mallorca – dort führten die Verantwortlichen der Insel in der Zwischenzeit einen Verhaltenskodex ein – dürfen sich europäische Touristen auf Kho Samui weiterhin so aufführen, wie es ihnen passt. Schlägereien, Lärm, sexuelle Belästigungen gegenüber Einheimischen, waren bereits zu meiner Zeit an der Tagesordnung und manche Feriengäste sah ich halbnackt oder «oben ohne» in den lokalen Supermärkten einkaufen. Solche Leute werfen mit Geld um sich. Einmal in ihrem Leben dürfen sie sich reich fühlen und sofort werden andere zu Untertanen degradiert. Nach einer Woche setzen sie sich in den Flieger und kehren in ihre oft trostlosen Leben zurück. Wenn man auf der Insel lebt und diese wiederkehrenden Zustände jeden Tag beobachtet, versteht man irgendwann, wieso die Einheimischen manche Touristen hassen. Doch ihre Wut, ihre Enttäuschung ist nicht zu sehen. Sie lächeln weiter. Sie sind auf die Münzen angewiesen, die man ihnen zuwirft.

Als ich meiner Frau den Plan unterbreitete, abermals auszuwandern, äusserte sie sich alles andere als begeistert. Sie war in Singapur angekommen, liebte unser Haus aus der Kolonialzeit und genoss den Alltag mit Jenny, die in Singapur eingeschult worden war, viele Freundinnen hatte und auch nicht wegwollte. Ich erklärte ihr alles, auch die Probleme, die wir zur Zeit hatten, und Jenny wäre nicht meine Tochter, wenn sie mich nicht mit den Worten umarmt hätte: «Easy, dann gehen wir halt dorthin.» Schlussendlich sah auch Anh die Dringlichkeit des Unterfangens ein und wir begannen unsere Übersiedlung zu organisieren. Im November räumten wir unser Haus in Singapur. Als ich in unserem Schlafzimmer stand und meine Kleider in die Koffer räumte, spürte ich intensiv, dass ein neuer Lebensabschnitt begann. Ich fühlte, dass diese Reise nicht unbedingt eine Reise der Freude sein wird, sondern aus der Not heraus entstanden ist. Ich warf Hemden, Hosen, Wäsche in die Koffer, hielt inne, spürte Schmerz, war traurig und auch ein wenig wütend.

Zuvor hatte ich meine Freunde von der internationalen Schule in Kho Samui kontaktiert und angefragt, ob Jenny aufgenommen werden könnte. Ich wusste: Es handelt sich um eine erstklassige Schule auf bestem Niveau und die Infrastruktur ist dementsprechend: Klimatisierte Turnhalle, Kantine für die Schüler, Computer, Musikräume und vieles andere. Der Campus wurde von einem ehemaligen Helikopter-Piloten aus England und seiner Frau gegründet, die einst nach einer geeigneten Schule für ihre Kinder Ausschau hielten. Da keine Ausbildungsstätte existierte, die ihren Ansprüchen genügte, gründeten sie zusammen mit anderen Zugezogenen kurzerhand eine eigene Schule.

Inzwischen gab es Platz für rund hundertfünfzig Kinder, die von zwanzig Lehrern unterrichtet wurden. Die britischen Lehrkräfte genossen einen hervorragenden Ruf, die hier gemachten Abschlüsse der Schüler sind in der ganzen Welt gültig. Eine einmalige Erfolgsgeschichte! Unermüdlicher Einsatz war nötig. Aber auch ein anderer Umstand trug zum Gelingen bei: Jene thailändischen Funktionäre und Beamten die den geschäftstüchtigen Ausländern normalerweise Steine zwischen die Füsse werfen, wollten ihre Kinder ebenfalls in eine gute internationale Schule schicken und so konnte dieses Projekt in Windeseile umgesetzt werden.

Bis zum heutigen Tag geniesst die Schule Narrenfreiheit: Herausgeputzte Kadetten regeln den Verkehr auf dem Gelände, das immer grösser wird, da dem günstigen Erwerb von zusätzlichem Land nichts im Weg steht, wenn es um die erweiterte Infrastruktur des Campus geht und auch sonst scheint in diesem seltenen Fall keine amtliche Willkür zu herrschen und fast alle Sonderwünsche werden in Windeseile erfüllt. Ein Glück für uns und andere!

Wir mieteten ein schönes Haus mit Pool, das auf einem Hügel gebaut, eine uneingeschränkte Sicht aufs offene Meer ermöglichte. Mit 4'000 Dollar Monatsmiete handelte es sich nicht um ein

Schnäppchen und doch um weniger als die Hälfte dessen, was wir bisher in Singapur ausgelegt hatten. Der Umzug hatte uns vor einige Herausforderungen gestellt, vor allem die Reise der Hunde erwies sich als knifflige Angelegenheit. Es gibt Vorschriften, wie gross eine Box für den Transport im Flugzeug zu sein hat. Das Tier muss in der Lage sein aufrechtzustehen und soll über Freiraum verfügen, damit es sich bewegen kann. Bei zwei deutschen Doggen bleibt nur der Gang zum Tischler, der das Gewünschte anfertigt. Da es nicht erlaubt ist, grosse Hunde auf dem Landweg nach Thailand zu bringen, war das nächste Problem vorprogrammiert: Der grösste Flieger, der in Samui auf der kurzen Piste landen durfte, war ein Airbus A320. Allerdings erwies sich die Ladeluke als zu klein, um eine Box in dieser Grösse aufnehmen zu können. Also mussten unsere beiden Augensterne nach Phuket geflogen werden, wo grössere Flugzeuge landen konnten und wurden dann via Lastwagen und schlussendlich mit der Fähre auf die Insel gebracht. Nach einer teuren und langen Reise trafen sie wohlbehalten bei uns ein.

Wir freuten uns riesig, die beiden zu sehen und nachdem wir uns im neuen Zuhause eingerichtet und Liezel das Haus auf Hochglanz poliert hatte, fühlten wir uns bereits ein wenig heimisch. Unsere langjährige Haushälterin begleitete uns nach Samui. Sehr fleissig, immer gut gelaunt und in all den Jahren hörte ich sie kein einziges Mal klagen: Liezel war eigenständig, loyal und proaktiv. Sie sorgte für die Hunde, hielt den Haushalt in Schwung, kochte, putzte und war nichts anderes als eine Perle. Natürlich verdiente sie gut und natürlich behandelten wir sie mit allem Respekt, den sie verdiente. Die Entscheidung, uns zu begleiten, fiel schnell, sie freue sich auf diese Veränderung, hatte sie uns wissen lassen. Weder wir noch Liezel wussten zu diesem Zeitpunkt, dass aus ihr bald eine erfolgreiche Geschäftsfrau werden sollte.

Jenny fand schnell Freunde und auch wir fühlten uns inmitten vieler *Expats* wohl, von denen jeder aus irgendeinem verrückten Grund auf Koh Samui gelandet war. Mit den Gründern der internationalen Schule verstanden wir uns besonders gut und nach verschiedenen freundschaftlichen Treffen verbrachten wir Weihnachten 2015 zusammen. Am Pool. Mit kleinen Geschenken für die Kinder und einer lustigen und langen Nacht für die Erwachsenen. Im neuen Jahr startete ich meinen Arbeitsalltag, der sofort hektisch wurde. Die Umstände erwiesen sich als schwierig: In den Jahren meiner Abwesenheit hatte die Militärregierung in Thailand die Macht erlangt. Rechtsstaatlichkeit war zu einem Fremdwort geworden und das Verhalten gegenüber Ausländern, die sich bis anhin als Touristen schlicht alles erlauben durften, schlug ins komplette Gegenteil um.

Die Leidtragenden waren jene Ausländer oder «Farangs», wie diese jetzt abschätzig genannt wurden, die hier investieren und Geschäfte machen wollten. Willkür und Machtmissbrauch waren an der Tagesordnung, erfuhr ich von anderen, die hier lebten. Dass man torpediert und unter Druck gesetzt wird, ist eine Sache. Ich würde mich durchboxen, ich würde es schaffen, so war ich überzeugt. Dass ausländische Geschäftsleute, die sich in Thailand niederlassen, echten Gefahren aussetzen, wusste ich zu diesem Zeitpunkt – noch – nicht. Ich entwickelte den Rettungsplan für «Casa Italia» und gründete zu diesem Zweck eine Firma in Thailand, die der «Casa Italia»-Singapur Lagerbestände abkaufen sollte. Der Plan war genial: Wir konnten die Kosten in Singapur senken und unsere Aktivitäten in Thailand finanzieren. Mit der gekauften Ware wollten wir mit dem Konzept von «Casa Italia» in Koh Samui unser Glück versuchen, gleichzeitig würden mit einer *Master Franchise* in Thailand Gebühren an das Mutterhaus in Singapur fällig. Ebenfalls waren wir so in drei Ländern aktiv und die Chance für eine Expansion in ganz Asien erhöhten sich erneut. Das Geld für diese Rettungsaktion stammte aus meinen Ersparnissen. Ich hielt noch immer und beinahe verzweifelt an der Hoffnung fest: Sobald wir die Sanierung hinter uns gebracht hatten, würden Wachstum und Erfolg zurückkehren.

Nach rund einem Monat reiste ich zum ersten Mal nach Singapur zurück. Vor mir lag die schwere Aufgabe, verschiedene Mitarbeiter entlassen zu müssen und in anderen Bereichen die Notbremse zu ziehen. Ich weiss noch gut, wie Marco, Stefano und

172

ich über den Zahlen brüteten, uns von der Finanzabteilung halbstündlich neue Zahlen zusammenstellen und ausdrucken liessen, damit wir diese gemeinsam analysieren konnten. Nach drei Tagen waren wir fix und fertig.

Vor allem weil wir es nun schwarz auf weiss hatten: Unsere Einnahmen deckten den Aufwand bei weitem nicht und alle Erwartungen, so wurde uns ebenfalls schmerzlich bewusst, waren nicht erfüllt worden. Wir hatten ein Jahr lang das Gesetz von «Murphy's law» kennengelernt. Was schiefgehen konnte, war schiefgegangen. Die Verkettung von unglücklichen Umständen aber auch Versäumnisse, die wir selbst zu verantworten hatten, trugen dazu bei, dass wir nun monatliche Minusbeträge in sechsstelliger Höhe hinnehmen mussten. Die Lage war bedrohlich.

Zu dritt hatten wir die Firma bis zu diesem Zeitpunkt operativ und strategisch geführt. Zu dritt zogen wir Bilanz und kamen zum Schluss, dass wir den Kurs sofort und nachhaltig verändern müssen. Wir wussten: Auch wenn eine Rettung möglich sein sollte, mussten wir uns von anderen Zielen endgültig verabschieden. Stefano und ich halbierten unsere Löhne, Marco reichte die Kündigung ein und andere Kündigungen liessen sich leider nicht vermeiden. *Downsizing* – also die mit einem Arbeitsplatzabbau verbundene Verkleinerung eines Unternehmens und Verminderung seiner Aufgabenbereiche – ist eine verdammt schwierige Aufgabe und die Effekte der getroffenen Massnahmen zeigen sich, wie bereits erwähnt, oft erst Monate später.

Wir arbeiteten verschiedene Strategien durch, stellten unzählige Berechnungen an, wie wir den Kopf über Wasser halten könnten.

Zwei Wochen lang führte ich Notoperationen durch. Kürzen, sparen, Veränderungen vorantreiben. Die Krux bei einem solchen Prozess: Es können nicht einfach einzelne Steine aus der Wand gezogen werden, ohne dass das Mauerwerk von einem Einsturz bedroht ist. Zu Weihnachten flog ich nach Samui zurück und wusste, dass die Entscheidung nach Thailand zu ziehen doch richtig gewesen war. Anh hatte am Anfang schwer gehadert.

Spätestens als ich ihr bei meiner Rückkehr mitteilte, dass ich ab sofort nicht nur ein gekürztes, sondern nur noch ein halbes Salär beziehe, verstanden wir beide, dass wir in Singapur sang- und klanglos untergegangen wären.

In der Megacity unternahmen wir in den folgenden Monaten grosse Anstrengungen, um die Kosten weiter massiv zu senken. Ein weiterer Schritt in die richtige Richtung betraf die Auslagerung der Glacé-Produktion. Ein Drittanbieter übernahm unseren Maschinenpark und fast alle Mitarbeiter und bereits nach einer mehrwöchigen Übergangszeit produzierte er nach unseren Vorgaben und Rezepturen italienisches Eis. Was einfach klingt, ist beinahe vergleichbar mit einer Operation am offenen Herzen: Die Geschäfte blieben geöffnet, die Kunden durften die Veränderungen nicht wahrnehmen, alles musste genau so sein, wie zuvor. Dass die Qualität bei einem solchen *Outsourcing* nicht leidet, ist das Wichtigste. Doch im Endeffekt funktionierte alles hervorragend.

Mühsamer gestaltete sich die Auflösung unseres Warenlagers. Wir hatten bis anhin über 600 Positionen, welche wir an unsere Partner lieferten. Wir beschlossen, diese auf 150 zu reduzieren. Also mussten 450 Artikel aus dem Angebot gestrichen werden. Eine Herkulesaufgabe, waren wir gegenüber den Franchise-Nehmern doch in der moralischen Verpflichtung, Veränderungen so durchzuführen, dass ihr eigenes Geschäft nicht leidet. Unsere Logistik und die Buchhaltung wünschten mich in dieser Phase sicher ins Pfefferland und die miserable Stimmung in der Firma mit Angestellten, die um ihre Jobs fürchteten, trug auch nicht dazu bei, dass man mich auf Händen trug. Als oberster Chef mutiert man in einer solchen Situation schnell vom Helden zu einer Null. Die Bewunderung, die uneingeschränkte Unterstützung und die Kritiklosigkeit schlugen auch in meinem Fall ins Gegenteil um und manchmal glaubte ich offene Abneigung und Verachtung zu spüren.

Das war zwar enttäuschend und unangenehm, doch ich liess mich nicht beirren, war überzeugt das Richtige zu tun, um zu retten, was zu retten ist.

Gleichzeitig blieb ich nicht untätig in meinen Bemühungen, der Firma neue Einnahmequellen zu erschliessen. Innerhalb weniger Monate hatte ich es geschafft, mich bis zur Geschäftsleitung der grössten Supermarkt-Kette der Stadt vorzuarbeiten. Nach langen Diskussionen, Präsentation und Degustationen erhielt ich grünes Licht: «Gelato Italia» würde künftig in über hundert Supermärkten in Singapur angeboten werden. Ich freute mich wie ein kleines Kind. Und war genau so naiv. Heute weiss ich: Ein Produkt in den Supermarkt zu bringen ist nicht schwer, die Kunden zu überzeugen, von ihrem angestammten Marken Abstand zu nehmen und zu einem neuen Produkt zu wechseln, erweist sich hingegen als lang dauernder Prozess, der allzu oft zum Scheitern verurteilt ist. Bevor wir auf dem Boden der Realität aufschlugen, setzten wir uns mit entsprechenden Marketing-Profis zusammen, erarbeiteten Strategien und Berechnungen, um in diesem Markt Fuss fassen zu können.

Supermärkte funktionieren im Einkauf heute fast wie Online-Plattformen. Man erhält einen Platz im Geschäft, doch die Bewirtschaftung der Standorte obliegt der eigenen Verantwortung. Das heisst, man muss ein System etablieren, wie über 100 Verkaufspunkte beworben, überwacht, beliefert und betreut werden können. Fallen die Verkaufsstatistiken der Supermärkte zu einem neuen Produkt positiv aus, wird die zur Verfügung stehende Verkaufsfläche erweitert und die Positionierung der Produkte wird besser. Lassen die Verkaufszahlen zu wünschen übrig, geschieht das Gegenteil und wenn man unter die kritische Marke fällt, werden die Produkte innerhalb kürzester Zeit wieder aus dem Sortiment geworfen.

Diese Entscheidung treffen die Manager der Supermarktketten. Will man einen guten Platz im Regal ergattern, tut man gut daran, diese Leute sorgfältig zu begleiten, wofür es bereits spezialisierte

Firmen gibt, doch eine solche Dienstleitung konnten wir uns definitiv nicht leisten und auch Investitionen, die im Vorfeld notwendig waren, damit unserer Aktionen nachhaltig werden, stellten uns vor Probleme.

Wettlauf gegen die Zeit

Das Tempo war erneut sehr hoch, noch höher als in den Jahren zuvor. Und: Es knallte an allen Ecken und Enden. Einerseits stand ich in Saum vor der Eröffnung eines ersten Casa-Italia-Ladens, gleichzeitig restrukturierte ich die Firma in Singapur, verhandelte mit Supermärkten über den Einstieg von Gelato-Italia und führte fortlaufende Investoren-Gespräche in verschiedenen Ländern. Trotz grossen Einsatzes ging das *Downsizing* der Firma nicht schnell genug voran, sprich die Abwärtsspirale drehte sich, schneller als unsere Massnahmen greifen konnten. Natürlich verringerten die verkleinerten Lagerbestände auch die Umsätze, was wiederum zu einem tieferen Deckungsgrad führte und endete damit, dass weniger Geld für die Sanierung der Firma zur Verführung stand.

Irgendwann hatte ich das Gefühl von einem Wettlauf gegen die Zeit. Die Einsicht, dass man viel Geld benötigt, um Kosten reduzieren zu können, liess mich verzweifeln und rückblickend fühlte sich die Sanierung der Firma wie ein Schleudergang in der Waschmaschine an. Für mich als Unternehmer handelte es sich allerdings auch um eine wichtige und intensive Erfahrung. Ich lernte jene Prozesse und Probleme zu verstehen und wahrzunehmen, die in der Phase des Wachstums und der allgemeinen Euphorie nicht sichtbar sind. Dieses Wissen nahm ich mit, es prägte mein weiteres Leben als Geschäftsmann und Mensch. Doch damals stand ich inmitten eines Tornados: Es war kein gutes Gefühl.

Wie bereits erwähnt, hatte auch der Wind in Samui gegenüber ausländischen Investoren gedreht und niemand wollte etwas mit den westlichen Ausländern zu tun haben. Viele Bekannte und Kollegen, die seit längerem auf der Insel lebten, rieten mir, meine Koffer wieder zu packen. Ich verstand, dass sich viel verändert hatte, war zwischen Sorge und Hoffnung hin und her gerissen. Die Segel zu streichen, kam nicht in Frage und eigentlich blieb uns auch nie viel anderes übrig, als uns mit der neuen Situation unter der Militärregierung zu arrangieren. Die Dinge entwickelten sich nicht zu unseren Gunsten: die Stimmung wurde zunehmend aggressiv, was sogar zu einer Welle von Verhaftungen geführt hatte. Die Polizei agierte dabei als verlängerter Arm der Militärregierung. Vor allem jene Ausländer, die Besitz aufweisen konnten, gerieten in das Visier der Ordnungshüter. Ihr Präsenz wurde als dominant und unerwünscht kritisiert, also mussten sie weg. Razzien und Verhaftungen geschahen willkürlich, es liess sich immer ein Vergehen konstruieren und im schlimmsten Fall landete man im berüchtigten Gefängnis der Insel.

Wer den Unmut der lokalen Polizei auf sich zog, hatte auf jeden Fall schlechte Karten. Interventionen geschahen immer öfter aus nichtigen Gründen und auch mit Menschen, die seit Jahren korrekt und völlig unbehelligt ihre Geschäfte erfolgreich aufgebaut und betrieben hatten. Nun waren alle verunsichert und manche meiner Bekannten sprachen von unangekündigten Razzien, bei denen zwanzig Polizeibeamte Firmensitze durchforsteten und immer irgendetwas fanden, damit sie den Betreffenden das Leben zur Hölle machen konnten.

Ein Beispiel? Ein australischer Freund von mir arbeitete als Elektriker und besass eine gültige Arbeitsbewilligung. Ein ausländischer Elektriker darf in Samui arbeiten, offiziell aber nur beratend tätig sein. Aus diesem Grund beschäftigte er in seiner Firma zwanzig thailändische Elektriker, die seinen Anweisungen folgend, die Aufträge erledigten. Er hielt sich an eine eigentlich abstruse Regelung bis auf einmal: Er musste für einen verunfallten Arbeiter einspringen. Damit nicht die ganze Baustelle ohne Strom blieb, schloss er das entsprechende Kabel kurzerhand selbst an, eine Aktion von rund zehn Minuten. Eine halbe Stunde später wurde er wegen Verstosses gegen das Arbeitsgesetz verhaftet. Einer der Thais auf der Baustelle hatte ihn während seiner Tätigkeit fotografiert und bei der Polizei verpfiffen. Diese stand Minuten später auf dem Platz und nahm meinen Kollegen in Gewahrsam.

Bei den Verhören sind offenbar unzählige Beamte anwesend, die einem erklären, wie schwerwiegend die konstruierten Vergehen sind, für die man leider mehrere Wochen oder sogar Monate hinter schwedischen Gardinen zu verbringen habe. Es folgt ein Einzelgespräch mit dem Polizeichef, der einen wissen lässt, dass er helfen kann. Niemand will in Samui ins Gefängnis. Die Alternative? «Bussgelder», die zwischen 1'000 und 25'000 US-Dollar betragen und innert 24 Stunden entrichtet werden müssen. Ohne Pass in der Tasche verlässt man die Präfektur und bringt das Geld am nächsten Tag vorbei, beziehungsweise wird es während eines weiteren Verhörs dem Polizeichef übergeben, erfuhr ich. Daraufhin analysiert dieser die vermeintlichen Vergehen plötzlich sehr wohlwollend und lässt die Protokolle im Schredder verschwinden. Ohne weitere Erklärungen, Zusagen oder Abmachungen steht man später wieder auf der Strasse.

Glücklich sind jene, die solche Barzahlungen sofort leisten können und einsichtig sind. Die anderen wandern in ein Gefängnis, das als brutal und gefährlich gilt. Der Polizei sind beide Varianten recht: Die eine spült Geld in ihre Privatkassen, die andere erfüllt die staatlich verlangten Quoten an Verhaftungen von verhassten Ausländern. Dieses System hatte sich in den Jahren meiner Abwesenheit etabliert und unter der Militärregierung noch verfestigt. Als ich mich umzuhören begann, berichteten mir unzählige Freunde und Bekannte, in solche Aktionen verwickelt gewesen zu sein. Mich beschlichen ungute Gefühle. Es war eine Frage der Zeit, bis ich ins Visier der Polizei rücken würde.

Das Casa-Italia-Geschäft auf der Insel nahm trotz allem langsam Formen an. Ich beauftragte Anthony, einen alten Freund aus Samui mit dem Aufbau, ein Vorgehen, das ich zuvor mit meinen Geschäftspartnern besprochen hatte. Sie vertraten ebenfalls die Meinung, dass ein Einheimischer an der Front die besten Chancen hat, um gute Resultate zu erzielen. Bald stellte sich heraus, dass uns Antony nach Strich und Faden betrog. In dieser Zeit hatte ich manchmal das Gefühl, vom Pech verfolgt zu sein. Der Umstand, dass ich derart viele Baustellen zu bearbeiten hatte, machte, dass ich nicht mehr jede einzelne Aktion von Mitarbeitern kontrollieren und verfolgen konnte. In der geschwächten Position, in der ich mich in der Zwischenzeit befand, so musste ich nun erfahren, gab es Menschen, denen ich vertraute, die aber nur darauf zu warten schienen, mich auszunutzen und zu betrügen.

In diesem Bereich habe ich bereits sehr viele Erfahrungen gemacht. Ich wurde immer wieder verraten und betrogen. Geschäftlich. Privat. Und manchmal vermischten sich die beiden Bereiche auch. Jene Erfahrungen, die ich im beruflichen Umfeld gemacht habe, betrachte ich bis zu einem gewissen Grad als dazugehörend. Heute sichere ich mich juristisch besser ab, doch der grösste Risikofaktor – der Mensch – bleibt bestehen und somit lassen sich auch nicht alle Eventualitäten abschätzen.

Jene, die mich von Anfang an bewusst ins offene Messer laufen liessen, oder einzig und allein den Kontakt zu mir suchten, damit sie mich betrügen konnten, empfand ich als besonders niederträchtige Zeitgenossen. Andere hängten die Fahne nach dem Wind, waren nur in guten Zeiten anwesend, machten sich bei den ersten Misstönen aus dem Staub und einige halfen mir nicht, als ich ihre Hilfe benötigt hätten. Vom Leben wollte ich weiterhin alles wissen und wem es so ergeht, wer viel erleben will, Grenzen überschreitet, das Aussergewöhnliche sucht, wird zwangsläufig nicht nur mit Menschen konfrontiert, die charakterlich integer sind. Verbittern konnten mich diese Erfahrungen nicht. Das Vertrauen in die Menschen habe ich nie verloren.

Aber: Ich hege heute weniger hohe Erwartungen und konzentriere mich auf meine Familie. In dieser Welt, das weiss ich mit Sicherheit, gibt es keinen Verrat. Was mich selbst betrifft: Mein Wort hatte immer Gültigkeit und meine Werte und Ideale blieben auch in stürmischen Zeiten unangetastet. Fehler blieben nicht aus, Versäumnisse, die anderen indirekt vielleicht Schaden zugefügt haben, auch nicht. Was ich mit Sicherheit sagen kann: Aktiv hintergangen oder betrogen habe ich nie jemanden und auch meine geschäftlichen Misserfolge trug ich nicht auf dem Rücken anderer aus, was auch so viel heisst wie: Ich musste nie einen Konkurs anmelden und trug die finanziellen Konsequenzen immer mit, wenn etwas schief ging.

Antony kannte ich seit über zehn Jahren. Von ihm beschissen zu werden, war eine herbe Enttäuschung. Gleichzeitig wusste ich: Samui ist klein, und er einer jener bestens vernetzen Lokalmatadore, die sich für Geld alles kaufen können. Auch die Rache an mir. Würde ich gegen ihn vorgehen, wäre die Eröffnung des zweiten geplanten Ladengeschäfts in Gefahr. Ich unterliess es, rechtliche Schritte gegen ihn einzuleiten, doch diese Episode traf mich stärker als andere Schwierigkeiten. Ein Trost war, dass die zweite Filiale von Casa-Italia in Samui bereits nach kurzer Zeit selbsttragend funktionierte. Klug und zuverlässig schien mir Liezel – die bereits seit einiger Zeit aushalf und sich engagierte – genau die Richtige zu sein, um in die hohe Kunst der Eis-Herstellung eingewiesen zu werden.

Zu diesem Zweck liess ich tatsächlich Mario «van Gogh» einfliegen. Wie erwartet, gebärdete er sich exzentrisch, herablassend und rücksichtslos, doch unbestritten war er noch immer der Beste seines Fachs. Nach fünf Tagen intensiver Tätigkeit hatte er die Gelato-Produktion etabliert und die Leute entsprechend geschult. Liezel beeindruckte mit einer schnellen Auffassungsgabe und das Gelernte setzte sie in Windeseile in die Tat um. Die Entscheidung sie zu unserer Managerin zu ernennen und ihr die Gesamtverantwortung für das Geschäft in Samui zu übertragen, habe ich nie bereut. Ich verkaufte ihr einen Aktienanteil an der thailändischen Firma zu einem symbolischen Preis. Künftig war ihr Einsatz an ihren Lohn gebunden und so wie es aussah, würde ihr Gehalt bald hoch sein. Tatsächlich wurde aus unserer genialen Haushälterin eine talentierte und erfolgreiche Unternehmerin.

Von Samui aus hatte ich, wie bereits erwähnt, Casa-Italia in Singapur fast sämtliche Lagerbestände abgekauft. Um diese Aktion zu finanzieren, hatte ich einerseits Aktien verkauft und meiner Firma einen Kredit aus eigener Tasche gewährt, von dem ich wusste, dass er nie zurückbezahlt werden kann. So gesehen, realisierte ich die Sanierung zu weiten Teilen aus meinen verbliebenen Ersparnissen. Wir taten alles, wirklich alles, um die Firma zu retten. Die neuen Lokalitäten in Samui und Manila entwickelten sich zwar erfreulich, doch diese Einkünfte reichten nicht aus, um die verfahrene Situation in Singapur zu bereinigen.

In Samui fühlte ich mich in der Zwischenzeit unwohl, die Polizeiaktionen, von denen meine Bekannten erzählten, hingen wie ein Damoklesschwert über mir und hatten einen lähmenden Effekt auf weitere Business-Aktivitäten. Und tatsächlich musste ich eines Tages auf dem Polizeiposten erscheinen. Angeblich, weil ich eine Rechnung nicht bezahlt hatte. Jener Beamte, der mich in gebrochenem Englisch kontaktierte, räumte mir exakt fünfzehn Minuten ein, um vorstellig zu werden. Ansonsten drohe die Verhaftung, wie er mich wissen liess. Nach einer veritablen Panikattacke, die ich nur knapp in Schach halten konnte, erreichte ich meinen Anwalt. Pünktlich betraten wir die Amtsstube.

Auf einem Stuhl sass jener Arbeiter, der Stunden zuvor in unserem Haus die Klimaanlage reparieren sollte. Ich hatte ihn wissen lassen, dass ich nach Beendigung seiner Arbeit und nach der Mittagszeit kontrollieren werde, ob die Anlage funktioniere, um ihn dann unverzüglich zu bezahlen. Den Versuch die Anlage zu reparieren, hatte er gar nicht erst unternommen, wie ich später feststellte, zudem war er vom Erdboden verschwunden. Ganz einfach: Er wollte offenbar mein Geld, ohne Leistung zu erbringen. Mit einer dreisten Lügengeschichte hatte er bei der Polizei Anzeige erstattet und war auf offene Ohren gestossen.

Der diensthabende Beamte steigerte sich regelrecht in seine Empörung hinein und stellte mich als fiesen Ausländer hin, der einem armen Thai den Lohn schuldig bleibe. Ich war sprachlos. Er drohte mir mit einem Verfahren und U-Haft, bis die Sache geklärt sei. Da ich wusste, wie das Spiel läuft, bat ich ihn, das Verfahren nicht zu eröffnen, da es sich hier lediglich um ein Kommunikationsproblem handle, wie ich ihn wissen liess. Selbstverständlich wolle ich den Arbeiter bezahlen. Falls er einverstanden sei, würde ich sofort zur Bank gehen und das Geld abheben.

Ich verspürte Wut, fragte jedoch höflich und unterwürfig, was denn die Reparatur kosten dürfe. Der genannte Betrag entsprach einem thailändischen Monatssalär. Die beiden berieten sich und der Beamte beschied mir schliesslich: Die Kosten für seine Umtriebe müssten natürlich auch beglichen werden. Ich nickte beflissen, kam wenig später mit einem Bündel Banknoten auf den Posten zurück, überreichte dieses dem Beamten, bedankte mich beim Klimaanlagen-Experten für seine grossartige Arbeit, und beim Polizisten für sein grosses Verständnis. Ich lebte lange genug in Asien, um zu wissen, dass Aggression oder Beleidigungen das Ende jeder Verhandlung bedeuten. Die beiden schienen hocherfreut, dass ein «Farang» das Spiel so gut beherrscht. Lachend und schulterklopfend verabschiedeten wir uns voneinander.

Für mich brachte dieses Erlebnis das Fass zum Überlaufen. Ich wusste, die nächste Attacke auf mich würde weniger glimpflich ablaufen. Die Vorstellung, dass mein Schicksal und dasjenige meiner Familie von der Willkür korrupter Polizeibeamter abhängt, die ihre Macht missbrauchen und vor nichts zurückschrecken, bereitete mir Unbehagen. Meine diesbezüglichen Bedenken hatte ich Anh längst mitgeteilt und so beschlossen wir nach einem 12-monatigen Aufenthalt in Samui, unsere Koffer zu packen und den Ort des Geschehens zu verlassen. Unsere Möbel und fast alles, was wir besassen, deponierten wir vorübergehend in einem Lager in Bangkok und bereits zwei Monate später – im Februar 2016 – flogen wir zurück in die Schweiz. Wenn man nicht genau weiss, wie es weitergeht, ist ein Aufenthalt in der Heimat nie falsch, wie auch die Erfahrungen der Vergangenheit gezeigt hatten.

Quo vadis?

Wir flogen nach Zürich, dachten, es werde sich um einen Kurztrip handeln, der höchstens ein paar Wochen dauert. Finanziell ging es in der Zwischenzeit an die Substanz. Ich hatte mein gesamtes Geld in die Rettung der Firma gesteckt und damit gerechnet, dass ich eines Tages ein paar Millionen ausbezahlt bekommen werde, doch die weiteren Verkaufsgespräche hatten bisher nichts gebracht. Wann immer ein Lichtblick am Horizont erschienen war, kam der nächste Hammer, der die Hoffnungen wieder zunichtemachte. Die Perspektiven verschlechterten sich von Monat zu Monat. Ich war mit meinem Latein am Ende, wusste nicht, wie ich alles zusammenhalten kann. Ich verkaufte abermals Aktien, um die Firma zu stützen, aber auch dieses Geld schmolz wie Eiswürfel in der Sonne weg. Der eben erst eröffnete Laden im «White Sand»- Shoppingzentrum, musste – genauso wie andere Lokalitäten – seine Türen bald wieder schliessen, da die *Mall* unter schwindenden Besucherzahlen litt. Dass es uns ausgerechnet mit dem neuen Ladenkonzept so hart erwischte, war ein deprimierender Rückschlag, denn mit dieser Schliessung starb auch die letzte Chance zu zeigen, wie großartig dieses Konzept funktionieren könnte.

Laden zu, Investoren weg, Casa-Italia-Singapur als Gesamtes kurz vor dem Zusammenbruch, wir quasi obdachlos und wenn es so weiterginge, bald auch mittellos. Unvermittelt und das erste Mal in meinem Leben befand ich mich in der Situation, dass ich nicht wusste, ob ich am Ende des Monats die Rechnungen bezahlen kann. In Zürich versuchte ich weitere Investoren zu finden. Fast schon verzweifelt, predigte ich das Casa-Konzept. Zur selben Zeit bat ich alle *Shareholder* an einen Tisch. Zusammen mit einem Unternehmensberater und in Anwesenheit des Verwaltungsrats hielten wir einen dreitägigen Workshop ab. Die ersten beiden Tage erlebte ich als konstruktiv und beinahe sah es so aus, als ob sich die Anwesenden einigen könnten, dass die Firma eine Chance erhält.

Der Unternehmensberater äusserte sich in Bezug auf allfällige Investoren zuversichtlich. Heute glaube ich, dass solcher Zweckoptimismus Teil der Strategie solcher Experten ist, damit sie sich selbst im Prozess halten können. Und in der verzweifelten Lage war ich nur zu gerne bereit, ihren Beteuerungen und Versprechungen Glauben zu schenken.

Privat brachen schwierige Zeiten an, obwohl wir unsere Lebenshaltungskosten nun bewusst niedrig hielten, musste ich kämpfen, um den wichtigsten Verpflichtungen nachkommen zu können. Wir lebten in einem günstigen Business-Appartement und da wir über keine fixe Wohnadresse verfügten, durften wir unsere Tochter auch nicht zum Schulunterricht anmelden. Eines Morgens, wir wollten gerade frische Luft schnappen, fand ich Jennys Aufmachung etwas gar wild. Sie hatte sogar vergessen, sich die Haare zu kämmen. Ich ermahnte sie mit einem Augenzwinkern: «Die Leute könnten ja denken, wir seien obdachlos.» Meine achtjährige Tochter blickt mir seelenruhig in die Augen und antwortete: «Daddy: Wir sind obdachlos!»

Wir mussten beide lachen. Die Situation hätte zum Heulen sein können, doch ich erlebte in dieser Zeit auch viel Gutes und wurde mir bewusst: Das Wichtigste – Familie und echte Freunde – kann man für kein Geld der Welt kaufen. Meine Frau erwies sich wie immer als loyal und tapfer. Anh besitzt die Gabe, die guten Zeiten in vollen Zügen zu geniessen und aus den schlechten Zeiten das Beste zu machen. Als Familie rückten wir noch näher zusammen. Endlich hatte ich auch mehr Zeit, konnte mich mit Jenny beschäftigen und am Alltag der beiden teilnehmen. Vor unserer Tochter verheimlichten wir nicht, dass es wirtschaftlich zurzeit nicht gut lief.

Sie war anderes gewohnt, hatte die besten Privatschulen besucht, war mit uns zusammen um die Welt gereist, in den schönsten Hotels abgestiegen und auch unser Alltag war lange Zeit durch Erfolg, Grosszügigkeit und Wohlstand geprägt gewesen. Doch nicht alles läuft rund im Leben, Probleme gehören dazu. Ich fand es wichtig, dass sie die Sorglosigkeit nicht als selbstverständlich betrachtet und ebenso wichtig war für mich, dass ein Scheitern nicht verheimlicht werden muss, weil es keinen Grund gibt, um sich zu schämen oder zu verstecken.

Heute wird auch vom erfolgreichen Scheitern gesprochen. Man verbindet damit, dass die gleichen Fehler nicht zweimal gemacht werden, man aus den Misserfolgen lernt, sich aufrappelt und – etwas Neues angeht. Das trifft auch ziemlich genau auf meine Philosophie und mein Lebensmotto zu: «Wer das Unmögliche nicht wagt, wird das Mögliche nie erreichen.»

Fehler zu machen ist zwar ein schmerzhafter Prozess, setzt man sich mit ihnen auseinander, verdrängt man sie nicht einfach und geht zur Tagesordnung über, besteht die Chance Erkenntnisse zu gewinnen, die nicht nur weitere Projekte positiv beeinflussen, sondern auch das eigene Selbstbild prägen und dazu beitragen, dass man sich selbst und seiner Umwelt mit einer gewissen Grosszügigkeit begegnet. Erfolg oder Misserfolg hatten nie einen Einfluss auf die Art und Weise, wie ich Menschen sah oder beurteilte, das kann ich mit gutem Gewissen sagen. Ein gutes Leben ist viel mehr als nur finanzieller Wohlstand. Ich wiederhole mich, aber: Meiner Meinung nach besteht das Leben aus dem Erlebten und wer viel erleben will, zeigt mit dieser Haltung auch die Bereitschaft Niederlagen zu überstehen.

Scheitern gehört zum Leben. Nicht das Scheitern an und für sich ist meiner Meinung nach der springende Punkt, sondern wie man damit umgeht. Sich nicht bremsen lassen, nicht aufgeben, Verantwortung für sein weiteres Leben übernehmen, sind wichtige Voraussetzungen, damit man erfolgreich scheitern kann. Solche Erfahrungen betreffen nicht nur Unternehmer und jene Zeitgenossen, die Grosses wollen, sondern eigentlich jeden von uns.

Meine Geschichte, das ist mein grösster Wunsch, soll andere Menschen dazu animieren, den Mut zu finden, um sich dem Leben zu stellen, mit allem was es zu bieten hat, mit glücklichen und unglücklichen Zeiten, mit Erfolgen und Niederlagen mit Hoffnungen und Enttäuschungen. Man hat nur ein Leben, am Schluss sollte man nicht aus Angst vor negativen Konsequenzen sagen müssen: Ich habe zu wenig gewagt, ich habe zu wenig gelebt. Wenn das geschieht, muss man wohl von Scheitern im wahrsten Sinn des Worts sprechen. Hinfallen heisst nicht scheitern. Hinfallen bedeutet innehalten, analysieren und wieder aufstehen. Danach kann man das Gleiche besser machen. Wer aufgibt, ist gescheitert. Wer weitermacht, hat eine wertvolle Erfahrung gemacht.

Ein Scheitern hat sicher mit eigenen Versäumnissen zu tun, ist aber oft auch einer Verkettung unglücklicher Umstände geschuldet. Ich erzählte Jenny viel, auch von meinen verzweifelten Versuchen, die Firma zu retten. Ich wollte ihr vermitteln, dass das Leben nicht nur aus Erfolgen und sonnigen Tagen besteht, man auch nicht einfach davon ausgehen kann, dass harte Herausforderungen ausbleiben werden. Ein Trost war sicher: Ob ich viel oder wenig Geld verdiente und ob ich Auszeichnungen als Unternehmer gewinne oder notfalls eine Liquidation der Firma durchführen muss, war jenen Menschen, die mich wirklich liebten, nicht das Wichtigste.

Natürlich machte ich mir in Anbetracht der sich anbahnenden Katastrophe auch Gedanken darüber, was den Erfolgreichen vom sogenannt verantwortungsbewussten und im schweizerischen Verständnis meist risikoarm agierenden Unternehmer unterscheidet. Erfolgreich ist meiner Meinung nach, wer unterwegs nicht abstürzt. Der wirtschaftliche Erfolg ist ein Gradmesser, aber nicht unbedingt der alleinige Beweis für die Fähigkeiten eines Entrepreneurs.

Um wieder einmal ein Bild zu benennen: Wenn ein Bergsteiger zu viel will, er es nicht schafft, seine Kräfte richtig einzuschätzen, stürzt er vielleicht ab oder seine Gesundheit erleidet einen irreparablen Schaden. Beim Erklimmen des Gipfels geht es um Erfahrung und die Fähigkeit ein Scheitern hinzunehmen, vielleicht geht es auch um Glück: Dass man nicht ausrutscht, die Wetterbedingungen gut sind. Den erfolgreichen Unternehmer trennen manchmal nur wenige Schritte vom Unternehmer, der scheitert. Jeder Unternehmer will und muss Geld verdienen, soviel ist sicher. Aber nicht jeder hängt derart am Geld, dass er es unter allen Umständen sichern will, für die Ewigkeit oder zumindest für die nachfolgenden Generationen, auch weil der eigene Erfolg so zementiert werden kann und der Machtanspruch erfüllt bleibt. So dachte und funktionierte ich nie und aus diesem Grund verlor ich vermutlich in meinem Leben Millionen. Vielleicht ist es auch Schicksal, denn einem Misserfolg folgten in meinem Fall stets neue Projekte, Gipfelstürme, Höhenflüge.

Dieses Mal war es anders und wenn der Wind in Sturm umschlägt, stehen auch plötzlich nicht mehr viele Kollegen auf der Matte, um einen Kaffee trinken zu gehen. Die zuverlässige Zuneigung von Anh, Jenny und wenigen Freunden, die mich durch die schwierige Zeit begleiteten, brachte ich mit echten Gefühlen der Zuneigung in Zusammenhang, mit einer Verbindlichkeit auch, die mich tröstete und ermunterte, um weiterzumachen, frei nach jenen Gedanken, die ich mir Jahre zuvor notiert hatte: «Es gibt kein schlechtes Wetter, es gibt nur schlechte Kleidung. Spazieren an der Sonne kann jeder, aber im Schneesturm ohne Sicht eine Mannschaft anzuführen und am Schluss in eine sichere Hütte zu bringen, setzt andere Qualitäten voraus. Jene, die durch ihren persönlichen Schneesturm gehen, verdienen Respekt und Anstand. Weil sie weiterkämpfen.»

Unser Sturm wütete in der Zwischenzeit richtig heftig: Ich musste meine letzte Lebensversicherung auflösen, um die anfallenden Kosten tragen zu können. Diese Bruchlandung, so ahnte ich bereits, entwickelte sich zu einer besonders harten Nummer und genau so war es: In der Schweiz gestrandet, hatte ich keinen bezahlten Job und keine Wohnung mehr und keine Ahnung wie es weitergehen sollte. Ein solcher *Crash* ist – so vermute ich – eher eine Seltenheit, vor allem, weil die meisten Unternehmer ihre Scherflein zuvor und rechtzeitig ins Trockene zu bringen wissen.

Dass Jenny, die in der Zwischenzeit 9-jährig war, keine Schule besuchen konnte, setzte uns schwer zu. Aus der Not heraus, entschieden wir uns, auf *Homeschooling* umzustellen. Wir etablierten zuhause ein Schulsystem mit verschiedenen Fächern, kauften Bücher und paukten Lektion für Lektion durch. Dreimal pro Woche stand am Nachmittag Sport, Basteln, Zeichenunterricht oder Naturkunde auf dem Stundenplan. In unseren Bemühungen wurden wir von der Schweizer Schule in Singapur unterstützt: Eine frühere Lehrerin von Jenny schickte uns entsprechendes Schulmaterial zu und auch jene Prüfungsarbeiten, die im regulären Schulbetrieb eine Rolle spielten. Sie erreichte gute Noten. Wir waren erleichtert, wussten aber: Kurzfristig konnten wir unsere Tochter selbst unterrichten, doch mittelfristig war das keine Lösung.

Das Bedürfnis wissen zu wollen, wie es weitergeht, wie wir die Füsse wieder auf den Boden bekommen und nicht jeden Franken dreimal umdrehen müssen, trieb mich um. Nachdem die Gelato-Einführung in den Supermärkten von Singapur aufgrund finanzieller Ressourcen, die uns im Vorfeld fehlten, nicht gelang, setzte ich meine letzte Hoffnung auf jene Termine mit amerikanischen Investoren, die durch die Arbeit und das Networking von Stefano und einem Vermögensverwalter aus Zürich zustande kamen. Da wir uns zu diesem Zeitpunkt nicht aussuchen konnten, woher das Geld kommt, flogen Anh, Jenny und ich in die USA. Da wir über keinen festen Wohnsitz verfügten, spielte es finanziell betrachtet keine Rolle, wo wir uns aufhielten. Ein Business Apartment in der Schweiz kostete genauso viel, wie die Hotels und Motels in USA und so verbanden wir die geschäftlichen Termine mit einer Budget-Rundreise «en famille».

Trotz oder gerade wegen all den Widerwärtigkeiten liessen wir uns nicht unterkriegen, unterrichteten Jenny diszipliniert auch während diesem amerikanischen *Road Trip* weiter und gingen dreimal pro Woche joggen. Rückblickend war diese Zeit dennoch geprägt von vielen schlaflosen Nächten und grosser Angst um unsere Zukunft. Es war eine harte Landung. Dass die Ungewissheit und der

Kampf um die Existenz monatelang dauerten, zehrte an den Nerven und kostete unheimlich viel Kraft. Nachts arbeitete ich, telefonierte stundenlang mit Singapur, tagsüber hielt ich die vielen Termine ein, die uns in diverse Bundesstaaten führten. Wir übernachteten in Motels und assen in günstigen Lokalen, durchquerten mit einem Miet-Auto den Westen des Lands, trafen Geschäftsleute in Los Angeles und San Francisco und landeten schliesslich für ein dreitägiges Meeting in Las Vegas. Für Jenny muss es sich wie eine abenteuerliche Ferienreise angefühlt haben. Für mich war diese Reise die letzte Hoffnung auf ein Wunder.

Gleichzeitig tat es gut, die amerikanische Frische, die positive Grundhaltung zu spüren. Der unverkrampfte Umgang, die Zuversicht und die Gelassenheit, mit der die Menschen hier Krisen ins Auge blicken, und wie sie Rückschläge bewerten, nämlich als wichtige Erfahrung im Leben und nicht als Versagen, inspirierten mich, um weiterzumachen. In dieser Hinsicht entpuppten sich die Amerikaner als unschlagbar positiv. Eine Pleite mehr oder weniger sollte doch nicht wirklich zu einem Problem werden, liessen sie mich wissen. Ganz so gelassen sah ich es selbstverständlich nicht. Trotzdem schaffte dieser Aufenthalt ein wenig Distanz zu den riesigen Sorgen, die mich in der Schweiz beinah überwältigt hatten und als wir der Beach von Santa Monica in Los Angeles entlangspazierten, beruhigte mich die Gewissheit, dass die Welt nicht untergehen wird, wenn meine letzte Kreditkarte ihren Geist aufgibt.

Das Bedürfnis in diesem Land zu bleiben, war gross. Anh und ich träumten, denn Träumen kostet nichts: Wir würden in Los Angeles eine kleine, aber feine Kaffee-Rösterei eröffnen und Jenny könnte die St. Patrick Schule besuchen. Wir würden in einem Haus mit Veranda leben, im Meer schwimmen, ein einfaches und gutes Dasein führen, glücklich sein. Hätte mir jemand einen Job angeboten, ich hätte keine Sekunde gezögert. Wir erkundeten Los Angeles sehr intensiv, besuchten unzählige Konzept-Stores und auch die Tage in Venice Beach verstrichen wie im Flug. Im Süden trafen wir eine Investorin, die in den sogenannten *Channels* lebt. Der Name «Venice

190

Beach» gründet auf alten Kanälen, die in den 1950er-Jahren angelegt worden sind. Deren Ufer säumen heute meist kleine, aber sehr exklusive Häuser. Ein Spaziergang entlang der Kanäle mutet wie eine Tour durch die venezianischen Kolonien an.

Die potenzielle Geldgeberin erzählte uns die Geschichte von einem jungen Mann, der bei ihr zur Untermiete gelebt hatte. Ein Jahr lang verbrachte er hauptsächlich vor dem Computer und tüftelte an einem Programm, das niemanden zu interessieren schien. Dann zog er weg und später erfuhr Mary: In ihrem Dachstock hatte der Gründer von Snapchat gelebt. Der kostenlose Instant-Messaging-Dienst zur Nutzung auf Smartphones und Tablets, ermöglicht es, Fotos und andere Medien, die nur eine bestimmte Anzahl von Sekunden sichtbar sind, bevor sie automatisch entfernt werden, an Freunde zu versenden. Im September 2015 wurde der Wert von *Snapchat* mit 19 Milliarden US-Dollar bewertet! Das ist Amerika, das ist das Gefühl von Los Angeles oder dem Silicon Valley, wo die Welt täglich neu erfunden wird, wo Tausende jeden Tag gemeinsam untergehen und einige wenige den amerikanischen Traum realisieren. Der Unterscheid zur Schweiz ist, dass diese Erfolgsgeschichten auch als logische Konsequenz des früheren Scheiterns stattfinden. Frei nach dem Gedanken: Wenn Hunderttausende von Menschen eine Firma gründen, wird es einer von ihnen schaffen und Milliardär werden. Und so geschieht es auch. Dass der grosse Rest der anderen pleitegeht, wird in Kauf genommen und ändert nichts am Willen, es beim nächsten Mal zu schaffen. Aufgeben wegen einer Bauchlandung? Das wäre wie aufhören zu laufen, weil man hingefallen ist.

Diese Einstellung macht Mut und entspricht auch der Philosophie eines *Start-ups*. Es ist der Versuch eine Idee mit viel Einsatz und gewissen finanziellen Mitteln zum Laufen zu bringen. Wenn alle Räder ineinandergreifen, klappt es, sonst halt nicht. Nicht alles lässt sich am Computer berechnen und voraussagen. Sogar sehr erfolgreiche Geschäftsideen schliessen den Irrtum mit ein und auch die Möglichkeit, dass man einsehen muss: Die Rechnung geht nicht auf. Sich aufhalten lassen, aufgeben wäre falsch und jenen Menschen, die solche Erfahrungen gemacht haben, sollte man vertrauen, denn sie wissen am besten, wie der nächste Fehlversuch verhindert werden kann. Wer Fehler nicht zulässt verhindert auch Verbesserung.

Gelebt und erlebt

Es gibt kaum einen erfolgreichen Geschäftsmann, der nicht mindestens einmal grausam gescheitert ist. Ich rede nicht von angestellten Managern. Das sind keine Unternehmer, sondern eben Manager. Manager bauen nichts selbst auf, sie verwalten bloss Aufgebautes andrer. Wenn sie dabei ein paar Milliarden Gewinn machen, ist vielleicht sogar ihr millionenschweres Salär gerechtfertigt. Dennoch weist die gute Leistung den Manager nicht als guten Unternehmer aus. Unternehmer haben eine andere DNA. Sie gründen, haben eine Vision, bauen auf, riskieren und sind immer auch persönlich vom Schicksal und den Konsequenzen ihres Tuns betroffen. Das kann man von einem Manager, der beim Verlassen des sinkenden Schiffs noch ein paar Millionen Abfindung erhält, natürlich nicht behaupten. Ein Unternehmer wird immer persönlichen Schaden davontragen, wenn seine Idee nicht funktioniert. Ich bin ein Unternehmer und bereue es nicht, immer wieder alles zu riskieren und mein Glück mit dem Wohle der Firma zu verbinden. Ich kann nicht anders. Ich arbeite aus Leidenschaft, will etwas bewegen, habe Ideen und Ziele. Manche funktionieren besser, andere weniger. Alle mache ich mit Herzblut und aus Überzeugung. Ich liebe es Unternehmer zu sein, es ist mein Schicksal: Auch wenn es hin und wieder richtig weh tut. Ich meine: genau das zeichnet den Unternehmer aus. Er ist kein Held, sondern vielmehr ein Getriebener, der seine Visionen und seinen unternehmerischen Geist umsetzen und leben will. Wenn es funktioniert, kommen oft Ruhm, Ehre und Geld zusammen. Wenn es scheitert, dann wird einem viel genommen. Der Einsatz ist hoch.

Doch zurück zum Gründer von Snapchat, der in einem Dachstock an einer milliardenschweren Erfindung tüftelte: Es ist eine unglaubliche Geschichte, die so gut zu Los Angeles passt. Keiner fragt in dieser Stadt, woher man kommt, was man bisher gemacht hat, in welchem Quartier man lebt. Es geht allein darum, wohin man will, welche Projekte und Ideen verfolgt und realisiert werden. Niemand weint der Vergangenheit nach, der Fokus liegt allein auf der Gegenwart und der Zukunft.

Ideen, die verrückt erscheinen, werden absolut ernst genommen, sofern man selbst an seine Visionen glaubt und diese kraftvoll umzusetzen versucht. Solche Menschen prägten das Land und den Esprit der USA und dazu gehört auch, dass Projekte, die man persönlich nicht nachvollziehen kann, mit einem gewissen Goodwill betrachtet werden. Die Grosszügigkeit, mit der man anderen eine Chance einräumt, damit sie realisieren können, wovon sie überzeugt sind, liebe ich als Grundhaltung.

Wenn das Umfeld einer Idee mit Zweifeln, Kritik und tausend Gründen begegnet, weshalb alles scheitern muss, hat dies in der Summe negative Auswirkungen auf den Innovationsgeist eines Lands. In USA lautet die Devise: Loslegen, machen und dann sieht man was daraus wird. Eventuell ist genau der vor einem Stehende, einer von zehntausend, der schafft, was bisher noch kein anderer geschafft hat? Diese Haltung gegenüber grossen und kleinen Ideen finde ich motivierend. Stellt sich der Erfolg tatsächlich ein, ist Neid bei den Amerikanern ein Fremdwort, im Gegenteil. Man ist auch stolz auf den Erfolg der anderen, mag ihnen diesen gönnen.

Funktioniert es nicht, ist keine Schadenfreude zu spüren, Betroffene fühlen sich nicht als Verlierer, sondern als Menschen, denen die Pleite gewissermassen als Bügelhalter dient, weil Misserfolge zusätzliches Wissen bedeuten, das beim nächsten Mal zu einem Erfolg beitragen kann. Dies führt auch dazu, dass jene, die Niederlagen zu verkraften haben, sich nicht verstecken oder schämen müssen und so auch den Mut und das Selbstbewusstsein finden, um Neues anzugehen. Ich werde nie jemanden dafür verurteilen, dass er eine Business-Idee in den Sand gesetzt hat, sondern nur dafür, es nicht hart genug versucht zu haben. Immer wieder aufzustehen und weiterzumachen kann an die Substanz gehen. Bei diesem Crash war die Erschütterung besonders stark. Die vielen Belastungen, der extreme Einsatz, den man ohne Gewähr leistet, dass der Niedergang verhindert werden kann: Es war hart.

Was mir in dieser Zeit half, war die Konzentration auf die physische Fitness, die auch positive Auswirkungen auf die fokussierte Denkweise haben kann. Wie bereits erwähnt, trinke ich seit Jahren keinen Tropfen Alkohol mehr. Eine andere Willensentscheidung führte dazu, dass ich meinen Zigarettenkonsum von zwei Paketen pro Tag auf null reduzierte und seither Nichtraucher bin. Die fast grössten Konsequenzen auf meinen Lebensstil hatte jedoch die Entscheidung rund vierzig Kilogramm abzunehmen. Seither ernähre ich mich mehrheitlich gesund, was kein grosses Kunststück ist, da Anh eine fantastische Köchin ist und hauptsächlich asiatisch kocht. All diese Massnahmen führen dazu, dass ich heute von der ersten Sekunde des Tages an glasklar denken kann und mich in meinem Körper wohlfühle. Doch alles geschieht nur aufgrund persönlicher Entscheidungen, die man trifft, um aktiv zu werden und sein Verhalten zu verändern. Das Leben ist zu 10 Prozent Aktion und zu 90 Prozent Reaktion. «Take charge of your life» – übernimm Verantwortung für Dein Leben – ist ein wichtiger Grundsatz meines Lebens.

In Krisenzeiten hat er sich besonders bewährt. Wie bereits erwähnt: Am Ende des Tages zählen alle Ausreden, selbst gute Gründe nichts, wenn Dinge nicht getan und Ideen, Träume und Wünsche nicht umgesetzt werden. Manchmal hat man Glück, manchmal eben nicht, aber es kommt immer drauf an, was man aus den Erfahrungen macht. Der Wahrheit ins Auge zu blicken, kann nie schaden. Beschönigen, Ausreden erfinden, bringt nichts, wenn man wieder aufstehen will. Obwohl diese sehr amerikanische Haltung in der Schweiz weniger verbreitet ist, gibt es auch in unserem Land herausragende Beispiele, die zeigen, dass der Erfolg manchmal seine Zeit und mehrere Anläufe benötigt.

Eines meiner Vorbilder – Migros-Gründer, Gottlieb Duttweiler – hat es vorgemacht. Als Partner des Zürcher Handelshauses Pfister

& Sigg verlor er in den 1920er-Jahren fast alles. Nach dem ersten Weltkrieg war Pfister & Duttweiler ein internationales Unternehmen mit enormen Lagerbeständen und einer eigenen Speiseölfabrik in Málaga. Ehrgeizige Expansionspläne wurden von der einsetzenden Hyperinflation in mehreren europäischen Ländern und dem Verfall der Lebensmittelpreise überrascht. Duttweiler versuchte, einen Teil der Verluste zu kompensieren, indem er à la baisse mit Währungen spekulierte. Tatsächlich hatte das Unternehmen Schulden in der Höhe von zwölf Millionen Franken angehäuft. Um einen ungeregelten Konkurs zu verhindern, kam es mit den Banken überein, eine stille Liquidation durchzuführen und die Geschäfte solange weiterzuführen, bis alle Gläubiger ausbezahlt waren.

Beide Teilhaber brachten ihre beträchtlichen Privatvermögen in die Liquidationsmasse ein, sodass bis zum Abschluss des Verfahrens am 12. Juli 1923 insgesamt 11,6 Millionen Franken beglichen werden konnten. Duttweiler, der sich unter anderem von seinem luxuriösen Landhaus und den Kunstschätzen trennen musste, sorgte dafür, dass alle Angestellten einen neuen Arbeitsplatz erhielten (Quelle: Wikipedia)

Nach einem kurzen Abenteuer als Zuckerrohrbauern in Brasilien kehrte das Paar 1925 in die Schweiz zurück, mittellos und entmutigt. Gottfried Duttweiler benötigte dringend eine Arbeitsstelle und bewarb sich beim Verband Schweizerischer Konsumvereine in Basel als Einkäufer und Disponent. Er wurde abgelehnt. Das muss sein persönlicher Tiefpunkt gewesen sein – und gleichzeitig war es die Geburtsstunde der «Migros-Genossenschaft», die heute zu den grössten Detailhandels-unternehmen der Schweiz gehört. Solche Beispiele von Menschen, die es nach grossen Niederlagen wieder schaffen und dabei meist noch viel erfolgreicher sind als zuvor, gibt es zuhauf. Sie als Beispiel für sich selbst zu nehmen, hilft in Momenten der Krise und des Zweifels auch immer wieder, um sich selbst daran zu erinnern, dass nichts von allein passiert.

196

Diesen Grundsatz beherzigte ich weiterhin: Wir zogen als Nomaden durch Los Angeles und versuchten unser Konzept an die Investorin oder den Investor zu bringen. Unser Business befand sich in Asien, was sich als schlechte Ausgangslage herausstellte, denn die Amerikaner investieren lieber in Ideen und Visionen, die im eigenen Land realisiert werden. Auch die vereinbarten und zuerst so verheissungsvollen Termine blieben allesamt ohne Resultate. Unsere Treffen, Kontakte, Gespräche in USA, brachten zwar keinen Deal und keinen Job, jedoch beflügelte die Reise meinen Esprit und meinen Kampfgeist und bestärkte mich darin, meinen Weg engagiert und mit erhobenem Kopf fortzusetzen.

Man kann kämpfen wie ein Löwe, aber irgendwann muss man auch einsehen, wenn der Kampf verloren ist. Es ist ein schwieriger Moment: Man muss so viel loslassen. Hat man begriffen, dass die gewünschte Lösung definitiv nicht zustande kommen wird, kann man sich anderen Strategien und Zielvorgaben zuwenden. Flexibilität, die Fähigkeit den eigenen Blick zu verändern, können auf diesem Weg helfen. In diesem Sinn musste ich mir eingestehen: Wollte ich die Kontrolle über die Firma nicht verlieren, musste ich mich von der Idee, dass Investoren uns retten, endgültig verabschieden.

Stefano und ich versuchten den Verkauf der Holding in Singapur zu organisieren. Samui lief rechtlich unabhängig, ich bemühte mich für diesen Teil der Firma einen thailändischen Käufer zu finden. Liezel hatte sich in der Zwischenzeit zu einer veritablen Managerin entwickelt. Den klinisch sauberen Laden hatte sie voll im Griff und bald sollte er auf der Ranking-Plattform TripAdvisor den ersten Platz aller 1'013 Restaurants in Samui belegen. Sofort verdoppelten sich die Umsätze und es hagelte positive Kundenkritiken für das Casa-Italia. Schade, dass wir dieses Konzept auf der Insel nicht weiter ausbauen konnten, doch die Voraussetzungen für Ausländer unter der thailändischen Regierung hatte auch anderswo zu einem regelrechten Massenexodus geführt. Glücklich war ich, dass es Liezel, die als Philippina in Thailand einen anderen Status genoss, es schliesslich schaffte: Nachdem sie bereits

Miteigentümerin des Ladens war, regelten wir nun alles, damit sie das «Casa-Italia» ganz übernehmen konnte. Ich erteilte meinem Anwalt in Samui die nötigen Vollmachten und war zuversichtlich, dass sich eine gute Lösung finden lässt.

Um den Notverkauf der Firma voranzutreiben, reisten wir erneut in die Schweiz zurück und verbrachten bei einem Zwischenstopp in Bangkok einige Tage ohne Meetings und Verpflichtungen. Es handelte sich um eine Pause, die mir guttat, konnte ich doch die zurückliegenden Monate rekapitulieren und: Noch einmal die asiatische Kultur mit allem, was zu ihr gehört, und allem, was ich an ihr liebe, in mir aufnehmen. Ich dachte nicht bewusst daran, doch intuitiv spürte ich: Nach fünfzehn Jahren in Asien würde ich nicht so schnell hierher zurückkehren. Hitze, Lärm, Staub machten mir weniger zu schaffen als bei früheren Aufenthalten. Wir liessen uns einfach treiben, fanden uns im Gewühl der lokalen Märkte wieder, bestellten *Street Food*, sassen auf Plastikstühlen. Es fühlte sich ein wenig wie ein Zuhause an.

Meine Wehmut dauerte an als ich in einem Liegestuhl im Hotel lag, wurde jedoch jäh unterbrochen, als ich unter mir ein lang gezogenes Röcheln vernahm. Ein riesiges Krokodil hatte es sich dort gemütlich gemacht und blickte mich aus halbgeschlossenen Augen träge an. Nach einem Hechtsprung rappelte ich mich auf, rannte gestikulierend zum Sicherheitsbeamten, der mir kichernd versicherte, von diesem Raubtier gehe absolut keine Gefahr aus, es sei oft hier und habe noch nie jemand angegriffen. Gut zu wissen. Erneut hellwach landete ich auf dem Boden der Realität und verabschiedete mich innerlich von Asien. Es war Zeit zu gehen und: Wenigstens würden mir in der Schweiz keine geschuppten Raubtiere auflauern.

Silberstreifen am Horizont

Die Reise nach Zürich – das wussten wir zu diesem Zeitpunkt nicht – sollte die letzte Flugreise für lange Zeit sein. Als wir in Zürich landeten, spürte ich, dass all unsere Bemühungen nichts bringen werden. Um die Firma zu retten, war ich um den Erdball gereist, hatte alles unternommen, jeden Strohhalm ergriffen. Vergeblich. Jetzt fühlte ich mich erschöpft, frustriert und deprimiert. Ich wusste auch: Meine Ersparnisse waren aufgebraucht und zusätzlich hatte ich mich in den vergangenen zwölf Monaten verschuldet, um die Firma zu retten.

Im Klartext: Ich war bankrott und wusste nicht, wie es weitergehen soll. Die Existenz war gefährdet und gleichzeitig musste ich als Direktor der Firma in Singapur weiterhin meine ganze Arbeitskraft unentgeltlich in den Prozess der Auflösung stecken, denn die unmittelbaren Strategien waren täglich neu zu bestimmen. Wir lösten unsere Büros in Asien auf, lagerten Prozesse aus, die wir bis anhin im Alleingang bewältigt hatten, was, wie bereits angedeutet, die laufenden Kosten weiter reduzierte, jedoch auch unsere Einnahmen schmälerte. Obwohl Stefano vor Ort so viele Dinge regelte, nahmen die Probleme im Tagesgeschäfte der Firma jeden Tag zehn Stunden meiner Zeit in Anspruch. Mir waren die Hände gebunden, an eine Jobsuche war nicht zu denken.

Die Zukunft lag alles andere als rosig vor uns und das Nomadenleben dauerte an. Da wir nicht wussten, wie es weitergeht und somit nicht angemeldet waren, mieteten wir uns in Bern in einer Seniorenresidenz ein, die Geschäftsleuten einen Übernachtungsservice anbietet. Auf privater Basis verfolgten wir als wichtigstes Projekt, dass unsere Tochter bald wieder einen regulären Schulbetrieb besuchen konnte. Mich trieb die Sorge um, dass sie nach einem Jahre *Homeschooling* den sozialen und doch auch den schulischen Anschluss verpassen könnte. Ohne Anmeldung in der Schweiz ist die öffentliche Schule keine Option, wie wir bald erfuhren. Und auch die meisten Privatschulen, so stellte sich heraus, waren nicht gewillt, Jenny – mit der Aussicht, dass sie vielleicht nur einige Wochen am Unterricht teilnehmen wird – aufzunehmen.

Die meisten Institute verlangten mindestens eine einjährige Zusage und die Einschreibegebühr fiel ungefähr so hoch aus wie unser Familien-Budget jetzt für sechs Monate betrug. Wie ein Zeichen des Himmels erschien uns Wochen später das Angebot der Montessori-Schule in Bern. Jenny könne einen Schnuppertag absolvieren, liess man uns wissen. Während sie den Morgen in der Klasse verbrachte, führte ich mit der Schulleiterin ein Gespräch. Ich erzählte ihr von unserer Odyssee und wie sehr es mich schmerzte, dass Jenny aufgrund dieser Situation keine Schule besuchen könne. Nicht nur ein Stein, sondern ein ganzer Felsbrocken fiel mir vom Herzen, als sie mich wissen liess, Jenny sei solange willkommen, bis wir wüssten, wie es für uns weitergehe.

Wenig später nahm ich meine Tochter in Empfang. Sie war begeistert, blickte mich mit ihren schönen Augen an und fragte: «Daddy, darf ich bitte morgen wieder hier in diese Schule gehen?» Ich überbrachte ihr die gute Botschaft, doch mitten im Satz versagte mir die Stimme und Tränen schossen mir in die Augen. Es tat mir wahnsinnig leid, dass ich ihr dies in den letzten zwölf Monaten nicht hatte bieten können. Und obwohl sie die Schule, die Freundinnen, den geregelten Tagesablauf vermisst haben musste, hatte sie nie nur mit einem Wort geklagt. Sie wusste, dass wir am Kämpfen sind und wollte uns wohl intuitiv nicht zusätzlich belasten. Nun durfte sie endlich wieder in die Schule gehen. Sie freute sich riesig und ich mich fast noch mehr. In mir ging die Sonne auf: Wenigstens etwas, was sich wie ein Stück Normalität anfühlte. Ich umarmte sie fest, im Wissen wie eng unsere Verbindung ist und immer bleiben wird. Diese Episode berührte mein Herz tief, denn ich erkannte, wie hart die vergangenen Monate für Ahn und Jenny gewesen waren, wie tapfer sie alles mitgemacht hatten. In Zukunft sollten sie ein gutes und sicheres Leben führen. Für dieses Ziel würde ich abermals Energien mobilisieren und alles geben, was in meiner Macht stand.

Wann immer ich mich im Zustand des Loslassens befand, öffnete sich unvermittelt eine Türe und die Hoffnung, dass alles ein gutes Ende nehmen wird, war plötzlich erneut da. So erreichte mich die Nachricht aus Singapur, man habe in Dubai einen seriösen Investor gefunden. Dieser verwaltete ein immenses Kapital und investierte vorwiegend in vielversprechende Start-ups, wie unsere eigenen Recherchen ergaben. Die Möglichkeit, das Casa-Konzept an einen Unternehmer zu übergeben, der es voranzutreiben wusste, stimmte mich positiv und wieder selbstbewusster: Wir hatten einen großartigen Substanzwert und sehr viel Basisarbeit geleistet. Das Geschäftsmodell, die Umsetzung und den inneren Wert, den wir in den vergangenen fünf Jahren geschaffen hatten, durften sich sehen lassen.

Im Vorfeld der Verhandlungen ging ich selbst nochmals über die Bücher, analysierte die Situation über die vergangenen zwei Jahre hinweg, versuchte die kritischen Entscheidungen und Weggablungen des Prozesses festzumachen und kam zum eigentlich simplen Schluss: Wir hatten den finanziellen Aufwand unterschätzt und waren schlussendlich an der Expansion gescheitert. Zudem: Wenn das Geschäftsmodell darauf basiert, dass sich der Erfolg über die Anzahl neuer Shops definiert, die man eröffnet, ergibt sich auf dem Weg nach oben eine gefährliche Grösse.

Andere lernen es vielleicht an einer Wirtschaftshochschule oder in den Teppichetagen einer Grossbank, ich machte meine Erfahrungen mitten im Geschäftsleben: Solange man nur fünf oder zehn Lokalitäten betreibt, kann vieles aus eigener Kraft und mit einer kleinen Mannschaft im Rücken erledigt werden. Die Kosten für den *Overhead,* also die Administration im Hintergrund, hält sich dann in Grenzen und ebenfalls gibt es Spielraum für Improvisation in den Arbeitsabläufen. Gemeinsam erzielt man auch aufgrund der schlanken Bedingungen gute Gewinne.

Als Unternehmer rechnet man damit, dass jeder Laden mit ähnlichem Aufwand einen zusätzlichen Gewinn einbringt. Dem ist aber nicht so. Irgendwann geht die Rechnung nicht mehr auf. Wenn eine gewisse Grösse erreicht wird – das ist so ab zwanzig Lokalitäten der Fall – muss im Franchise-Bereich alles standardisiert werden.

Wir schrieben allein das Casa-Italia-Konzept betreffend ein rund achthundert Seiten umfassendes Handbuch. Jeder Handgriff, jede Zubereitung, aber auch jeder Reinigungsvorgang musste genauestens definiert und die Mitarbeiter entsprechend geschult werden. Man benötigt also plötzlich ein ganzes Team von Leuten, die solche Standards erarbeiten, Schulungen durchführen, die Kontrollen der Vorgaben vornehmen und bald benötigt man auch ein zentrales Marketing-Team, eine Einkaufsabteilung, eine grössere Buchhaltung, eine Logistik-Abteilung und entsprechende Lagerhäuser. Solche Interventionen verursachen hohe Kosten und dabei spielt es keine Rolle, ob mit der entstandenen Infrastruktur nur zwanzig oder zweihundert Lokalitäten bedient werden. Fazit? Die Kosten einer noch immer kleinen Kette, wie wir eine waren, erhöhen sich ab einer gewissen Anzahl an Lokalitäten massiv, und logisch, die Gewinne verkleinern sich.

Hält man am Expansionskurs fest, benötigt man in dieser Phase des Wachstums sehr viel Kapital: um die erwähnten zusätzlichen Kosten abzufangen und gleichzeitig das Wachstum schnell zu realisieren. Unser Ziel lag bei rund fünfzig Lokalitäten, denn sobald diese Zahl erreicht worden wäre, hätte sich eine Entspannung abgezeichnet. Bevor man in diesem profitablen Bereich ankommt, geht man erst durch eine Phase, in der sich die Gewinne fast von selbst auflösen. Darauf waren wir zu wenig vorbereitet. Ansonsten hätten wir spätestens beim fünfzehnten Shop entweder einen Stopp einlegen und Geld verdienen müssen, um den weiteren Weg selbst zu finanzieren oder aber nach einen potenten Investor Ausschau halten müssen. In Erwartung, dass sich ein solcher auch finden lässt, wenn das Boot bereits schlingert, waren wir in die bereits raue See gestochen, worauf bald meterhohe Wellen über unseren Köpfen zusammenschlugen.

Als ich Bilanz zog, kam ich nicht umhin, auch das Franchise-Business kritisch zu analysieren. Was vordergründig ein einfaches Prinzip zu sein scheint, man standardisiert ein Konzept, verkauft es an Lizenznehmer und ist ab sofort an den Gewinnen beteiligt, erweist sich in Tat und Wahrheit als komplexe Angelegenheit. Erfolgreiche Franchise-Konzepte bestehen, weil sie die exakt gleiche Qualität liefern, egal auf welchem Kontinent die Kunden das Produkt konsumieren wollen. Absolut identisch haben auch der Ladenausbau und das gesamte Marketing zu sein. Das oberste Gebot lautet: Keine Überraschungen! Das Identische, ob in den Food-Rezepturen oder beim Mobiliar ist das Erfolgsgeheimnis jeder Franchise-Ladenkette. Allerkleinste Abweichungen, die die Lizenz-Nehmer fast immer vornehmen, weil sie über kurz oder lang ihre eigenen Ideen einbringen wollen, sind bereits Herausforderungen: Manche stellen plötzlich Vasen mit Plastikblumen auf den Tisch, andere kleben Bilder ihrer Kinder an die Kasse!

Damit das Schoggi-Glacé in Manila gleich schmeckt wie in Los Angeles, ist zudem – ohne Übertreibung – eine logistische Meisterleistung verbunden. Eiscreme ist ein diffiziles und anspruchsvolles Produkt, in der Herstellung mit frischen und natürlichen Zutaten, aber auch was Lagerung, Kühlkette und Transport betrifft. In diesem Bereich musste ebenfalls extrem viel kontrolliert werden, aber auch das Überwachen der Franchise-Nehmer, die Hunderte von ausformulierten Regeln und Verhaltensweisen adaptieren und einhalten mussten, führte dazu, dass eine paradoxe Entwicklung stattfinden konnte: Als Betreiber der Lokalitäten hätten wir mehr verdient als in unserer Rolle als Franchise-Geber.

Aus Schaden wird man klug und jetzt geschah vielleicht doch noch ein Wunder: Ein Investor tauchte auf, der die ganze Geschichte kannte und unser Konzept – das ohne Alkohol funktionierte – auch für den arabischen Raum als passend und vielversprechend qualifizierte. Ich schnupperte bereits wieder Morgenluft: In Asien expandieren zu können und auch im mittleren Osten tätig zu werden, könnte unsere Rettung sein.

Stefano, meine rechte Hand und Casa-Italia-Partner der ersten Stunde, zeigte Bereitschaft mit den neuen Investoren zusammenzuarbeiten, in der Firma zu verbleiben und die Leitung in Asien zu übernehmen, während ich meine Aktienanteile zur Verfügung stellen würde. Ich wusste, dass wir keine Riesensumme verlangen können, doch es würde für einen Neuanfang reichen. Der Kontakt zum Investor aus Dubai kam über eine renommierte Schweizer Privatbank zustande, der wir blind vertrauten und entsprechend gross war die Hoffnung, dass für einmal alles reibungslos über die Bühne gehen könnte.

Wir führten unzählige Gespräche, verbrachten viel Zeit mit strategischen Diskussionen und feilten hart am Preis. Im Verlauf meiner Berufstätigkeit erlebte ich zwei Gruppen von Geschäftsleuten, mit denen es keinen Spass macht, zu verhandeln: Araber und Inder. Verhandlungen ziehen sich endlos hin und meist wird es unerfreulich, bevor ein Abschluss gefunden werden kann. Dass es sich um einen Abschluss handelt, ist zudem fast immer eine Fehleinschätzung. Danach beginnen die Diskussionen erneut.

Ich hatte nicht immer die besten Nerven für diese endlosen Prozesse und überliess das Feld Stefano, der auch den zehnten Verhandlungstag in stoischer Ruhe durchstand. Zur Strategie solcher Investoren gehört auch, dass Verträge über einen langen Zeitraum hinweg immer komplizierter werden. Zwei Schritt vor, drei Schritte zurück, so ging es weiter und weiter. Mein Partner informierte mich nur noch über relevante Neuerungen und Zusätze. Ich vertraute ihm blind und daran hat sich bis zum heutigen Tag nichts verändert. Er war der einzige, der auch in den schlimmsten Stürmen unserer gemeinsamen Unternehmerzeit seine Loyalität und unsere Zusammenarbeit nie infrage gestellt hat.

Nach rund zwei Monaten und vielen gegenseitigen Besuchen in Dubai und Singapur schien das Kunststück gelungen zu sein. Ein verbindlicher Vertrag lag auf dem Tisch. Der ausgehandelte Preis für meine Aktien hatte wenig mit meinen einstigen Vorstellungen zu tun. Der Betrag war trotzdem so hoch, dass ich mich mit Freude von Casa-Italia verabschieden konnte und einer vorerst gesicherten Zukunft entgegensehen konnte.

Nach sorgfältiger Prüfung der Schriftsätze flog Stefano abermals nach Dubai, um die Verträge beim Notar unterzeichnen zu lassen. Einziger Wehrmutstropfen bei diesem *Deal*: Mein Anteil würde erst Mitte Dezember ausbezahlt werden. Die vier Monate bis zur erwarteten Auszahlung waren hart. Ich hatte keine flüssigen Mittel mehr. In Erwartung der Überweisung überbrückten wir diese Zeit mit einem Darlehen, das mir meine Mutter gewährte. Trotz meiner schwierigen Kindheit und unserer immer mal wieder kriselnden Beziehung blieben wir in all den Jahren in Kontakt. Meine Mutter erinnerte sich anders an diese Zeit und war der Meinung vieles richtig gemacht zu haben.

Auf der anderen Seite wird man selbst älter und versteht besser, warum und wie es sich damals für meine Mutter angefühlt haben muss. Ich trug ihr nichts nach, hatte meinen Weg auch so gemacht und in diesem Sinn war unser Kontakt freundlich. Was ich am allerwenigsten erwartet hatte, trat jetzt ein: Zum ersten Mal in meinem Leben schien sie meine Schwierigkeiten wahrzunehmen, nicht zu verdrängen, nahm an meinen Sorgen teil, half mir finanziell in einer Art und Weise, die für sie selbst substanziell wurde. Dies hatte ich nicht erwartet. Meine Mutter wurde zu einem echten Partner in dieser schwierigen Zeit und half uns irgendwie über die Runden zu kommen.

In dieser Zeit übertrugen wir Stefano die Leitung und gleisten alles auf, damit nach meinem Weggang alles in geregelten Bahnen verläuft. Die Firma ging komplett an die neuen Eigentümer über und wir lösten uns aus der operativen Leitung. Eine logische Folge der

Verhandlungen und Vereinbarungen, die wir getroffen hatten, war auch, dass ich meine Position als Direktor der Firma in Singapur zur Verfügung stellte und damit auch die juristische Kontrolle abgab. Anh, Jenny und ich hielten uns in der Schweiz auf und bereiteten während der langen Wartezeit auf das Geld unsere Einreise nach Amerika vor.

Mit dem erwarteten Kapital wollten wir in Amerika ein neues Leben starten, so waren wir uns in der Zwischenzeit einig geworden. Wir mussten nachweisen, dass wir als Investoren in der Lage sind, eine namhafte Summe zu investieren und ebenfalls hatten wir einen Businessplan vorzulegen, der die Einwanderungsbehörde davon überzeugen sollte, dass mit unserer Einwanderung ein wirtschaftlicher Gewinn für Amerika verbunden ist. Den Nachweis über die finanzielle Mittel konnten wir allerdings erst im Dezember erbringen, wenn das Geld aus Dubai auf unser Konto überwiesen worden war.

Unter null

Wir lebten in der Zwischenzeit in einer Wohnung, die wir vorübergehend hüteten, da die Mieter einige Monate im Ausland weilten. Wir besassen nichts mehr, kutschierten mit einem Mietauto durch die Gegend und stellten fest, dass wir das bescheidene Leben nicht verlernt hatten. Plötzlich stand Weihnachten vor der Türe. Anh und ich freuten uns wie kleine Kinder auf das Fest, denn unser Geschenk sollte neun Tage vor Heiligabend auf dem Konto liegen. Der 15. Dezember zog ins Land, das Geld traf nicht ein und die Diskussionen gingen von vorne los.

Der Direktor der Investment Firma tischte uns eine unwahrscheinliche Geschichte von neuen *Shareholdern* auf, die integriert werden müssten, weil mit ihnen eine Kapitalerhöhung verbunden sei und sämtliche Auszahlungen bis zu diesem Zeitpunkt zurückgehalten werden müssen. Ich war ausser mir, wusste aber, dass mich nur die gute Miene zum bösen Spiel zum Ziel bringen wird. Die Zahlung würde einen Monat später eintreffen, wurde mir beschieden. Weihnachten fiel karg aus, die Tage zwischen den Jahren zogen sich hin. Am 16. Januar lag das Geld nicht auf meinem Konto.

Ich kontaktierte unseren Aladin in der Wüste, um mich nach dem Verbleib meines Gelds zu erkundigen. Unser Gespräch verlief nicht erfreulich. Nannte ich ihn einen Betrüger und Blender? Vielleicht. Auf jeden Fall liess ich ihn wissen, dass ich den Vertragsbruch als strafrechtlich relevant betrachte, worauf das Gespräch eskalierte. Wutentbrannt kontaktierte ich meinen Anwalt. Lange Rede, kurzer Sinn: Beim Investment Fond, der uns über die Schweizer Bank vermittelt worden war, handelte es sich um eine betrügerische Firma, deren kriminelle Machenschaften aufgegangen waren: Sie hatten die Kontrolle über unsere Firma erlangt, ohne ihren Teil der Verpflichtung einzuhalten.

Steht einem das Wasser bis zum Hals, lässt man sich auf Menschen und Lösungen ein, die man in besseren Zeiten meiden würde. Man tendiert aus purer Verzweiflung zu übereilten Aktionen. Und: Es gibt Personen, die eine Notlage drei Kilometer gegen den Wind erkennen, sich solide und seriös darzustellen wissen, jedoch nur ein einziges Ziel verfolgen: Jene, die bereits geschwächt sind, über den Tisch zu ziehen und zu zerstören. Dass man eine Situation zu seinen Gunsten ausnutzt, kann im Geschäftsleben niemandem zum Vorwurf gemacht werden. Dass man fair agiert, die Karten offen auf den Tisch legt, sich an die gemachten Vereinbarungen hält, war für mich in solchen Situationen aber immer eine Frage der Ehre gewesen.

Nun erlebte ich ein weiteres Mal, dass manche Menschen vor nichts zurückschrecken. Gleichzeitig ärgerte ich mich wahnsinnig über mich selbst: dass ich die Verträge anscheinend doch nicht noch einmal juristisch abklären liess, bevor ich unterschrieb. Tatsächlich hatte ich in meinem Überdruss zum tausendsten Mal das Kleingedruckte zu lesen, aber auch in meiner übergrossen Hoffnung, dass sich doch noch alles zum Guten wendet, einen wichtigen Hinweise übersehen und einer fatalen Klausel zugestimmt: Im allfälligen Streitfall müsste eine der arabischen Tochterfirmen zur Rechenschaft gezogen werden.

Diese hatte ihren Geschäftssitz in Malta. Eine Firma in Malta, die für einen Vertragsbruch zwischen zwei Firmen, eine davon in Singapur, die andere in Dubai ansässig, zur Rechenschaft gezogen wird? Ein hoffnungsloses Unterfangen, das von Anfang an zum Scheitern verurteilt sei, liess mich mein Anwalt wissen. Und auch andere juristischen Berater rieten mir davon ab, da solche Verfahren Unsummen an Prozesskosten und Anwaltskosten generieren, in den allermeisten Fällen aber enden, ohne dass man sein Geld sieht. Langsam fragte ich mich, wie viele Rückschläge ich noch einstecken kann. Ich war fassungslos über die Bösartigkeit, mit der wir betrogen worden waren. Aufgrund der monatelangen Verhandlungen hatten wir zudem wertvolle Zeit verloren und die weitere Suche nach Investoren sistiert. Jetzt standen wir vor dem Nichts, waren in wenigen Zügen schachmatt gesetzt worden.

Ohne meine Familie wäre ich wohl in eine schwere Krise gestürzt, von der ich mich nicht so schnell wieder erholt hätte. Aber auch so fühlte ich mich furchtbar, sah keinen Ausweg, haderte mit mir, den anderen, dem Leben, kurz: Ich war verzweifelt und wusste nicht weiter. Anh und Jenny schlichen wie zwei Katzen auf Samtpfoten um mich herum, trösteten mich, vermittelten mir wieder etwas Lebensmut. Tatsache war auch, dass wir jetzt in der Schweiz festsassen. Ich hatte kein Erspartes mehr, keine Wohnung, keine Arbeit und kein Einkommen. Die Arbeitslosenversicherung konnte ich nach so vielen Jahren Arbeitstätigkeit ausserhalb der EU nicht beanspruchen, eine Pensionskasse besass ich nicht, die Lebensversicherungen waren längst aufgelöst worden. Die Hoffnung, dass der Verkauf der Firma in Singapur irgendwann Geld in die Kassen spülen würde, hatte ich zu diesem Zeitpunkt verloren und auf keinen Fall sollte diese theoretische Option als Grundlage für weitere Entscheidungen dienen.

Ich musste davon ausgehen, dass wir einem Hochstapler aufgesessen waren und ich nach vielen Jahren harter Arbeit ohne einen Rappen Geld dastand. Bald funktionierte die Bankkarte und die Kreditkarten nicht mehr. Der Grund war einfach: Die Konten waren leer. Eine schwer zu verdauende Einsicht, die mir – zumindest vorübergehend – den Boden unter den Füssen wegriss. Meine Mutter reagierte abermals so, wie ich es nicht erwartet hatte. Sie löste einen Teil ihrer Pensionskasse auf, um uns zu helfen. Wichtiger als dieses Geld – mit dem wir unter anderem die Schule von Jenny bezahlen konnten – war ihre Entscheidung, mein Wohl über ihr eigens zu stellen. Das hatte sie zuvor in dieser Konsequenz so noch nie getan. Ich war beeindruckt. Und auch in den folgenden Jahren war es schön zu sehen, dass wir einander auf dem langen Weg des Lebens immer wieder ein Stück näherkamen.

Einige Wochen verbrachte ich deprimiert und untätig zuhause, leckte meine Wunden, fühlte mich als Opfer. Ich hatte mein persönliches *Grounding* erlebt. Die vergangenen Monate hatten an meinen Kräften gezehrt, in jeder Hinsicht, und die Aussicht mit fast fünfzig Jahren nochmals bei null anzufangen, erschien mir wie ein Berg, den ich nicht mehr erklimmen konnte. Keine Wohnung, kein Auto, keine Ahnung, wo wir in Zukunft leben würden: Die Bankkarten waren gesperrt und ich hatte genau noch hundert Franken im Portemonnaie. Zu diesem Zeitpunkt besassen wir drei Koffer mit Kleidern und uns: sonst nichts. Wir konnten auf kein heimliches Notfallkonto zurückgreifen und besassen keine Altersvorsorge. Mehr bankrott geht gar nicht. Es ist ein Zustand, der Angst macht. Die Lage war hoffnungslos. Gewohnt in einer materiell sicheren Situation zu leben, fühlte es sich an, wie wenn der Fallschirm beim Sprung aus dem Flugzeug nicht aufgeht. Gleichzeitig wusste ich, dass ich den Strudel an negativen Gefühlen und Gedanken bewältigen musste, auch meiner Familie zuliebe. Ich konnte und wollte nicht aufgeben.

Aufstehen, Staub aus den Kleidern klopfen, weitergehen

Wie so oft öffnen sich in ausweglos erscheinenden Lebensphasen Türen, von denen man nicht einmal weiss, dass sie existieren. So traf ich per Zufall einen *Coach* für Führungskräfte, der in Bern eine eigene Kommunikationsagentur aufgebaut hatte: Lorenz Wenger. Mental war ich geschwächt, mein Glaube an mich und meine Qualitäten als Unternehmer hatten gelitten. Ich war fix und fertig, hatte grosse Existenzängste und wusste nicht weiter. Und: Ich konnte ihn nicht bezahlen. Ich schilderte ihm meine Situation ehrlich, beschönigte nichts. Er lud mich spontan zu einem Treffen ein und liess mich wissen, über die finanziellen Aspekte könne später gesprochen werden. Dieser Mann war rückblickend meine Rettung. Der vertiefte Austausch mit einer aussenstehenden und sehr kompetenten Person, die zuhört, neutral urteilt, unbefangen ist, tat mir sehr gut.

Dem ersten Gespräch folgte ein intensives *Coaching,* das mehrere Wochen dauerte. Lorenz half mir, meine Energien zu bündeln, das Gewesene zu sortieren, zu gewichten, einen möglichen Neustart zu erdenken und zu formulieren. Lorenz machte mir Mut. Man geht von Wunschvorstellungen aus. Was würde man tun, wenn man mit Sicherheit wüsste, dass die Aktivität vom Erfolg gekrönt sein wird? Was ich vor vielen Jahren an Bord eines Kreuzschiffsdampfers gespürt hatte, dass ich irgendwann eine Aufgabe verfolgen will, die mir Sinn und Erfüllung vermittelt, weil sie nicht in erster Linie an den materiellen Erfolg gebunden ist, wurde ausgerechnet in einer fast ausweglos erscheinenden Situation zu einem konkreten Thema. Nach dieser Erkenntnis ging es mir bereits besser, denn einmal mehr erkannte ich in der Krise eine grosse und in diesem Fall sogar lebensverändernde Chance.

Wenn sich viele andere Menschen in schwierigen Zeiten von einem abwenden, ist es doppelt hart, weil man weniger

Schutzmechanismen und weniger Möglichkeiten hat, um von solchen Enttäuschungen abzulenken. Lorenz half mir selbstlos und rücksichtsvoll und auch dank seiner Kompetenz und seinem Pragmatismus schaffte ich es, mich aus der Negativspirale zu befreien. Nicht nur geistig und seelisch fühlte ich mich bald wieder stärker. Als Folge des *Coachings* starteten Anh und ich auch erneut mit Aktivitäten, die auf die körperliche Fitness fokussieren. Zuerst marschierten wir nur eine Stunde lang an der Aare entlang, danach versuchte ich zu joggen. Ich war schlecht in Form, daran gab es keine Zweifel. Seit ich so viel Gewicht verloren hatte, war ich schlank und rank, doch um sportliche Aktivitäten hatte ich mich in den vergangenen, anstrengenden Jahren überhaupt nicht gekümmert. Bei den ersten Versuchen zu rennen, atmete ich schwer und erlitt beinahe eine Panikattacke. Was in den letzten Jahren immer wieder geschehen konnte, die Attacke nahm mich in den Griff, versuchte ich abzuwenden. Ich fing an, mich im Rahmen der sportlichen Betätigung selbst zu provozieren und fand die Kraft die aufkommenden Ängste auszuhalten, jedoch auch zu kontrollieren. Einerseits wurde ich erneut Herr über meine Angst und zweitens gelangte ich zu Fitness und Ausdauer. Die körperliche Kraft lässt einem physischen Grenzen überwinden. Eine motivierende Erfahrung, die das Selbstbewusstsein stärken kann.

Zuerst liefen wir zwanzig, dann dreissig Minuten und am Schluss eine Stunde. Wir steigerten die Trainingseinheiten, joggten schliesslich fast jeden Tag, liefen den Berner Hausberg, den Gurten, hoch und irgendwann brachten wir auch die steilsten Wegstücke rennend hinter uns. Ich spürte in meiner grössten Krise, dass schlussendlich nur ein Weg aus ihr herausführen wird: Disziplin und null Toleranz gegenüber vorgeschobenen Schwächen. Der Sport half mir diese Erkenntnis umzusetzen, er half mir dabei, mich erneut stark zu fühlen. Während ich rannte, rannte und rannte, fokussierte ich auch meine Gedanken und manche konnte ich loslassen.

So geriet ich in einen Zustand der geistigen Freiheit, fand Abstand zum Gewesenen. Wenn ich rennend meine Kraft spürte, wenn ich die Kontrolle über mich und meine Situation erlangte, dann musste es auch möglich sein, einen Weg zu finden, um ein «neues Leben» anzugehen. Einmal mehr. Von null weg und ohne, dass ich irgendetwas besass, ausser: den Glauben an mich selbst.

Körperlich fühlte ich mich bald so wohl wie seit langem nicht mehr. Und ich wusste: Eines Tages wird auch diese Geschichte vorübergehen und sich in jene Anekdoten des Lebens einreihen, über die meine Enkel und Enkelinnen vielleicht eines Tages lachen können. Selbst einen Schritt zurücktreten zu können, die Perspektive zu wechseln, die Situation aus einer gewissen Distanz zu betrachten, halte ich in einer solchen Situation für wichtig. Gelingt es, merkt man: Alles geht irgendwann vorbei, der Schmerz wird weniger, die Demütigung und die Verzweiflung verlieren ihre scharfen Konturen.

Demut und Angst können auch bereichernd wirken, wenn man versteht, dass sie realistische Reaktionen auf die äusseren Umstände sind. Der Schmerz und die Schmach, all jene, die mich begleitet hatten und nun mit dem Finger auf mich zeigten: Es ist nicht schön, gehört aber dazu. Wenn es keine Feste mehr zu feiern gibt, muss man ehrlich sein: Vor allem mit sich selbst. Dass sich nach der Party immer weniger Leute melden, um beim Aufräumen zu helfen, liegt in der Natur der Sache. Ich wusste auch: Jene, die mich abschreiben, sich den Mund über mich zerreißen und sich von mir abwenden, werden sich noch wundern. Ich war nicht bereit aufzugeben. Das war ich Jenny und meiner Frau schuldig, vor allem aber auch mir selbst. Als altes Schlachtross wollte ich erhobenen Haupts vom Acker gehen. Es musste nochmals eine Chance geben und ich würde sie finden. Oder um es mit Frank Sinatras Worten zu sagen: «the best revenge is massive success» – in etwa also – «die beste Rache ist massiver Erfolg».

Ich musste mich zurückkämpfen. Es fiel mir nicht immer leicht. Nach vielen Jahren, die erfolgsverwöhnt waren, in denen ich so gut gelebt hatte, musste ich ganz unten wieder anfangen. Die grösste Herausforderung war sicher, nicht bitter zu werden, nicht zynisch, nicht verbraucht, nicht abgestumpft. Nicht zu hadern, war nicht einfach. Ich hatte allen Grund enttäuscht zu sein, hätte mich gehen lassen können. Es wäre einfach, viel einfacher gewesen, dem Leben die Schuld an der misslichen Situation zu geben und auf vergangene Erfolge hinzuweisen. Das wollte ich nicht, denn diese Haltung lässt einen in der passiven Rolle verharren. Ich begann auf die kleinen Erfolge und guten Momente zu fokussieren, die mich in der aussichtslosen Phase meines Lebens motivierten: Zwei Minuten schneller rennen als gestern? Ich bin der Gewinner! Einen Tag mit der Familie, einen Spaziergang auf dem lokalen Bauernmarkt in der Altstadt, Käse degustieren, flanieren, zum Schluss einen Zopf kaufen, um zuhause ein feines Picknick zu organisieren. Irgendwie geht es uns doch gut!

In einer harten Zeit des Lebens, positive Kleinigkeiten wahrnehmen und wertschätzen, ist nicht einfach. Ich schaffte es und gleichzeitig rückte die haarsträubende und brutale Realität ein wenig in den Hintergrund. Es ging darum in kleinen Schritten vorwärts zu streben und am Abend so ins Bett zu gehen, dass ich am Morgen beim Aufstehen in den Spiegel blicken und mir sagen konnte: «Ich bin ein guter Vater, ein guter Ehemann. Ich achte und wertschätze mich, meine Familie und lebe meine Werte, jetzt genau wie immer und eventuell noch konsequenter als zuvor.»

Ich wollte auch lachen und an die Zukunft glauben: Dass es mir gelungen ist, betrachte ich heute als meine grösste Leistung. In diesem Prozess liess ich auch eine Geschichte hinter mir, die nicht mehr zu retten war: Um mich mental für etwas Neues freizumachen, musste ich mein Investment und die Firma in Singapur endgültig abschreiben. Ich musste mich damit abfinden, dass sich mein Traum, dem ich so viel Kraft, endlose Nächte und Hunderte von Wochenenden gewidmet hatte, nicht erfüllte. Schaffte ich es die Vergangenheit aus einer anderen Perspektive zu betrachten, erkannte ich jetzt auch immer öfters so viel mehr als eine grosse Enttäuschung: eine Reise des Lebens, die nicht beendet war. Ich sagte mir: Am Ende kommt alles gut und ist es noch nicht gut, dann ist es noch nicht das

Ende. Der wichtigste Moment ist immer jetzt. Auch meine mentalen Kräfte kehrten zurück, und bald wusste ich: Es gibt keinen Grund, um nicht nochmal alles zu geben, damit ich für meine Familie und mich eine neue Existenz aufbauen kann.

Ich nahm den Business-Plan zur Hand, den ich für unsere geplante Auswanderung in die USA ausgearbeitet hatte. Ihm lag unser Herzenswunsch zugrunde in Los Angeles eine Kaffeerösterei für nachhaltigen Spitzenkaffee mit einem integrierten Restaurant zu eröffnen. Ein Projekt, das mit viel Handarbeit, langsamen Prozessen und einem einfachen Leben verbunden wäre, in dem andere Prioritäten im Vordergrund stehen als früher: Weniger Geld, mehr Zeit. Meine Passion für das Thema «Kaffee» datierte zu diesem Zeitpunkt bereits Jahre zurück: Als ich in Singapur mit dem neuen Casa-Italia-Konzept startete, hegte ich den Wunsch, den besten Kaffee in ganz Asien anzubieten. Meine Faszination für die goldbraunen Bohnen, ihren Geschmack, die komplexen Vorgänge, damit sie ihre vielfältigen Aromen entfalten können, führten dazu, dass ich mehr wissen wollte und die gemachten Erfahrungen sollten nun meinen weiteren Lebensweg bestimmen.

Damals arbeitete ich zusammen mit Anh und Jenny einige Zeit auf einer Kaffeeplantage auf Bali. Ich lernte alles über die braune Bohne, erlebte den Alltag jener, die als Züchter und Pflücker harte und hervorragende Arbeit leisten, anderen viel Geld in die Taschen spülen, während sie selbst weiterhin unter dem Existenzminimum leben. Ich lernte die verschiedenen Sorten und die diffizilen Qualitätsmerkmale kennen und vermochte bald die unterschiedlichen Farben und den Glanz der Bohnen zu interpretieren. Fair-Trade und Nachhaltigkeit waren damals noch nicht in aller Munde. Ich dachte: Eines Tages werde ich eine eigene Plantage betreiben, die nach ökologischen Maßstäben unterhalten wird, und den Arbeitern ein gerechtes Auskommen ermöglicht.

Mein neues Interessengebiet hatte ich auch «Freak» zu verdanken, einem New Yorker, dem es – unglaublich, aber wahr – in der Metropole zu eng geworden war und nun auf Bali Kaffee röstete. Ich traf Asher Yaron und wusste danach: Ich habe definitiv eine Schwäche für unentdeckte Genies! Seine Firma F.R.E.A.K Coffee war im Internet bereits allgegenwärtig. Er galt als feurigster Verfechter der Theorie, dass Kaffee so frisch wie möglich, also sofort nach dem Rösten, getrunken werden sollte.

Die gängige Meinung lautet, dass man Kaffee nach dem Rösten noch ein paar Tage oder gar Wochen ruhen lässt, damit die Aromen harmonisieren können. Asher befand solch altes Wissen für Blödsinn und arbeitete unermüdlich an der Umerziehung aller Kaffeetrinker. Einmal hatte mein neuer Freund die Gelegenheit erhalten, seine Meinung bei einem TED-Talk kundzutun und seine Philosophie einem breiten Publikum näherzubringen. Diese Rede geniesst heute Kultstatus und verbuchte bereits über zwei Millionen Klicks im Netz. Ein herrlicher Mensch, voller Leben und mit einem sehr grossen Herzen. Ich buchte damals einen privaten Workshop bei ihm, um mir sicher zu werden, ob er der richtige Mann ist, um das Kaffee-Konzept des neuen Casa Italia-Konzepts in Asien voranzutreiben. Den dritten Tag verbrachte ich damit, ihn davon zu überzeugen, alles stehen und liegen zu lassen, um zu neuen Ufern aufzubrechen. Wenig später landete Asher in Singapur. Ich hatte ihn festangestellt und er war ab sofort unser Röstmeister. Das Ziel, den Asiaten einen in jeder Hinsicht fantastischen Kaffee zu kredenzen, setzte er problemlos und in Windeseile in die Tat um. Später starteten wir mit der Produktion von «Cold Brew», dem kalten Kaffeegenuss für die heissen Tage. Cold Brew wird mit kaltem Wasser und einer Extraktionszeit von mindestens zwölf Stunden zubereitet und galt bereits damals als hipstes Getränk auf dem Markt. Echter Cold Brew wird in speziellen Behältern in einer Kaltwasser-Anlage gezogen und entwickelt eine sehr feine und spannende Note. Diese Methode benötigt Erfahrung und Fingerspitzengefühl und natürlich erweist sich die richtige Röstmischung als essenziell für die Qualität.

Ich war von dieser komplexen Thematik sofort fasziniert. So akribisch wie in einem chemischen Labor tüftelten wir am perfekten

Resultat und: unterschätzten prompt die Stärke des Koffeins. Nachdem wir die ersten Flaschen in den Verkauf gebracht hatten, erhielten wir diverse Rückmeldungen, von Kunden und Kundinnen: Sie klagten über Herzrasen! Nachdem wir die Rezeptur anpassten und in wunderschöne Flaschen abfüllten, entwickelte sich dieses Getränk zu einem Verkaufsschlager, den wir fest in das Sortiment aufnahmen.

Im Zuge der Auslagerung unserer Produktion betrieben wir die Kaffee-Rösterei später in Thailand. Wir wollten diesen wichtigen Bereich weiter kontrollieren. Anh und ich rösteten damals Tag und Nacht und versuchten unser Wissen später an ein kleines Team zu vermitteln, das dieses Geschäfts nach unserem Wegzug in unserem Sinn weiterführen würde.

Jahre später blickte ich nun auf turbulente Zeiten zurück. Viele grossartige Erfolge, aber auch bittere Erfahrungen, die mich finanziell ruiniert hatten, veränderten meinen Blick auf die Welt, die Menschen und auf mich selbst. Niederlagen können lähmend sein. Diesen Zustand hatte ich längst überwunden und doch musste ich mir genau überlegen, in welche beruflichen Aufgaben ich meine Energie künftig investieren will. Die Leidenschaft stand bei meinen Projekten stets im Vordergrund, die hundertprozentige Überzeugung, dass es funktioniert. In dieser Haltung fand ich Erfüllung und war bereit, eigene Limits zu überschreiten, bis zum Umfallen zu arbeiten, mein gesamtes Privatvermögen zu investieren. Wie bereits erwähnt: Manchmal ging die Rechnung auf und manchmal nicht. Nun beschäftigten mich Gedanken und Ziele, die über das blosse Wachstum einer Firma hinausgehen. Weniger Hektik, kleine Schritte und vor allem: Ich wollte ein sinnvolles Produkt finden, eines das meiner veränderten Lebensphilosophie entspricht. Die kleine braune Bohne tut es. Sie stammt aus exotischen Gefilden, ist ein lebendiges Produkt, das langsam reift, viel Pflege und Aufmerksamkeit benötigt, damit sie ihr volles Potenzial entfalten kann. Sie lässt sich nicht drängen, benötigt einfach ihre Zeit, um zu wachsen und zu gedeihen.

Sorgfalt und einen respektvollen Umgang belohnt sie mit fantastischen Aromen. Wie die Früchte gepflückt werden und zu welchem Zeitpunkt entspricht einer eigenen Philosophie, die Art der Trocknung und unzählige Arbeitsschritte sind nötig, bevor sie in einem aufwendigen Verfahren geröstet werden kann. Ob ein vorzüglicher Kaffee entsteht oder Massenware, hängt von vielen Faktoren ab. So viel ist sicher: Zeit, Sorgfalt und Leidenschaft, sind unabdingbar, will man diesem Produkt gerecht werden.

Die Rösterei im Industrie Loft

Wissen, Erfahrung und eine Vision zu den Themen «Kaffee und Kaffeegenuss» waren vorhanden, als es 2017 um die Entscheidung ging, die Zukunft neu zu planen. Das wichtigste Ziel, ein zuverlässiges Auskommen zu erreichen, wollten wir mit einem authentischen Produkt umsetzen, das ohne ausgeklügelte Marketingstrategien auskommt, aus dem einfachen Grund, weil es aus sich selbst heraus funktioniert. Nach Jahren, in denen jeder Strohhalm mit einem Logo bedruckt werden musste, dass Zusammenspiel von Musik, Licht, Farben und Materialien komplexen Verkaufsphilosophien entsprachen, eine künstlich erschaffene Lebenswelt im grellen Licht riesiger Einkaufszentren erstrahlte, sehnte ich mich nach mehr Bodenständigkeit, nach Handarbeit und wahrhaftigen Werten. In der Schweiz ist all das gut umsetzbar, denn hier ticken die Uhren in normalem Tempo, die «bigger is better Maxime» wird mit einem gewissen Argwohn betrachtet und manche Milliardäre fahren mit dem Fahrrad zur Arbeit. Die Normalität und die Bescheidenheit gefielen mir und entsprachen meinem gegenwärtigen Lebensgefühl.

Ursprünglich wollten wir unseren Traum von einer eigenen Kaffee-Rösterei, die in einem Restaurantbetrieb integriert wird, wie bereits erwähnt, in den USA umsetzen. Nachdem wir die bereits ausgearbeiteten Businesspläne analysierten, kamen Anh und ich zum Schluss, dass sich unser Traum auch in der Heimat realisieren lässt. Das Ganze hatte einen Haken. Auch wenn ich den ursprünglichen Geschäftsplan massiv zusammenstrich, benötigten wir Kapital, um anfangen zu können. Ich erinnerte mich an meinen aktuellen Kontostand: null Franken. Und an die Schulden bei meiner Mutter, die uns zu diesem Zeitpunkt finanziell noch immer über Wasser hielt.

Doch ein weiterer Zufall brachte mir Glück und vermittelte mir das sichere Gefühl, dass die langdauernde Pechsträhne vorüber ist. Unverhofft traf ich auf Menschen, die mich inspirierten und weiterbrachten. Ich lernte Marianne* kennen. Sie bestärkte mich darin, mein Leben in einem Buch zu verewigen und es als Unternehmer einfach noch einmal zu versuchen. Ihre Idee, meine Freunde und Bekannten und Verwandten anzufragen, ob sie mich bei einem unternehmerischen Neustart unterstützen, befremdete mich anfänglich. Marianne machte den Anfang, um mir zu zeigen, dass es möglich ist und bot an, sich mit einem substanziellen Betrag an der Geschäftsgründung zu beteiligen.

Dieser erste Spatenstich, der auch anderen gegenüber ein Zeichen setzen sollte, wie mich Marianne wissen liess, verlieh mir Flügel. Ich schrieb all meinen Freunden, Bekannten und Verwandten eine E-Mail, erklärte meine Geschäftsidee mit der Bitte sich an einem privaten *Crowd-Funding* zu beteiligen – also an einer Finanzierung bei der jeder so viel beisteuern kann, wie er möchte und sobald der gewünschte Betrag erreicht ist, kann das Projekt starten. In meiner Euphorie vergass ich, dass viele Schweizerinnen und Schweizer nicht gerne über Geld reden und es auch nicht für Pläne von anderen ausgeben wollen. Natürlich war es einigermassen unangenehm, wenn wir teilweise stundenlang um Verständnis und Vertrauen für unsere Situation und die neuen Pläne warben, um am Schluss trotzdem eine Abfuhr zu erhalten, welche wohl schon vor der Unterhaltung beschlossene Sache war.

Manche Reaktionen waren hart. Einzelne Kommentare kränkten mich mehr als der Umstand, dass man mir in einer schwierigen Situation nicht helfen wollte. Der positive Effekt dieser Aktion war, dass ich heute weiss, auf wen ich zählen kann. Obwohl diese Art der Finanzierung nicht funktionierte, halfen mir andere Menschen.

Meine Mutter. Ein Ehepaar, das Anh und ich in der Schule unserer Tochter kennengelernt hatten. Auch die Eltern meiner Frau wollten uns einen Teil ihrer Ersparnisse zukommen lassen. Jeder einzelne Betrag war für mich ein riesiger Vertrauensbeweis und eine grosse Verpflichtung.

Mit Torill, meiner langjährigen Partnerin, die mich nach Vietnam begleitet hatte, und die heute in Australien lebt, verheiratet ist und Kinder hat, pflegte ich über all die Jahre hinweg enge freundschaftliche Kontakte und als Patentante unserer Tochter sahen wir uns regelmässig. Natürlich war sie im Bild, was in unserem Leben geschah, freute sich, wenn es uns gut ging, und litt, wenn es nicht so war. Nun wollte sie uns – damit die Summe von 100'000 Franken erreicht wird – mit einem beachtlichen Betrag unterstützen. Noch heute muss ich ein paar Tränen vergiessen, wenn ich an diese Aktionen und Reaktionen zurückdenke und an all jene, die uns nicht hängenliessen, uns wieder auf die Füsse halfen. Es waren, wie bereits erwähnt, nicht jene Menschen, von denen man es eigentlich hätte erwarten können. Diese Erfahrung zeigt auch, dass eigene Vorstellungen und Gedanken limitierend sein können. Manchmal sind unsere klaren Meinungen oder unsere Erwartungen schlicht falsch und manchmal ist mehr und ganz anderes möglich, als wir glauben und wenige Monate, nachdem ich mich bereits als Sozialhilfeempfänger gesehen hatte, war das Kapital für die Gründung einer AG zusammen.

Anh und ich waren uns einig, dass wir – auch bei einem späteren Erfolg unserer Show-Rösterei – keine Filialen mehr aufbauen wollen. Alles andere, das wussten wir aus Erfahrung, wäre unserer Lebensqualität abträglich. Wichtig war mir auch, dass ich mich bei einer allfälligen Expansion in keine Abhängigkeiten bringen will, sprich, ich wollte mich nur noch auf mich selbst verlassen, alle Entscheidungen selbst fällen und nur Geld ausgeben, das ich bereits in der Tasche habe.

Ich wusste auch: Ein industrieller Rahmen wäre für unser Konzept das Richtige. Meine Vision von einem historischen Gebäude, in dem während Jahrzehnten Produktions- und Fertigungsprozesse stattfanden, verband ich mit Menschen, die Wirtschaftsgeschichte schrieben und an einer gewissen Sozialromanik fehlte es mir in diesem Zusammenhang nicht: Vor meinem geistigen Auge tauchten in derbes Tuch gekleidete Arbeiter auf, die in ein Pausenbrot bissen und danach eine filterlose Zigarette rauchten. Hart arbeitende Menschen, die sich auf einen Patron verlassen konnten, der seine Leute respektierte, streng war, jedoch auch Verantwortung übernahm.

Hohe Hallen und die typischen Elemente jener Industriearchitektur, die um die Jahrhundertwende prägnante und mutige Bauten beflügelte und deren ästhetischen Merkmale auch die übrige Architektur prägten, schwebten mir vor. Doch solche zu finden, war schwieriger als gedacht und meine Suche führte mich bisweilen in trostlose Gegenden. In einem menschenleeren Industriegelände mit schnörkellosen Bauten aus den 1970er-Jahren wollte ich meine Kaffee-Rösterei auf keinen Fall ansiedeln. Die Nähe zu Zürich war mir ebenfalls wichtig. Bevor ich die Schweiz verliess, hatte ich viele Jahre lang in dieser Stadt gelebt. Die hohe Lebensqualität sprach für diesen Standort, der auch unser familiärer Lebensmittelpunkt werden sollte. Damit wir die weitere Finanzierung angehen konnten, musste ich ein konkretes Gebäude präsentieren können. Ich suchte in Zürich und schliesslich in sämtlichen Zürichsee-Gemeinden, dort hatte sich die Industrie im vorigen Jahrhundert zum Teil angesiedelt. So stiess ich auf die Fabrikationsstätten der ehemaligen Textilmaschinenfabrik «Grob», die ihre Türen im Zug der Wirtschaftskrise von 2008 endgültig schliessen musste.

Viele Jahre lang lag das direkt am See gelegene Juwel samt Umschwung brach, nun sollte es in neuem Glanz erstrahlen. Ein vielfältiger Nutzungsmix war geplant: Büroräume, Gastro- und Shoppingangebote, Einrichtungen für Familien und Kinder, für Kultur, Sport und Gesundheit. Das Parterre sollte eine öffentliche Begegnungszone für Mieter, Nachbarn und Besucher werden – mit diversen Läden und Gastronomiebetrieben. Wir vereinbarten einen Termin und standen bald in riesigen Räumlichkeiten, die über eine Deckenhöhe von fünf Metern verfügten. Der Umbau hatte bereits

222

begonnen. Die total 16'000 Quadratmeter grossen Hallen waren ein einziger Schutthaufen, doch ich verliebte mich sofort in diesen historischen Ort, der all meinen Träumen entsprach.

Manchmal landet man irgendwo, kein Plan könnte es so voraussehen und trotzdem ist es genau richtig. Horgen, eine schöne und behagliche Zürichsee-Gemeinde, gefiel uns ebenso wie der Umstand, dass das Stadtzentrum Zürichs mit der S-Bahn schnell erreichbar ist. Wie so oft in meinem Leben, waren jetzt schnelle Entscheidungen gefragt. Gleichzeitig hatten wir ein Problem: Die Finanzierung war noch nicht unter Dach und Fach. Wir hatten zwar das Kapital für die Gründung der Aktiengesellschaft zusammen, eine Bank an unserer Seite existierte jedoch nicht. Die Liegenschaftsverwaltung nahm unser Projekt mit Interesse zur Kenntnis. Sie wollte die Business-Pläne sehen und erbat sich Bedenkzeit, um zu entscheiden, ob unser Konzept und wir als Mieter in Frage kommen. Fieberhaft machte ich mich nun auf die Suche nach einer Bank und fragte verschiedene Institute an, unterbreitete meine Geschäftsidee, redete mir den Mund fusslig. Nach einigen Tagen erhielten wir jeweils von allen eine klare Absage.

Erstaunt war ich nicht: Ich konnte keine finanziellen Sicherheiten bieten. Dass ich und Anh alles geben werden, um es erneut zu schaffen, bedeutete in diesem Zusammenhang natürlich nichts. Bereits vor den Absagen liess ich die Unterlagen auch einer kleinen, feinen Privatbank in Horgen zukommen, die Unternehmen in der Region unterstützt. Beim Verantwortlichen durfte ich bereits vorsprechen und meine Pläne präsentieren. Nach den abschlägigen Entscheiden war ich etwas geknickt, doch dieser Zustand dauerte nicht lange an, denn die Privatbank meldete sich erneut bei mir. Ein zweites Gespräch wurde angeregt und tatsächlich: Als ich das Gebäude zwei Stunden später verliess, war uns eine beachtliche Summe zugesichert worden. Bezeichnenderweise zog genau diese Bank später ebenfalls in die Seehallen ein und etablierte dort ihren Hauptsitz.

Die einzige Auflage, die es für die Zusage gab, war, dass wir unser Eigenkapital in Form der Firmengründung und der eigenen Einlage von 100'000 Franken nachweisen mussten. Sie glaubten an die Idee, wollten uns unterstützen und mitziehen. Jetzt war ich nicht mehr nur auf Wolke sieben, sondern schwebte im siebten Himmel, insbesondere da ich wenig später auch die Zusage erhielt, die Ladenfläche in den Seehallen anmieten zu dürfen.

Nicht nur würde mein Traum wahr werden, mich einem nachhaltigen Produkt widmen zu können. Ich erhielt auch die Chance mich erneut als Unternehmer zu beweisen. Dieser Umstand und vor allem, dass es Experten gab, die offensichtlich an mich glaubten, verliehen mir ungeahnte Kräfte. Ehrgeizig und zielorientiert war es mir – so wurde mir nun bewusst – auch ein Anliegen meine Karriere nicht mit einer Niederlage zu beenden.

Vorerst zogen anstrengende Monate ins Land. Weiterhin lebten wir unter dem Existenzminimum, brachten uns mehr schlecht als recht über die Runden und waren gleichzeitig mit dem Aufbau der neuen Firma beschäftigt. Wir mieteten die beste Fläche, direkt beim Eingang. Ich zeichnete die Inneneinrichtung selbst. Unsere Lokalität sollte die Geschichte des Kaffees atmen: In umgebauten Schiffscontainern sollte die Küche eingebaut werden und die feuerrot gestrichenen Container – sie werden als Transportbehältnisse für die Kaffee-Ernte verwendet – passten visuell zur integrierten Röstanlage. Meine Idee, unsere Rohstoffe in den Containern zu lagern und von dort aus direkt in der Rösterei zu verarbeiten, würde dem Setting Authentizität und einen brachialen Charme verleihen. Gleichzeitig sollten die Container eine Galerie bilden, die über eine massive Industrietreppe erreichbar würde. Den Rest des Interieurs wollte ich in geschwärztem Stahl halten, was den industriellen Charakter der Architektur unterstützt und gemeinsam ergäben die verschiedenen Einrichtungselemente ein Ganzes, das Modernität, jedoch auch Wärme atmet.

224

Nachdem ich mich monatelang dem Zeichen der Pläne gewidmet, sämtliche Bewilligungen eingeholt und viele Klippen überwunden hatte, legten wir los: Unter anderem installierten wir alle Lüftungsanlagen und zogen eine rund 200 Meter lange Gasleitung zur Röstanlage. Eine Abluftanlage musste eingebaut werden und die Vorgaben der Feuerpolizei stellten uns ebenfalls vor grosse Herausforderungen. Dabei galt es jeden Franken zweimal umzudrehen, bevor wir ihn ausgaben. Unser Budget verfügte über null Spielraum und vieles erledigte ich zusammen mit den Handwerkern aus der Region. Sie halfen, die Tribünen aufzubauen, ein Freund von mir war für die elektrischen Anlagen zuständig und von vielen anderen erhielten wir Unterstützung und Hilfe.

Von Menschen, die realisierten, so glaube ich zu spüren, wie wichtig uns die Kaffeerösterei-Seehallen ist und wie dankbar wir diese Chance wahrnahmen. Normale Menschen. Die keine Helikopter besitzen und mit Geld um sich werfen. Menschen, die einem nicht aus Prinzip nach dem Mund reden und einen im nächsten Moment hintergehen. Etwas mit eigenen Händen aufzubauen, Geld in der Tasche zu haben, dass man nicht erst im Nachhinein beschaffen muss und mit Menschen zusammenzuarbeiten, die eine ähnliche Arbeitsmentalität haben wie ich, ehrlich sind und fleissig, machte mich glücklich und zuversichtlich. Nicht nur privat auch beruflich trug ich früher – bildhaft gesprochen – massgefertigte Lederschuhe, die beim ersten Regen Schaden nahmen. Heute trage ich die groben, schweren Schuhe mit dem dicken Profil, die auch in zehn Jahren noch funktionstüchtig sind.

Den Transport der riesigen Container von Hamburg aus organisierte ich mit grösster Umsicht, da diese vor der Fertigstellung der übrigen Lokalitäten im Innern platziert werden mussten, wie mich die Bauleitung wissen liess. Die Eröffnung nahte und die Tage verstrichen, ohne dass das Herzstück unseres Betriebs angeliefert wurde. Nervosität machte sich breit: eine Verspätung hätte die übrigen Bauarbeiten blockiert und uns zu hohen Bussgeldzahlungen verpflichtet. Nachdem ich alle Hebel in Bewegung setzte, fuhren am letztmöglichen Termin tatsächlich zwei Tieflader – die in der Schweiz grössten zugelassenen Strassen-Fahrzeuge – durch Horgen. Ein Spektakel, das viele Schaulustige anlockte. Die übereinanderstehenden Container türmten sich in den Himmel und bildeten eine gigantische Skulptur und: Jedes Element wog mehrere Tonnen. Die organisierten Hebebühnen wirkten neben diesen Kolossen winzig klein und erwiesen sich als ungeeignet, um diese zu verschieben. Die Lader versperrten Eingänge und Strassen, ein Verkehrschaos drohte. Wir mussten auf die Schnelle einen Pneukran organisieren, der in der Lage war Dutzende Tonnen Gewicht zu stemmen. Ich war in meinem Element und Stunden später standen die sperrigen Behältnisse passgenau an den vorgesehenen Plätzen in der Lokalität, worauf unsere Eingangstüre termingerecht eingebaut und die Mauern der umliegenden Flächen hochgezogen werden konnten.

Made in Switzerland

Am 10. Januar 2018 eröffneten wir unser Lokal. Alles war wie durch ein Wunder rechtzeitig fertig geworden. Aus Asien gewohnt, die vorgeschriebenen Zeitpläne minutiös einzuhalten, wartete der Trommel-Röster auf den ersten Einsatz und die amerikanischen Evergreens auf unserer Menükarte darauf, zubereitet zu werden. Die Tische glänzten frisch gereinigt, die aufgefüllten Lager platzten aus allen Nähten.

Allerdings: Die Bagger fuhren weiterhin durch die Hallen, Schutt und Asche bedeckten die Böden. Kein einziger anderer Mieter war planmässig fertiggeworden, auch weil die Bauarbeiten massiv in Verzug geraten waren. Nach einer mehrtägigen Phase des Schocks mussten wir sofort umdenken und starteten mit deftigen Mittagsmenüs für die Bauarbeiter: Mauerer, Poliere, Maler und Eisenleger wurden zu unseren Stammgästen und wir konnten den schwierigen Anfang überbrücken.

Anh erwies sich in allen Zeiten als treuste Wegbegleiterin und nun auch als harte Arbeiterin. Wir hatten zusammen fantastische Zeiten erlebt, konnten uns damals leisten, was wir wollten und entdeckten dabei den feinen und eleganten Lebensstil, der möglich wird, wenn das Finanzielle keine Rolle spielt. Doch auch als es uns schlecht und immer schlechter ging, blieb sie an meiner Seite. Reichtum und Überfluss waren ihr weniger wichtig als unsere Beziehung und unsere Familie. Gibt es einen schöneren Liebesbeweis? Sie hat nie gejammert, das Beste aus der Situation gemacht und ist Jenny bis zum heutigen Tag eine wunderbare Mutter. Abermals befindet sie sich nun in einem für sie fremden Land, doch Anh erstaunt mich immer wieder: Heute ist sie der Sonnenschein des Betriebs, versorgt unsere Gäste tagtäglich mit Bergen von hausgemachten Köstlichkeiten und spricht bereits recht gut Schweizerdeutsch.

Sie selbst hatte angeregt, in der Schweiz zu bleiben, eine Aussage, die mich 2017 erstaunte. Doch wie immer hatte meine Frau ein gutes Baugefühl. Horgen ist eine sehr coole Gemeinde, die auch irgendwo in Kanada an einem See liegen könnte. Wir lieben die reine und saubere Luft, die Wälder und Naherholungsgebiete. Jenny kann die Volksschule besuchen. Alles liegt hier in Fuss-Distanz. Die Bewohner der Gemeinde kennen sich, schauen zueinander. Wenn man jahrelang in den Moloch-Städten Asiens gelebt hat, sind das alles wertvolle Umstände, die zu einer guten Lebensqualität beitragen.

Zurück zum neuen Business: Ein Jahr lang fehlte es an genügend Besuchern. Wir mussten uns nach der Decke strecken und ich konzentrierte mich in dieser Zeit auf den Ausbau der eigentlichen Idee und meine Vision Kaffee erlebbar zu machen. In der Zwischenzeit haben Tausende von Menschen unsere Show-Rösterei besucht, Zehntausende von Tassen Kaffee getrunken und einige Tonnen frischgeröstete Bohnen gekauft. Das Publikum kann den Röstverlauf beobachten, zusehen wie die Bohnen ihre Farbe wechseln und aufgrund der Luftkühlung jenes einzigartige Aroma entwickeln, das im industriellen Verfahren unmöglich ist. Riechen, Sehen und Geniessen: Am Schluss eines aufwendigen Prozesses, der im Bereich das Slow-Food-Philosophie anzusiedeln ist, werden die Bohnen gemahlen und in unserem Restaurant zu Getränken verarbeitet, die es in dieser Qualität bisher nicht oder nur selten gab.

Bei der industriellen Röstung werden die Bohnen im sogenannten Durchlaufverfahren geröstet. Das bedeutet, dass die Bohnen auf ein luftdurchlässiges Förderband gelegt und bei 800 °C durch einen Heissluftofen gefahren werden. Die Röstdauer kürzt sich dramatisch ab; ein solcher Vorgang dauert nur noch zwischen einer und vier Minuten. Danach werden die Bohnen mit Wasser abgekühlt, was sie aufreissen lässt, damit Aromen und ätherische Öle austreten können. Bei diesem schnellen Prozedere zeigt der Kaffee äusserlich zwar eine schöne braune Farbe, das Innere der Bohne ist aber oft noch nicht durchgeröstet. Bei der Industrieröstung entstehen zudem fast zwangsläufig verbrannte Aussenschichten, die sich als Bitteraromen über den Geschmack legen. Weil aufgrund der zu kurzen Röstzeit auch die Säuren nicht abgebaut werden, entstehen jene Bitterstoffe, die bei empfindlichen Menschen zu Bauchschmerzen und Sodbrennen führen.

Die grössten Röstereien der Schweiz produzieren pro Jahr zusammen rund 60'000 Tonnen Kaffee. Mengen, die in einem traditionellen Verfahren gar nicht mehr bewältigt werden könnten. Für die Industrieröster geht die Rechnung auf. Erstens sparen sie viel Zeit und zweitens wird der Einbrand, also der Gewichtsverlust durch das Rösten der Bohne auf rund 5 Prozent begrenzt. Es bedeutet: Es bleibt mehr Wasser in der Bohne, was bei einem Kilogramm Kaffee zu einer «Gewichtszunahme» von rund 15 Prozent führt oder anders gesagt: Die Kunden bezahlen mehr als bei einem Produkt, das in einem traditionellen Trommelröster entstanden ist.

Wir arbeiten mit einem traditionellen Trommelröster, wie er bereits vor hundert Jahren in Italien verwendet worden ist. Unser Röstverfahren braucht Zeit. Viel Zeit. Je nach Sorte und Geschmack, den wir erreichen wollen. Wie lange genau, ist das Geheimnis des Röstmeisters, der für jeden Kaffee die richtige Röstkurve entwickelt hat. Nachdem die Bohnen den richtigen Röstgrad erreicht haben, werden sie bei uns mit Luft abgekühlt. Die schonende Luftkühlung garantiert eine langsame Abkühlung der Bohnen. Darum schmeckt der von Hand geröstete Kaffee so intensiv. Mit der Vorbereitung und der Nachbearbeitung schenken wir jeder Röstung eine Stunde Zeit. Manche Dinge waren früher einfach gut. So wie sie waren und nicht alles, was heute machbar ist, ergibt einen Sinn. Meine Philosophie, dass die Kaffeebohne mit Respekt behandelt werden soll, man ihr die Zeit lässt, um die volle Qualität entwickeln zu können, bewährt sich: Die Aromen eines solchen Kaffees sind unvergleichbar.

Als Rösterei, die sich dem traditionellen Handwerk verschrieben hat und auf langfristige Qualität statt auf Trends setzt, rösten wir die immer gleichen Bohnensorten. Frei nach dem Credo: Gutes muss nicht immer besser werden wollen. Und wir wissen auch, wie wir mit der perfekten Röstung feine Nuancen herausarbeiten und erstklassige Mischungen produzieren können. Gut zu wissen: Jede Bohne hat eine eigene Persönlichkeit. Als wir die für uns passenden Charaktere gesucht haben, wählten wir vor allem starke Einzelkämpfer. So haben alle unsere Bohnen eine wundervolle und vollwertige Geschmacksnote und überzeugen auch als «Single Origin». Als Experten sind wir jedoch der Meinung, dass die perfekte Mischung wie ein guter Film funktioniert, der einer komplexen Dramaturgie folgt und verschiedene Emotionen auszulösen weiss. Da unsere Rösterei direkt am See liegt, wir einen wunderbaren Blick über das Wasser geniessen und in den Seehallen bei jeder Röstung auch eine Brise frische Seeluft einatmen, tragen unsere Sorten Namen wie «Leuchtturm», «Klippensprung», «Fährmann», «Sturmwanderung» oder «Moby Dick». Fruchtig und bekömmlich oder solide und ausbalanciert, entwickeln sie ihr Feuerwerk erst im Gaumen. Auch ein kräftiger Ruderer mit viel Kraft und Gehalt ist dabei und die eine oder andere Bohne, die wie ein köstlicher Wein über ein Bouquet aus Schokolade und Nuss verfügt. Zudem tragen heute auch zwei Hausmischungen die Signatur unserer Rösterei. Die Kapitänsmischung steht für unseren Espresso und die Seehallen Mischung für den Crema. Dafür haben wir in langen und mystischen Vollmondnächten die unterschiedlichsten Bohnen aus allen Herren Ländern gemischt, gegeneinander ausgespielt, aufeinander abgestimmt, und mit den heiligen Gesandten der Kaffeegötter um jede Bohne gerungen. Als der erste Sonnenstrahl die Berge küsste, lagen die perfekten Kombinationen vor uns. Die Geheimnisse dieser Kreationen sind nun verpackt und bereit zur Verköstigung, auch bei uns in den Seehallen zu erwerben.

Meine Liebe zum Kaffee sollte sich als dauerhaft erweisen. Es ist eine Beziehung, die sich in der Zwischenzeit vertieft hat. Ich eignete mir viel Wissen an, funktioniere heute auch als Röstmeister und verweigere mich manchen Trends, die sicher Geld in die Kassen spülen würden, bewusst. Neumodische Kaffeekreationen sucht man bei uns vergeblich. Wir wollen kein hochpreisiges Gourmet-Angebot sein, wir sehen uns als Anti-Hipster-Label und stellen erschrocken fest: Das liegt durchaus im Trend. Wie auch immer: Wir wollen auch nicht als Spezialitäten-Kaffee wahrgenommen werde. Die Qualität der Bohnen wird mit der Zugabe von Gewürzen, Rahm und Zuckersirup verfälscht. Ebenfalls halten wir nicht viel von Spezialeditionen oder aromatisierten Bohnen, die in Kleinstmengen verkauft werden. Eine Sonderedition zu Weihnachten, warum nicht? Doch solche Kapriolen dienen weniger der Wirtschaftlichkeit als unserem persönlichen Spass an der Sache. Unsere Bohnen, die wir über die Show-Rösterei anbieten, werden per Kilogramm verkauft, in einer Tüte aus ungebleichtem Papier. Punkt. Mehr gibt es nicht, denn das ist mehr als genug. Das schönste Kompliment machte mir kürzlich mein Nachbar, ein italienischer Maurer. Er arbeitete dreissig Jahre lang auf dem Bau, spricht allerdings nur ein paar Worte deutsch. Unseren Kaffee bezeichnet er als den «besten ausserhalb Italiens».

Und jene, die ihn geniessen, wissen auch genau, woher die Bohnen stammen und unter welchen Bedingungen sie produziert worden sind. Ein Produkt, das frisch geerntet und durch Handarbeit geröstet wird, muss aus biologischem Anbau stammen. Eine eigene Kaffeeplantage besitze ich – noch – nicht. Doch jene Farmen in Kolumbien, Tansania Honduras und Uganda, von denen wir unsere Bohnen beziehen, zählen zu den besten Hochland-Kaffee-Anbietern der Welt. Als Teil einer langen Kette von auditierten und zertifizierten Fairtrade- und Bio-Farmern, -Händlern und -Verarbeitern können wir die höchste ethische und qualitative Zertifizierung garantieren. Die doppelte Zertifizierung «Biologisch» und «Fair» ist – darauf bin ich heute stolz – ausgesprochen selten. Die hohe Qualität der Bohnen, der biologische und nachhaltige Anbau ist uns wichtig, vor allem aber auch, dass die Kaffeebauer genügend verdienen. Wir verzichten darum auf einen Teil der handelsüblichen Marge und geben sie an unsere Produzenten weiter.

Auf los geht's los

Ende 2019 mieteten wir umliegende Ladenflächen dazu, vergrösserten den Betrieb und die Umsätze erhöhten sich.

Wie bereits erwähnt: Ehrgeizig bin ich noch immer und Limits betrachte ich als belebende Herausforderung. Gleichzeitig halte ich an meinem eigenen *Downsizing* fest und fühlte mich gut dabei. Als wir bereits wieder in einer schönen Miet-Wohnung lebten, ich die Schulden bei meiner Mutter zurückzahlen konnte, das neue Geschäft auf stabilen Beinen dastand, hielt ich an meiner Idee fest, achtsam durch das Leben zu gehen und mein Kaffee-Projekt hätte ich für kein Geld der Welt verändert.

Meine geschäftlichen Ziele sind ähnlich geblieben, doch heute möchte ich diese mit einer anderen Strategie erreichen. Es geht nicht mehr um den schnellen Endverkauf, sondern darum, dass alle Schritte, die zum Resultat führen, umweltverträglich und die Produktionsbedingungen fair sind. Ich sehe das als ultramodernen Zugang: Man will verkaufen und sucht den wirtschaftlichen Erfolg. Doch dieser basiert auf nachhaltigen Prozessen, die weder die Menschen noch die Umwelt schädigen. Nachhaltigkeit ist in aller Munde, doch was bedeutet sie eigentlich genau? Ressourcen sollen so genutzt werden, dass sie keinen bleibenden Schaden nehmen und künftigen Generationen in gleicher Weise zur Verfügung stehen. In der Zwischenzeit gibt es fast keine Lebensbereiche mehr, die vom Nachhaltigkeits-Hype nicht erfasst worden sind: Stadtentwicklung, Tourismus, Wirtschaft, Wohnformen, Energiegewinnung, Entwicklungshilfe, Immobilien, Fiskalpolitik, Fahrzeuge, Stromnetze, Integration, Landwirtschaft und Finanzanlagen. Und natürlich sind zumindest einige dieser Themen auch eng mit dem Lifestyle verknüpft: Wie wir die Freizeit verbringen, was wir essen, wie wir wohnen, mit welchen Verkehrsmitteln wir uns fortbewegen, wie wir uns pflegen. Wir könnten in fast jedem Bereich nachhaltig funktionieren.

Die Konsumenten haben sich verändert, sie wollen wissen, wo ein Produkt herkommt, unter welchen Bedingungen es produziert worden ist. Dessen sind sich viele andere bewusst, die die Nachhaltigkeit vor allem als Marketinginstrument entdeckt haben. Einzig und allein ein Produkt zu erschaffen, weil man weiss, dass es gerade im Trend liegt, empfinde ich nicht als richtigen Weg. Ich möchte es umgekehrt angehen, den Konsumenten ein Top-Produkt anbieten, das sie in erster Linie kaufen, weil es einfach das Beste seiner Art ist. Dass viele Leute unsere Ideen nachvollziehen können, diese toll finden, weil die Qualität stimmt, sie sich auch noch mit dem Engagement identifizieren können und damit dass wir als regionaler Kleinanbieter agieren, ist für mich eine schöne Bestätigung.

Auch das Elektroauto war lange Zeit ein Kompromiss. Heute ist der Tesla schneller, komfortabler und besser als alle anderen Autos und noch günstiger als ein ähnliches Fahrzeug in einer ähnlichen Komfortklasse. So etwas Ähnliches wollen wir – ganz unbescheiden – auch für unseren Kaffee erreichen. Fazit: Heute finde ich den wirtschaftlichen Erfolg nur noch cool, wenn alle Schritte, die zum Produkt führen, sozial verträglich und nachhaltig sind. Es bedeutet eine Veränderung in materieller Hinsicht, denn mit dieser Philosophie verdient man nicht in kürzester Zeit Millionen. Ein erfolgreicher Unternehmer war für mich aber schon immer viel mehr als eine reine Geldmaschine und heute setze ich die damit verbundenen Überzeugungen in die Realität um. Um den nachhaltigen Erfolg zu erreichen, ist also auch Geduld erforderlich.

Und Verzicht: Soeben haben wir unserem Betrieb konsequent auf 100 % Biogas umgestellt und verwenden nur noch zu 100 % Naturstrom. Somit sind wir aktuell die einzige Kaffeerösterei in der Schweiz, die nachhaltig und biologisch produziert und gleichzeitig auf erneuerbare Energien setzt. Naturstrom kostet zum Beispiel rund 40 Prozent mehr als kommerzielle Ressourcen, diese Mehrkosten kann und will ich nicht auf die Kunden abwälzen. Aber dank unserer Bemühungen und des konsequenten Verbrauchs von Biogas produzieren wir heute den schweizweit einzigen und ersten klimaneutral gerösteten Bio & Fairtrade Kaffee und bieten diesen unter dem Label «Kaffee Onesto» an, was so viel bedeutet wie «ehrlicher Kaffee». Fazit: Wenn das Engagement ehrlich ist, verdient man mittelfristig weniger, nimmt längere Wartezeiten in Kauf und das hat natürlich auch Auswirkungen auf den eigenen Lebensstil. Dieser ist so oder so weniger stressig als früher. Ich muss nicht mehr um die Welt jetten, jongliere nicht mit Millionen, bin an keine Investorentreffen eingeladen. Vieles läuft normaler, langsamer, aber nicht langweiliger. Es ist eine gute Ruhe, die im Moment für mich stimmt. Die einstigen Tänze auf dem Vulkan, das Einkalkulieren oder zumindest das Bewusstsein, hohe Risiken in Kauf zu nehmen, könnte man als Strategie der Vergangenheit bezeichnen. Früher *floatete* ich durch das Leben, eigentlich in sämtlichen Bereichen. Heute stehe ich auf einem soliden Sockel, habe Sinn und Erfüllung gefunden, weiss meine Familie an meiner Seite, bin mit einem Produkt unterwegs, das ich liebe.

Trotzdem: Eines Tages möchte ich zu den zehn grössten Kaffee-Röstereien der Schweiz gehören und als Unternehmer geschafft haben, den hiesigen Markt in Richtung Nachhaltigkeit verändert zu haben. Und logisch: Eines Tages möchte ich wieder mehr verdienen. Es müssen keine Millionen sein, wie früher, aber ich will auch nicht jeden Franken zweimal umdrehen müssen. Anh, Jenny und ich sollten komfortabel leben können. Genügend Geld zu verdienen, bedeutet Freiheit. Viele Sorgen, die mit finanziell prekären Verhältnissen verbunden sind, fallen weg, ein Umstand, der zweifelsohne zur Lebensqualität beiträgt.

Genügend Geld bedeutet auch, dass man als Unternehmer seine Visionen umsetzten kann. Dass dies heute auch im nachhaltigen Bereich möglich ist, empfinde ich als hoffnungsvollen Fortschritt. Ich erinnere mich an mein Vorstellungsgespräch beim Berner-Velokurier vor dreissig Jahren. Damals war der ökologische Gedanke mit vielen Feindbildern und antikapitalistischen Ideologien verbunden. Die neue Vision von «echter» Nachhaltigkeit ist längt vom Fundamentalisten-Image befreit, was auch bedeutet: Man darf den ökonomischen Erfolg anstreben. Was nur mittels Subventionen funktioniert, ist bestimmt nicht nachhaltig. Erfolg und Gewinn trotz Nachhaltigkeit schliessen sich also nicht aus und heute wird auch vom Nachhaltigkeitsdreieck gesprochen: Es soll verdeutlichen, dass Nachhaltigkeit nur erreicht werden kann, wenn ökologische, soziale, aber auch wirtschaftliche Aspekte berücksichtigt werden.

In den Anfangsjahren eines neuen Business geht es um das Überleben, darum vieles zu etablieren, von Ideen und Idealen nicht abzuweichen, auch wenn die Umsetzung etwas mehr Zeit beansprucht. Mein heutiges Unternehmen ist klein und fein. Und doch verfügt es über viel Potenzial. An Ambitionen, Visionen und Träumen für die Zukunft mangelt es mir nicht und manchmal bin ich selbst ein wenig erstaunt, wenn ich daran denke, dass ich an besonders hektischen Tagen im Service einspringe, den Gästen den Kaffee serviere, während ich über unsere nächste Expansionsstrategie nachdenke. Wir stehen am Anfang des nächsten Kapitels und begeben uns auf eine Reise, die Höhen und Tiefen beinhalten wird.

Mein Leben erinnert mich an die Pionierzeit des Fliegens als die Freiheit und die Chance, die Welt von oben zu betrachten, mit dem Risiko verbunden war, in eine Schieflage zu geraten oder im schlimmsten Fall abzustürzen. Ich bin ein alter Hase, ein Flugpionier, der es immer wieder versucht und den Traum von einen langen Solo-Flug nicht aufgibt. Die bisherigen Bruchlandungen hinterliessen zwar ihre Spuren, doch jeder Crash brachte wertvolle Erfahrungen mit sich, die ich auf keinen Fall missen möchte. Inzwischen bin ich nicht mehr blutjung, bin einer, der die Gefahren einschätzen kann. Das Alter! Manche Menschen entwickeln, aufgrund von vielen gemachten Erfahrungen Angst vor neuen Risiken, Angst vor neuen Abenteuern, die ihnen abermals Blessuren zufügen könnten. Das untersage ich mir bewusst. Von den Lektionen, die einem das Leben erteilt, habe ich noch lange nicht genug. Ich bleibe ein Draufgänger, ein Lebensmutiger, gebe jeden Tag alles und schraube weiter an den Fluginstrumenten.

Was kann ich anderen Menschen mit auf den Weg geben, die als Unternehmer am Anfang stehen, einer Herausforderung gegenüberstehen, Ziele erreichen wollen oder eine persönliche Krise durchmachen? Um beim Bild des Fliegens zu bleiben: Wenn das Flugzeug an Höhe gewinnt, werfen die, welche einen vom Boden aus beobachten, die Hüte in die Luft. Doch Entscheidungen sollte man ungeachtet der Jubelrufe von anderen fällen. Man sollte sich auf jene, die einen in guten Zeiten blind bestätigen, nicht verlassen, denn sie werden sich bei Turbulenzen vermutlich nicht loyal verhalten. Manche dieser Mitstreiter leben und agieren im Fahrtwasser der Erfolgreichen und sobald diese ins Straucheln gelangen, wenden sie sich einem anderen Gewinner zu, der verantwortlich gemacht werden kann, wenn Gegenwind oder ein Sturm für Turbulenzen sorgen. Das Cockpit meines Flugzeugs war stets offen. Wenn der Sturm aufzog, setzte ich den Helm ab. Der Regen roch gut, die Blitze waren aufregend. Durch ein orkanartiges Gewitter zu fliegen, ist eine Erfahrung, die prägend sein kann. Was ich gemacht habe, entspricht sicher nicht jedem Menschen, doch für mich war es das Richtige: Noch mehr Gas geben, wenn man denkt, das Höchstlimit ist bereits erreicht oder wenn das Gefährt in Schwierigkeiten gerät.

Ich versuchte frei zu bleiben, liess mich nie beengen und Träume habe ich immer noch. Die Verantwortung meinem eigenen Leben gegenüber nahm ich immer ernst. Was man erlebt oder nicht erlebt, ist die Entscheidung jedes Einzelnen. Sinn zu erkennen, Erfüllung zu finden, ist kein einfaches Anliegen, vielleicht aber die wichtigste Aufgabe überhaupt. Das Leben voll auskosten, ohne Rücksicht auf Verluste: Skeptiker und Vorsichtige werden denken, ich sei ein Kamikaze-Flieger. Mag sein. Meine unternehmerischen Tätigkeiten, meine Ziele, aber auch mein Leben konnte und wollte ich nie losgelöst von persönlichen Überzeugungen verfolgen. Die

236

Rufe von anderen, ich müsse sofort landen, der Sprit sei knapp, ein Unwetter gefährlich, befolgte ich nie. Ich beschleunigte die Geschwindigkeit, wechselte auch schon mal in den Gleitflug-Modus und wenn es brenzlig wurde, sprang ich mit dem Fallschirm ab. Man landet vielleicht hart auf dem Boden, vielleicht aber auch an einem unbekannten Ort, der neue Möglichkeiten bietet, um Träume zu verwirklichen. Auch aus diesem Grund geht es in meinem Dasein weiterhin um das Erleben. Und wenn einem das Leben ab und zu umhaut, gilt es wieder aufzustehen, den Staub aus den Kleidern zu klopfen und weiterzumachen und zu sich selbst zu sagen: «F&%K THE CRISIS».

Liebe Anh,
ich wünsche uns, dass wir noch viele Kapitel des Lebens zusammen erleben und zusammen alt werden und glücklich bleiben.
In Liebe
Fox

Vorträge und Coaching

**Fox Hardegger kann auch gebucht werden für Vortrage und
Gastredner an Seminaren im Bereich Unternehmertum
und, Coaching und Motivation.
Anfragen bitte direkt an <u>fox@fuckthecrisis.blog</u>**

Weitere Informationen zur Kaffeerösterei Seehallen unter:
<u>www.kaffeeroesterei-seehallen.ch</u>